최상위 수학

Light 라이트 중 2/2

디딤돌

Structure

상위권으로 가는 필수 교재, 최상위 수학 라이트

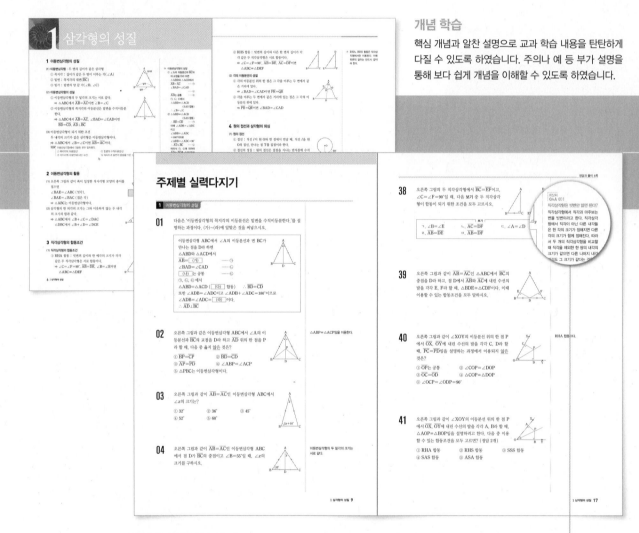

개념 학습

핵심 개념과 알찬 설명으로 교과 학습 내용을 탄탄하게 다질 수 있도록 하였습니다. 주의나 예 등 부가 설명을 통해 보다 쉽게 개념을 이해할 수 있도록 하였습니다.

주제별 실력다지기

중단원별로 세분화 유형 중 시험에 잘 나오거나 틀리기 쉬운 핵심 유형을 수록하여 집중 연습할 수 있도록 하였습니다. 내신 고득점을 위한 최상위 문제를 제시하여 문제해결 능력을 키울 수 있도록 하였습니다.

최상위 Q&A

학습에 필요한 궁금증을 해결해 주고, 학년별 연계를 통하여 핵심 내용을 볼 수 있도록 하였습니다.

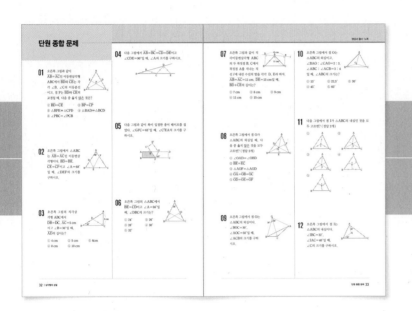

단원 종합 문제

대단원 학습 내용을 정리할 수 있도록
학습 내용, 난이도, 문제 형태를 고려하여
엄선된 문제를 구성하였습니다.

Contents

I 삼각형의 성질

1. 삼각형의 성질

1 삼각형의 성질

1 이등변삼각형의 성질

(1) **이등변삼각형** : 두 변의 길이가 같은 삼각형
   ① 꼭지각 : 길이가 같은 두 변이 이루는 각($\angle$A)
   ② 밑변 : 꼭지각의 대변($\overline{BC}$)
   ③ 밑각 : 밑변의 양 끝 각($\angle$B, $\angle$C)

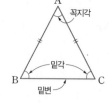

(2) **이등변삼각형의 성질**
   ① 이등변삼각형의 두 밑각의 크기는 서로 같다.
      ➡ $\triangle$ABC에서 $\overline{AB}=\overline{AC}$이면 $\angle$B$=\angle$C
   ② 이등변삼각형의 꼭지각의 이등분선은 밑변을 수직이등분한다.
      ➡ $\triangle$ABC에서 $\overline{AB}=\overline{AC}$, $\angle$BAD$=\angle$CAD이면
         $\overline{BD}=\overline{CD}$, $\overline{AD}\perp\overline{BC}$

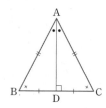

(3) 이등변삼각형이 되기 위한 조건
   두 내각의 크기가 같은 삼각형은 이등변삼각형이다.
      ➡ $\triangle$ABC에서 $\angle$B$=\angle$C이면 $\overline{AB}=\overline{AC}$이다.

   개념+ 이등변삼각형에서 다음은 모두 같은 직선이다.
      ① 꼭지각의 이등분선   ② 밑변의 수직이등분선
      ③ 꼭지각에서 밑변에 내린 수선   ④ 꼭지각과 밑변의 중점을 이은 선분

＋ 이등변삼각형의 성질
   ① $\angle$A의 이등분선과 $\overline{BC}$와의 교점을 D라 하면
      $\triangle$ABD와 $\triangle$ACD에서
      $\overline{AB}=\overline{AC}$ ······ ㉠
      $\angle$BAD$=\angle$CAD ······ ㉡
      $\overline{AD}$는 공통 ······ ㉢
      ㉠, ㉡, ㉢에서
      $\triangle$ABD$\equiv\triangle$ACD
         (SAS 합동)
      $\therefore \angle$B$=\angle$C
   ② $\triangle$ABD$\equiv\triangle$ACD
         (SAS 합동)
      $\therefore \overline{BD}=\overline{CD}$ ······ ㉠
      이때 $\angle$ADB$=\angle$ADC
      이고
      $\angle$ADB$+\angle$ADC
      $=180°$이므로
      $\angle$ADB$=\angle$ADC$=90°$
      $\therefore \overline{AD}\perp\overline{BC}$ ······ ㉡
      따라서 ㉠, ㉡에 의하여
      $\overline{AD}$는 $\overline{BC}$를 수직이등분한다.

2 이등변삼각형의 활용

(1) 폭이 일정한 직사각형 모양의 종이를 오른쪽 그림과 같이 접으면
      $\angle$BAE$=\angle$ABC (엇각),
      $\angle$BAE$=\angle$BAC (접은 각)
      ➡ $\triangle$ABC는 이등변삼각형이다.

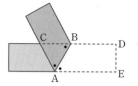

(2) 삼각형의 한 외각의 크기는 그와 이웃하지 않는 두 내각의 크기의 합과 같다.
      ➡ $\triangle$ABC에서 $\angle$B$+\angle$C$=\angle$DAC
         $\triangle$DBC에서 $\angle$B$+\angle$D$=\angle$DCE

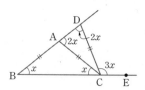

＋ 이등변삼각형의 성질의 활용에서 자주 이용되는 것
   ① 삼각형의 세 내각의 크기의 합은 180°이다.
   ② 삼각형의 한 외각의 크기는 그와 이웃하지 않는 두 내각의 크기의 합과 같다.
   ③ 평각은 180°이다.

3 직각삼각형의 합동 조건

(1) **직각삼각형의 합동 조건**
   ① RHA 합동 : 빗변의 길이와 한 예각의 크기가 각각 같은 두 직각삼각형은 서로 합동이다.
      ➡ $\angle$C$=\angle$F$=90°$, $\overline{AB}=\overline{DE}$, $\angle$B$=\angle$E이면
         $\triangle$ABC$\equiv\triangle$DEF

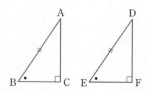

＋ S(Side) : 변
   A(Angle) : 각
   R(Right angle) : 직각
   H(Hypotenuse) : 빗변

② RHS 합동 : 빗변의 길이와 다른 한 변의 길이가 각
   각 같은 두 직각삼각형은 서로 합동이다.
   ➡ $\angle C = \angle F = 90°$, $\overline{AB} = \overline{DE}$, $\overline{AC} = \overline{DF}$이면
      $\triangle ABC \equiv \triangle DEF$

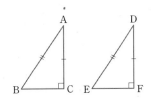

RHA, RHS 합동은 직각삼각형에서만 이용된다. 이때 빗변의 길이는 반드시 같아야 한다.

(2) 각의 이등분선의 성질

① 각의 이등분선 위의 한 점은 그 각을 이루는 두 변에서 같은 거리에 있다.
   ➡ $\angle BAD = \angle CAD$이면 $\overline{PR} = \overline{QR}$

② 각을 이루는 두 변에서 같은 거리에 있는 점은 그 각의 이등분선 위에 있다.
   ➡ $\overline{PR} = \overline{QR}$이면 $\angle BAD = \angle CAD$

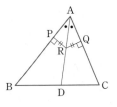

4 원의 접선과 삼각형의 외심

(1) 원의 접선

① 접선 : 직선 l이 원 O와 한 점에서 만날 때, 직선 l을 원 O의 접선, 만나는 점 T를 접점이라 한다.

② 접선의 성질 : 원의 접선은 접점을 지나는 반지름에 수직이다. 즉 $\overline{OT} \perp l$

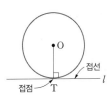

(2) 삼각형의 외심(O)

① 외접원과 외심 : 삼각형의 세 꼭짓점이 모두 한 원 위에 있을 때, 이 원을 삼각형의 외접원이라 하고, 외접원의 중심을 삼각형의 외심이라 한다.

② 외심의 작도 : 삼각형의 세 변의 수직이등분선의 교점

③ 외심의 성질 : 외심에서 삼각형의 세 꼭짓점에 이르는 거리는 같다.

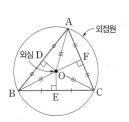

점 O가 $\triangle ABC$의 외심일 때,
• $\overline{OA} = \overline{OB} = \overline{OC}$이므로 $\triangle OAB$, $\triangle OBC$, $\triangle OCA$는 모두 이등변삼각형이다.
• $\triangle ADO \equiv \triangle BDO$
$\triangle BEO \equiv \triangle CEO$
$\triangle AFO \equiv \triangle CFO$

(3) 삼각형의 외심의 활용 : 점 O가 $\triangle ABC$의 외심일 때

①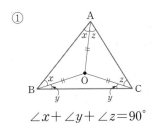

$\angle x + \angle y + \angle z = 90°$

②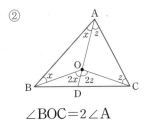

$\angle BOC = 2\angle A$

(4) 외심의 위치

① 예각삼각형
   : 삼각형의 내부

② 직각삼각형
   : 빗변의 중점

③ 둔각삼각형
   : 삼각형의 외부

직각삼각형에서 외심은 빗변의 중점이므로
(외접원의 반지름의 길이)
$= \dfrac{1}{2} \times$ (빗변의 길이)

5 삼각형의 내심

(1) 삼각형의 내심(I)

① 내접원과 내심 : 삼각형의 내부에서 세 변에 모두 접하는 원을 삼각형의 내접원이라 하고, 내접원의 중심을 삼각형의 내심이라 한다.

② 내심의 작도 : 삼각형의 세 내각의 이등분선의 교점

③ 내심의 성질 : 내심에서 삼각형의 세 변에 이르는 거리는 같다.

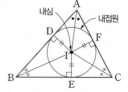

(2) 삼각형의 내심의 활용 : 점 I가 △ABC의 내심일 때

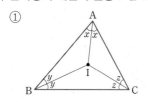

①

$$\angle x + \angle y + \angle z = 90°$$

②

$$\angle BIC = 90° + \frac{1}{2}\angle A$$

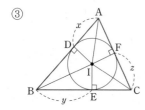

③

(△ABC의 둘레의 길이)

$$= 2(x+y+z)$$

④

(△ABC의 넓이)

$$= \frac{1}{2}r(a+b+c)$$

(3) 내심의 위치 : 모든 삼각형의 내심은 항상 삼각형의 내부에 있다.

6 삼각형의 넓이에 관한 성질

(1) 선분의 길이의 비와 삼각형의 넓이의 비

△ABD와 △ACD의 높이가 모두 h이므로 두 삼각형의 넓이의 비는 밑변의 길이의 비와 같다.

➡ $$\triangle ABD : \triangle ACD = \frac{1}{2}mh : \frac{1}{2}nh = m : n$$

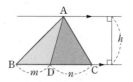

(2) 평행선과 삼각형의 넓이

두 평행선 사이에 있고, 밑변의 길이가 같은 두 삼각형의 넓이는 같다.

➡ $l /\!/ m$이면 △ABC=△DBC

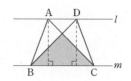

✚ 점 I가 △ABC의 내심일 때,
△ADI≡△AFI
△BDI≡△BEI
△CEI≡△CFI

✚

① 원 밖의 한 점에서 원에 그은 두 접선의 길이는 같다.
$\overline{PT}=\overline{PT'}$

② 원의 접선은 접점을 지나는 반지름에 수직이다.
$\overline{OT}\perp\overline{PT}$, $\overline{OT'}\perp\overline{PT'}$

✚

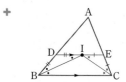

△ABC에서 점 I는 내심이고 $\overline{DE} /\!/ \overline{BC}$일 때,
① △DBI, △EIC는 이등변삼각형이다.
② (△ADE의 둘레의 길이)
$= \overline{AB}+\overline{AC}$

✚ 평행선과 삼각형의 넓이의 활용

① △ADC=△AEC이므로
□ABCD=△ABE
② △DAE=△DCE이므로
△ADF=△FCE

주제별 실력다지기

1 이등변삼각형의 성질

01 다음은 '이등변삼각형의 꼭지각의 이등분선은 밑변을 수직이등분한다.'를 설명하는 과정이다. (가)~(라)에 알맞은 것을 써넣으시오.

> 이등변삼각형 ABC에서 ∠A의 이등분선과 변 BC가
> 만나는 점을 D라 하면
> △ABD와 △ACD에서
> $\overline{AB}=$ [(가)]   ······ ㉠
> ∠BAD=∠CAD   ······ ㉡
> [(나)] 는 공통   ······ ㉢
> ㉠, ㉡, ㉢ 에서
> △ABD≡△ACD ([(다)] 합동)   ∴ $\overline{BD}=\overline{CD}$
> 또한 ∠ADB=∠ADC이고 ∠ADB+∠ADC=180°이므로
> ∠ADB=∠ADC= [(라)] 이다.
> ∴ $\overline{AD}\perp\overline{BC}$

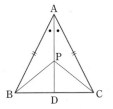

02 오른쪽 그림과 같은 이등변삼각형 ABC에서 ∠A의 이등분선과 $\overline{BC}$의 교점을 D라 하고 $\overline{AD}$ 위의 한 점을 P라 할 때, 다음 중 옳지 <u>않은</u> 것은?

① $\overline{BP}=\overline{CP}$ ② $\overline{BD}=\overline{CD}$
③ $\overline{AP}=\overline{PD}$ ④ ∠ABP=∠ACP
⑤ △PBC는 이등변삼각형이다.

△ABP≡△ACP임을 이용한다.

03 오른쪽 그림과 같이 $\overline{AB}=\overline{AC}$인 이등변삼각형 ABC에서 ∠$x$의 크기는?

① 32°   ② 36°   ③ 45°
④ 52°   ⑤ 60°

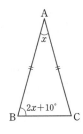

04 오른쪽 그림과 같이 $\overline{AB}=\overline{AC}$인 이등변삼각형 ABC에서 점 D가 $\overline{BC}$의 중점이고 ∠B=55°일 때, ∠x의 크기를 구하시오.

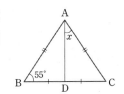

이등변삼각형의 두 밑각의 크기는 서로 같다.

05 오른쪽 그림과 같은 이등변삼각형 ABC에서 ∠A의 이등분선과 $\overline{BC}$의 교점을 D라 하자. $\overline{AD}$ 위의 한 점 P에 대하여 ∠BAP=20°, ∠DCP=40°일 때, ∠x+∠y의 크기를 구하시오.

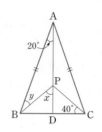

06 오른쪽 그림과 같이 $\overline{AC}=\overline{BC}$인 이등변삼각형 ABC에서 ∠C의 이등분선이 $\overline{AB}$와 만나는 점을 D라 하고, 점 D에서 $\overline{AC}$에 내린 수선의 발을 E라 하자. $\overline{AC}=5\,\mathrm{cm}$, $\overline{AD}=4\,\mathrm{cm}$, $\overline{CD}=3\,\mathrm{cm}$일 때, $\overline{DE}$의 길이는?

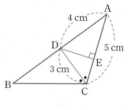

① 2 cm   ② $\dfrac{11}{5}$ cm   ③ $\dfrac{12}{5}$ cm

④ $\dfrac{14}{5}$ cm   ⑤ 3 cm

07 오른쪽 그림과 같이 $\overline{AB}=\overline{BC}$인 이등변삼각형 ABC에서 ∠B의 이등분선이 $\overline{AC}$와 만나는 점을 D, 점 D에서 $\overline{BC}$에 내린 수선의 발을 E라 하자. $\overline{DE}=3\,\mathrm{cm}$, △ABC의 넓이는 24 cm²일 때, $\overline{AB}$의 길이는?

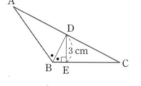

△BAD≡△BCD임을 이용한다.

① 5 cm   ② 6 cm   ③ 7 cm
④ 8 cm   ⑤ 9 cm

08 오른쪽 그림과 같이 $\overline{AC}=\overline{BC}$인 직각이등변삼각형 ABC의 꼭짓점 C에서 $\overline{AB}$에 내린 수선의 발을 D라 하자. $\overline{AB}=24\,\mathrm{cm}$일 때, $\overline{CD}$의 길이는?

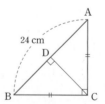

① 6 cm   ② 12 cm
③ 16 cm   ④ 18 cm
⑤ 20 cm

2 이등변삼각형의 성질의 활용

09 오른쪽 그림과 같이 $\overline{AB}=\overline{AC}$인 이등변삼각형 ABC에서 ∠ACD=∠BCD, ∠A=48°일 때, ∠BDC의 크기를 구하시오.

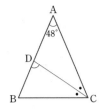

이등변삼각형의 두 밑각의 크기는 서로 같음을 이용한다.

10 오른쪽 그림과 같은 직사각형 ABCD에서 $\overline{EA}=\overline{EC}$이고 ∠BAE=∠EAC일 때, ∠AEB의 크기는?

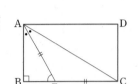

① 48°   ② 60°

③ 66°   ④ 72°

⑤ 80°

$\overline{AD} /\!/ \overline{BC}$이므로 ∠CAD=∠ACB (엇각)이다.

11 오른쪽 그림과 같이 $\overline{AB}=\overline{AC}$, $\overline{AD} /\!/ \overline{BC}$이고 ∠DAC=55°일 때, $\overline{BA}$의 연장선 위의 점 E에 대하여 ∠EAD의 크기는?

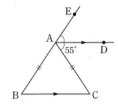

① 35°   ② 40°

③ 55°   ④ 57°

⑤ 60°

12 오른쪽 그림과 같이 $\overline{AB}=\overline{AC}$인 이등변삼각형 ABC에서 ∠B의 이등분선과 ∠C의 외각의 이등분선이 만나는 교점을 D라 하자. ∠BAC=40°일 때, ∠BDC의 크기를 구하시오.

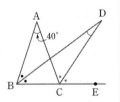

평각은 180°임을 이용한다.

13 오른쪽 그림에서 △ABC와 △CDB는 각각 $\overline{AB}=\overline{AC}$, $\overline{CB}=\overline{CD}$인 이등변삼각형이다. ∠ACD=∠DCE이고 ∠A=20°일 때, ∠DBC의 크기는?

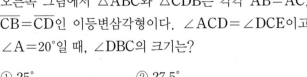
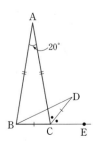

① 25°   ② 27.5°

③ 35°   ④ 37.5°

⑤ 60°

14 오른쪽 그림과 같이 $\overline{AB}=\overline{AC}$인 이등변삼각형 ABC에서 ∠B의 이등분선과 ∠C의 외각의 삼등분선이 만나는 점을 D라 하자. ∠BAC=84° 일 때, ∠BDC의 크기를 구하시오.

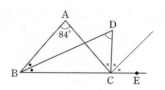

15 오른쪽 그림과 같이 ∠A=90°인 △ABC에서 ∠B의 이등분선과 $\overline{BC}$의 수직이등분선이 $\overline{AC}$ 위의 점 D에서 만날 때, ∠BDE의 크기는?

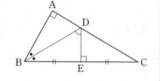

△DBE≡△DCE임을 이용한다.

① 30° ② 40°
③ 50° ④ 60° ⑤ 70°

16 오른쪽 그림과 같이 $\overline{AB}=\overline{AC}$인 이등변삼각형 ABC에서 변 BC 위에 $\overline{CD}=\overline{CA}$, $\overline{BE}=\overline{BA}$가 되는 두 점 D, E를 잡았더니 ∠DAE=48°가 되었다. 이때 ∠BAD의 크기는?

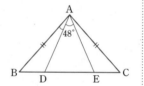

△BAE≡△CAD임을 이용한다.

① 15° ② 18°
③ 20° ④ 24° ⑤ 36°

17 오른쪽 그림과 같은 △ABC에서 $\overline{AB}=\overline{AC}$, $\overline{BD}=\overline{CE}$, $\overline{BE}=\overline{CF}$이고 ∠A=54°일 때, ∠DEF의 크기는?

△BED≡△CFE임을 이용한다.

① 31° ② 36°
③ 48° ④ 54°
⑤ 63°

18 오른쪽 그림과 같은 정삼각형 ABC에서 $\overline{AE}=\overline{CD}$일 때, ∠DPC의 크기를 구하시오.

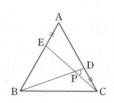

△CAE≡△BCD임을 이용한다.

19 오른쪽 그림의 △ABC는 $\overline{AB}=\overline{AC}$인 이등변삼각형이다. $\overline{AD}=\overline{BD}=\overline{BC}$일 때, ∠A의 크기는?

① 30°　　　　② 36°

③ 42°　　　　④ 54°

⑤ 72°

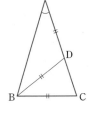

삼각형의 한 외각의 크기는 그와 이웃하지 않는 두 내각의 크기의 합과 같다.

20 오른쪽 그림에서 $\overline{AB}=\overline{AC}=\overline{DC}$이고 ∠DCE＝120°일 때, ∠B의 크기는?

① 20°　　　　② 30°

③ 40°　　　　④ 50°

⑤ 60°

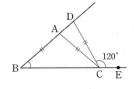

21 오른쪽 그림에서 $\overline{AB}=\overline{AC}=\overline{DC}=\overline{DE}$이고 ∠DEC＝75°일 때, ∠B의 크기를 구하시오.

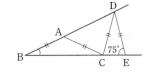

22 오른쪽 그림과 같이 $\overrightarrow{OA}$, $\overrightarrow{OB}$ 위에 $\overline{OA_1}=\overline{A_1B_1}=\overline{B_1A_2}=\overline{A_2B_2}=\cdots$가 되도록 이등변삼각형을 만들었다. 그런데 △OA_1B_1, △$A_1A_2B_1$, △$B_1A_2B_2$는 만들어지는데 △$B_2A_2A_3$은 만들어지지 않는다고 한다. 이때 ∠O의 크기의 범위를 구하시오.

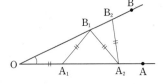

이등변삼각형이 되려면 두 밑각의 크기가 같으므로 한 밑각의 크기가 90°보다 작아야 한다. 즉 밑각의 크기가 90°보다 크거나 같으면 삼각형이 만들어지지 않는다.

---

3 이등변삼각형임을 밝혀 푸는 문제

23 오른쪽 그림에서 △ADE는 △ABC를 꼭짓점 A를 중심으로 $\overline{AB}/\!/\overline{ED}$가 되도록 회전시킨 삼각형이다. $\overline{BC}$와 $\overline{DE}$의 교점을 F라 하고 $\overline{AB}=8$ cm, $\overline{BC}=11$ cm일 때, $\overline{BF}$의 길이를 구하시오.

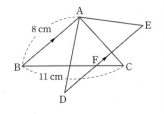

△ABC≡△ADE이고 $\overline{AB}/\!/\overline{ED}$임을 이용하여 크기가 같은 각을 찾는다.

24 다음은 '두 내각의 크기가 같은 삼각형은 이등변삼각형이다.'를 설명하는 과정이다. ①~⑤에 알맞지 <u>않은</u> 것을 모두 고르면? (정답 2개)

두 밑각의 크기가 같은 삼각형은 이등변삼각형이다.

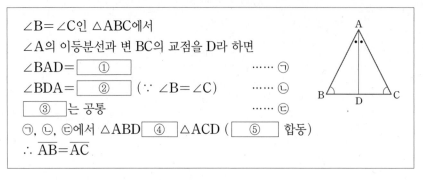

∠B=∠C인 △ABC에서
∠A의 이등분선과 변 BC의 교점을 D라 하면
∠BAD= ①   ······ ㉠
∠BDA= ②   (∵ ∠B=∠C) ······ ㉡
  ③   는 공통   ······ ㉢
㉠, ㉡, ㉢에서 △ABD ④ △ACD (⑤   합동)
∴ $\overline{AB}=\overline{AC}$

① ∠CAD   ② ∠CDA   ③ $\overline{AD}$
④ =   ⑤ SAS

25 오른쪽 그림과 같은 △ABC에서 ∠B=∠C이고 $\overline{AD}\perp\overline{BC}$이다. $\overline{BC}$=20 cm일 때, $\overline{BD}$의 길이는?

① 5 cm   ② 10 cm
③ 12 cm   ④ 14 cm
⑤ 15 cm

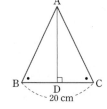

26 오른쪽 그림의 △ABC에서 $\overline{AD}=\overline{DC}$, ∠A=∠C일 때, $\angle x$의 크기를 구하시오.

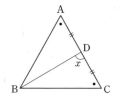

27 오른쪽 그림과 같은 △ABC의 꼭짓점 C를 지나고 ∠A의 이등분선 $\overline{AD}$와 평행하게 그은 직선이 $\overline{BA}$의 연장선과 만나는 점을 E라 하자. $\overline{AC}$=10 cm일 때, $\overline{AE}$의 길이를 구하시오.

평행한 $\overline{AD}$, $\overline{EC}$에서 동위각, 엇각을 찾고, 이를 이용하여 이등변삼각형을 찾는다.

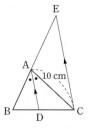

28 오른쪽 그림의 직사각형 ABCD에서 ∠A의 이등분선과 $\overline{BC}$의 교점을 E라 하자. $\overline{CD}$=5 cm, $\overline{EC}$=3 cm일 때, □AECD의 넓이를 구하시오.

$\overline{AD}/\!/\overline{BC}$이므로 ∠DAE=∠BEA (엇각)이다.

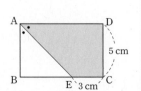

29 오른쪽 그림과 같이 $\overline{AB}=\overline{AC}$인 이등변삼각형 ABC에서 ∠B의 이등분선과 $\overline{AC}$의 교점을 D라 하자. ∠A=36°이고 $\overline{AB}=12\,cm$, $\overline{BC}=7\,cm$일 때, $\overline{AD}$의 길이를 구하시오.

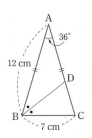

4 이등변삼각형의 활용 – 종이 접기

30 오른쪽 그림과 같이 직사각형 모양의 종이를 접었을 때, 다음 중 옳지 <u>않은</u> 것은?

① $\overline{GE}=\overline{GF}$ ② $\overline{EF}=\overline{FG}$

③ ∠CEF=∠FEG   ④ ∠FEC=∠EFG

⑤ ∠FEG=∠EFG

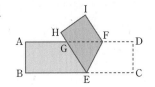

$\overline{AD}/\!/\overline{BC}$이므로
∠GFE=∠FEC (엇각)이다.

31 오른쪽 그림과 같이 직사각형 모양의 종이를 접었을 때, ∠x의 크기는?

① 76°   ② 80°

③ 84°   ④ 88°

⑤ 90°

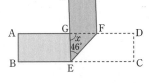

32 오른쪽 그림과 같이 직사각형 모양의 종이를 접었다. ∠HGF=112°일 때, ∠FEC의 크기는?

① 36°   ② 48°

③ 56°   ④ 62°

⑤ 72°

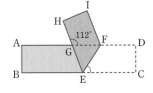

33 오른쪽 그림과 같이 폭이 일정한 종이를 접었을 때, ∠D′GF=55°이다. 이때 ∠GEF의 크기는?

① 55°   ② 60°

③ 65°   ④ 70°

⑤ 75°

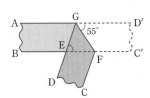

34 오른쪽 그림과 같이 폭이 일정한 종이를 접었다. $\overline{AB}=6$ cm, $\overline{AC}=5$ cm일 때, $\overline{BC}$의 길이를 구하시오.

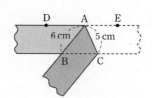

35 오른쪽 그림과 같이 $\overline{AB}=\overline{AC}$인 이등변삼각형 ABC를 $\overline{DE}$를 접는 선으로 하여 꼭짓점 A가 꼭짓점 B와 겹치도록 접었다. $\angle EBC=15°$일 때, $\angle DBE$의 크기는?

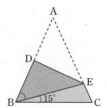

△EAD≡△EBD임을 이용한다.

① 30°　　　　② 35°
③ 45°　　　　④ 50°
⑤ 60°

36 다음 그림은 직사각형 ABCD를 꼭짓점 C가 $\overline{AD}$ 위에 오도록 접어 $\overline{AD}$와 만나는 점을 F라 하고 다시 $\overline{BF}$를 접는 선으로 하여 $\overline{AB}$가 $\overline{BE}$의 일부가 되도록 접은 것이다. 접은 후 다시 펼쳤을 때의 모양에서 △BCF는 어떤 삼각형인지 말하시오.

접은 각의 크기는 같다.

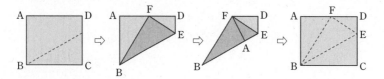

---

5 직각삼각형의 합동 조건

37 다음은 '$\angle C=\angle F=90°$인 △ABC와 △DEF에서 $\overline{AB}=\overline{DE}$이고 $\angle B=\angle E$이면 △ABC와 △DEF는 합동이다.'를 설명하는 과정이다. (가)~(다)에 알맞은 것을 써넣으시오.

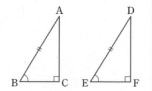

한 변의 길이와 그 양 끝 각이 주어진 경우이다.

△ABC와 △DEF에서
$\angle B=\angle E$　　　　　　　······ ㉠
$\angle A=90°-\angle B=90°-\angle E=$ 〔 (가) 〕　······ ㉡
$\overline{AB}=$ 〔 (나) 〕　　　　······ ㉢
따라서 ㉠, ㉡, ㉢에 의하여
△ABC≡△DEF (〔 (다) 〕 합동)

38 오른쪽 그림의 두 직각삼각형에서 $\overline{BC}=\overline{EF}$이고, $\angle C=\angle F=90°$일 때, 다음 **보기** 중 두 직각삼각형이 합동이 되기 위한 조건을 모두 고르시오.

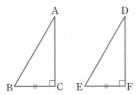

┌───────────── 보기 ┐
ㄱ. $\angle B=\angle E$ ㄴ. $\overline{AC}=\overline{DF}$ ㄷ. $\angle A=\angle D$
ㄹ. $\overline{AB}=\overline{DE}$ ㅁ. $\overline{AB}=\overline{DF}$

39 오른쪽 그림과 같이 $\overline{AB}=\overline{AC}$인 $\triangle ABC$에서 $\overline{BC}$의 중점을 D라 하고, 점 D에서 $\overline{AB}$와 $\overline{AC}$에 내린 수선의 발을 각각 E, F라 할 때, $\triangle BDE\equiv\triangle CDF$이다. 이때 이용할 수 있는 합동 조건을 모두 말하시오.

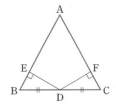

40 오른쪽 그림과 같이 $\angle XOY$의 이등분선 위의 한 점 P에서 $\overline{OX}$, $\overline{OY}$에 내린 수선의 발을 각각 C, D라 할 때, $\overline{PC}=\overline{PD}$임을 설명하는 과정에서 이용되지 **않은** 것은?

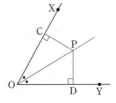

RHA 합동이다.

① $\overline{OP}$는 공통   ② $\angle COP=\angle DOP$
③ $\overline{OC}=\overline{OD}$ ④ $\triangle COP\equiv\triangle DOP$
⑤ $\angle OCP=\angle ODP=90°$

41 오른쪽 그림과 같이 $\angle XOY$의 이등분선 위의 한 점 P에서 $\overline{OX}$, $\overline{OY}$에 내린 수선의 발을 각각 A, B라 할 때, $\triangle AOP\equiv\triangle BOP$임을 설명하려고 한다. 다음 중 이용할 수 있는 합동 조건을 모두 고르면? (정답 2개)

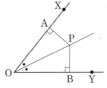

① RHA 합동   ② RHS 합동   ③ SSS 합동
④ SAS 합동   ⑤ ASA 합동

최상위
Q&A 001
직각삼각형은 빗변만 알면 된다?
직각삼각형에서 직각이 아닌 다른 내각들은 한 각의 크기가 정해지면 다른 한 각의 크기가 함께 정해진다. 따라서 두 직각삼각형을 비교할 때 직각을 제외한 한 쌍의 내각의 크기가 같으면 다른 나머지 내각끼리도 그 크기가 같다는 것을 알 수 있다.
이때 직각과 마주보는 변, 즉 빗변의 길이를 알고 있으면 두 직각삼각형이 합동인지 아닌지 알 수 있다.

42 오른쪽 그림과 같은 직사각형 ABCD에서 $\overline{DC}=\overline{DF}$, $\overline{BD}\perp\overline{EF}$일 때, 다음 중 옳지 <u>않은</u> 것은?

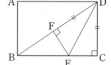

① $\triangle DEC\equiv\triangle DEF$ ② $\overline{EC}=\overline{EF}$
③ $\angle CED=\angle FED$ ④ $\angle EDC=\angle EDF$
⑤ $\overline{BF}=\overline{DF}$

$\triangle DEC=\triangle DEF$임을 이용한다.

43 오른쪽 그림의 직각삼각형 ABC에서 $\overline{AC}=\overline{AD}$, $\overline{AB}\perp\overline{DE}$, $\overline{AB}=10\ cm$, $\overline{AC}=6\ cm$, $\overline{BC}=8\ cm$일 때, $\triangle BED$의 둘레의 길이를 구하시오.

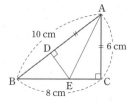

44 오른쪽 그림과 같이 $\angle C=90°$인 직각삼각형 ABC에서 $\overline{EC}=\overline{ED}$, $\overline{AB}\perp\overline{DE}$이고 $\angle A=50°$일 때, $\angle BEC$의 크기를 구하시오.

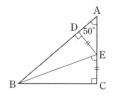

45 오른쪽 그림의 직각삼각형 ABC에서 $\overline{AC}=\overline{AD}$, $\overline{AB}\perp\overline{DE}$이고 $\overline{AB}=30\ cm$, $\overline{AC}=24\ cm$, $\overline{CE}=8\ cm$일 때, $\triangle BDE$의 넓이는?

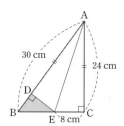

① $22\ cm^2$ ② $24\ cm^2$
③ $26\ cm^2$ ④ $28\ cm^2$
⑤ $30\ cm^2$

46 오른쪽 그림과 같이 $\triangle ABC$에서 $\angle B$와 $\angle C$의 외각의 이등분선의 교점을 O라 하고, 점 O에서 $\overline{AB}$, $\overline{AC}$의 연장선에 내린 수선의 발을 각각 D, E, $\overline{BC}$에 내린 수선의 발을 F라 할 때, 다음 중 옳지 <u>않은</u> 것은?

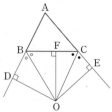

① $\overline{CF}=\overline{CE}$ ② $\angle DOB=\angle FOB$
③ $\overline{BD}=\overline{BF}$ ④ $\overline{BF}=\overline{FC}$
⑤ $\triangle OFC\equiv\triangle OEC$

점 O를 삼각형의 방심이라고 한다.

47 오른쪽 그림의 △ABC에서 ∠A의 외각의 이등분선과 ∠C의 외각의 이등분선의 교점을 O라 하고, 점 O에서 $\overline{AC}$와 $\overline{BA}$, $\overline{BC}$의 연장선에 내린 수선의 발을 각각 D, E, F라 하자. ∠B=70°일 때, ∠AOC의 크기를 구하시오.

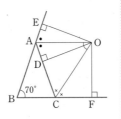

48 오른쪽 그림과 같은 직각삼각형 ABC에서 ∠B의 이등분선과 $\overline{AC}$가 만나는 점을 D라 하자. $\overline{AB}=6$ cm, $\overline{AC}=8$ cm, $\overline{BC}=10$ cm일 때, $\overline{AD}$의 길이를 구하시오.

점 D에서 $\overline{BC}$에 수선을 긋는다.

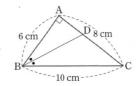

49 오른쪽 그림과 같이 ∠C=90°인 직각삼각형 ABC에서 $\overline{BD}$는 ∠B의 이등분선이다. $\overline{AB}=20$ cm, $\overline{DC}=8$ cm일 때, △ABD의 넓이는?

점 D에서 $\overline{AB}$에 수선을 긋는다.

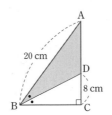

① 50 cm² ② 60 cm²
③ 70 cm² ④ 80 cm²
⑤ 90 cm²

---

7 직각이등변삼각형이 한 직선과 만나는 경우

50 오른쪽 그림과 같이 이등변삼각형 AED의 두 꼭짓점 A, D에서 꼭짓점 E를 지나는 직선 l에 내린 수선의 발을 각각 B, C라 할 때, $\overline{BC}$의 길이는?

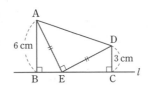

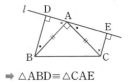

➡ △ABD≡△CAE
(RHA 합동)

① 3 cm ② 5 cm
③ 6 cm ④ 9 cm ⑤ 12 cm

51 오른쪽 그림과 같이 직각이등변삼각형 ABC의 꼭짓점 B, C에서 꼭짓점 A를 지나는 직선 l에 내린 수선의 발을 각각 D, E라 하자. $\overline{BD}=4$ cm, $\overline{CE}=2$ cm일 때, □DBCE의 넓이를 구하시오.

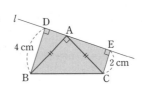

52 오른쪽 그림과 같은 직각이등변삼각형 ABC의 꼭짓점 B, C에서 꼭짓점 A를 지나는 직선 l에 내린 수선의 발을 각각 D, E라 하자. $\overline{BD}=3$ cm, $\overline{CE}=4$ cm일 때, △ABC의 넓이를 구하시오.

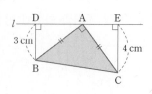

53 오른쪽 그림과 같은 직각이등변삼각형 ABC의 꼭짓점 B, C에서 꼭짓점 A를 지나는 직선 l에 내린 수선의 발을 각각 D, E라 하자. $\overline{BD}=10$ cm, $\overline{EC}=6$ cm일 때, $\overline{DE}$의 길이를 구하시오.

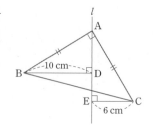

△ABD≡△CAE임을 이용한다.

---

8 삼각형의 외심과 그 성질

54 다음 중 삼각형의 외심에 대한 설명으로 옳지 <u>않은</u> 것은?

① 삼각형의 외접원의 중심이다.
② 외심에서 세 변에 이르는 거리가 같다.
③ 삼각형의 세 변의 수직이등분선의 교점이다.
④ 직각삼각형의 외심은 빗변의 중점에 있다.
⑤ 둔각삼각형의 외심은 삼각형의 외부에 있다.

삼각형의 세 변의 수직이등분선의 교점을 삼각형의 외심이라고 한다.

55 오른쪽 그림에서 점 O가 △ABC의 외심일 때, 다음 중 옳지 <u>않은</u> 것은?

① $\overline{BE}=\overline{CE}$ ② $\overline{OA}=\overline{OB}=\overline{OC}$
③ ∠OAB=∠OBA ④ ∠BOC=2∠BAC
⑤ △OFC≡△OEC

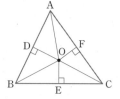

56 오른쪽 그림의 △ABC에서 점 O는 외심이고, ∠A=55°일 때, ∠BOC의 크기를 구하시오.

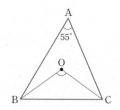

57 오른쪽 그림에서 점 O는 △ABC의 외심이다.
∠A＝130°일 때, ∠x의 크기는?

① 65°　　　　② 100°
③ 120°　　　　④ 130°
⑤ 150°

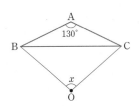

58 오른쪽 그림에서 점 O는 △ABC의 외심이다.
∠AOB : ∠BOC : ∠COA＝3 : 4 : 5일 때,
∠BAC의 크기는?

① 50°　　　　② 60°
③ 70°　　　　④ 90°
⑤ 120°

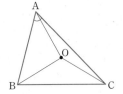

59 오른쪽 그림에서 점 O는 △ABC의 외심이다. ∠A＝50°,
∠OCA＝30°일 때, ∠x＋∠y의 크기를 구하시오.

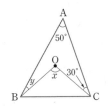

$\overline{OA}$를 그은 후 △OAB와
△OCA가 이등변삼각형임을 이
용한다.

60 오른쪽 그림에서 점 O가 △ABC의 외심이고
∠OCA＝25°, ∠OCB＝20°일 때, ∠A의 크기를
구하시오.

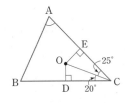

61 오른쪽 그림에서 점 O가 △ABC의 외심일 때, ∠x
의 크기는?

① 20°　　　　② 30°
③ 40°　　　　④ 50°
⑤ 60°

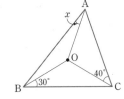

62 오른쪽 그림에서 점 O는 △ABC의 외심이고 점 O′은 △AOC의 외심이다. ∠B=42°일 때, ∠x의 크기는?

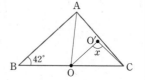

① 48°　　　　② 80°

③ 90°　　　　④ 96°

⑤ 110°

$\overline{OA}=\overline{OC}$이므로 ∠OAC=∠OCA임을 이용한다.

63 오른쪽 그림에서 점 O는 △ABC의 외심이다. $\overline{BC}$=7 cm이고, △OBC의 둘레의 길이가 19 cm일 때, △ABC의 외접원의 반지름의 길이를 구하시오.

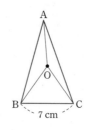

64 오른쪽 그림에서 점 O는 △ABC의 외심일 때, △ABC의 둘레의 길이를 구하시오.

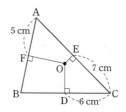

65 오른쪽 그림과 같이 ∠A=90°인 직각삼각형 ABC의 빗변 BC의 중점이 D이고, ∠BAD : ∠DAC=4 : 5일 때, ∠BDA의 크기를 구하시오.

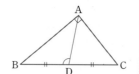

직각삼각형의 외심은 빗변의 중점에 있다.

66 오른쪽 그림과 같이 ∠A=90°인 직각삼각형 ABC에서 $\overline{BC}$의 중점을 M, 꼭짓점 A에서 $\overline{BC}$에 내린 수선의 발을 H라 하자. ∠C=36°일 때, ∠HAM의 크기는?

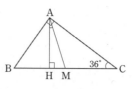

① 10°　　　　② 13°　　　　③ 15°

④ 16°　　　　⑤ 18°

67 오른쪽 그림의 직각삼각형 ABC에서 $\overline{AB}=4$ cm, $\overline{BC}=5$ cm, $\overline{CA}=3$ cm일 때, △ABC의 외접원의 둘레의 길이는?

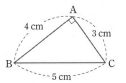

① 3π cm   ② 5π cm

③ 8π cm   ④ 9π cm

⑤ 25π cm

68 오른쪽 그림과 같이 ∠B=60°인 △ABC에서 점 M은 $\overline{BC}$의 중점이고, $\overline{AB}=\overline{BM}$이다. △ABC의 외접원의 넓이가 36π cm²일 때, $\overline{AM}$의 길이를 구하시오.

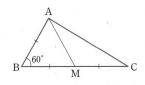

9 삼각형의 내심과 그 성질

69 다음 중 삼각형의 내심에 대한 설명으로 옳지 <u>않은</u> 것은?

① 삼각형의 세 내각의.이등분선의 교점이다.

② 내심에서 세 변에 이르는 거리는 같다.

③ 삼각형의 내심은 반드시 삼각형의 내부에 있다.

④ 내심에서 세 꼭짓점에 이르는 거리는 같다.

⑤ 내접원의 중심을 내심이라 한다.

삼각형의 세 내각의 이등분선의 교점을 삼각형의 내심이라고 한다.

70 다음은 '삼각형의 세 내각의 이등분선은 한 점에서 만난다.'를 설명하는 과정이다. ①~⑤에 알맞지 <u>않은</u> 것은?

> 오른쪽 그림의 △ABC에서 ∠A와 ∠B의 이등분선의 교점을 I라 하고, 점 I에서 $\overline{AB}$, $\overline{BC}$, $\overline{CA}$에 내린 수선의 발을 각각 D, E, F라 하자.
>
>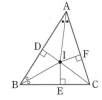
>
> △IAD≡ ① (RHA 합동)이므로 $\overline{ID}=$ ②
>
> △IBD≡ ③ (RHA 합동)이므로 $\overline{ID}=$ ④
>
> △ICF와 △ICE에서
>
> $\overline{IC}$는 공통, ② = ④ , ∠IFC=∠IEC=90°
>
> 이므로 △ICF≡△ICE (RHS 합동)
>
> ∴ ∠ICF= ⑤
>
> 따라서 점 I는 ∠C의 이등분선 위에 있으므로 △ABC의 세 내각의 이등분선은 한 점 I에서 만난다.

① △IAF   ② $\overline{IF}$ ③ △IBE

④ $\overline{IE}$ ⑤ ∠IAF

71 오른쪽 그림에서 점 I는 △ABC의 내심이다. 다음 중 옳지 않은 것을 모두 고르면? (정답 2개)

① $\overline{AI}=\overline{BI}$ ② $\overline{AD}=\overline{AF}$
③ $\overline{DI}=\overline{EI}$ ④ $\angle IBE=\angle ICE$
⑤ $\triangle CEI\equiv\triangle CFI$

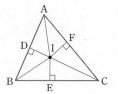

삼각형의 내심에서 세 변에 이르는 거리는 같다.

72 오른쪽 그림에서 점 I가 △ABC의 내심일 때, $\angle BIC$의 크기를 구하시오.

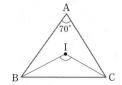

73 오른쪽 그림에서 점 I는 △ABC의 내심이다. $\angle ABI=24°$, $\angle ACI=32°$일 때, $\angle x+\angle y$의 크기는?

① 150° ② 158°
③ 160° ④ 175°
⑤ 192°

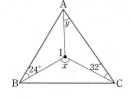

74 오른쪽 그림에서 점 I는 △ABC의 내심이다. $\angle ADB=82°$, $\angle AEB=86°$일 때, $\angle C$의 크기를 구하시오.

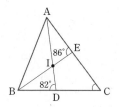

75 오른쪽 그림에서 두 점 I, I′은 각각 △BCD, △DCA 의 내심이고 $\overline{DA}=\overline{DC}$, $\angle BDC=76°$, $\angle ABC=42°$ 이다. 점 P가 $\overleftrightarrow{BI}$와 $\overleftrightarrow{AI'}$의 교점일 때, $\angle IPI'$의 크기를 구하시오. (단, $\angle IPI'$의 크기는 180°보다 작다.)

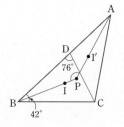

두 점 I, I′이 각각 △BCD, △DCA의 내심이므로 $\angle IBD=\angle IBC$, $\angle I'AD=\angle I'AC$ 임을 이용한다.

76 오른쪽 그림에서 점 I는 △ABC의 내심이고
$\overline{AB}=7$ cm, $\overline{BC}=9$ cm, $\overline{AC}=12$ cm일 때,
△ABC와 △ICA의 넓이의 비는?

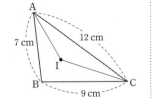

① 2 : 1   ② 3 : 4

③ 3 : 7   ④ 4 : 3

⑤ 7 : 3

77 오른쪽 그림과 같이 ∠B=90°인 직각삼각형
ABC의 내심을 I라 하자. $\overline{AB}=8$ cm,
$\overline{BC}=15$ cm, $\overline{CA}=17$ cm일 때, 어두운 부분
의 넓이를 구하시오.

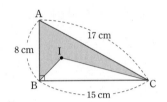

78 오른쪽 그림과 같이 원 I가 △ABC의 내접원이고,
세 점 D, E, F는 접점이다. $\overline{AB}=10$ cm,
$\overline{BC}=12$ cm, $\overline{CA}=13$ cm일 때, $\overline{CF}$의 길이는?

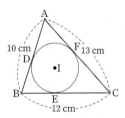

① $\dfrac{11}{2}$ cm   ② 6 cm

③ $\dfrac{13}{2}$ cm   ④ 7 cm

⑤ $\dfrac{15}{2}$ cm

점 I가 △ABC의 내심일 때,
△ADI≡△AFI
△BDI≡△BEI
△CEI≡△CFI

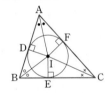

79 오른쪽 그림에서 점 I는 △ABC의 내심이고, 세 점
D, E, F는 접점이다. 이때 $\overline{BC}$의 길이는?

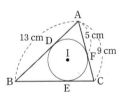

① 9 cm   ② 10 cm

③ 11 cm   ④ 12 cm

⑤ 13 cm

80 오른쪽 그림에서 점 I는 △ABC의 내심이고, 세 점
D, E, F는 접점이다. 내접원의 반지름의 길이가
2 cm일 때, △ABC의 넓이는?

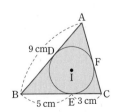

① 12 cm^2 ② 24 cm^2

③ 30 cm^2 ④ 36 cm^2

⑤ 38 cm^2

81 오른쪽 그림에서 점 I는 △ABC의 내심이다. △ABC의 내접원의 넓이가 16π cm²이고, △ABC=80 cm²일 때, △ABC의 둘레의 길이를 구하시오.

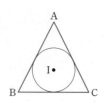

82 오른쪽 그림과 같은 직각삼각형 ABC의 내접원 I의 넓이는?

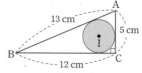

① 2π cm²　　② 3π cm²
③ 4π cm²　　④ 5π cm²
⑤ 6π cm²

83 오른쪽 그림과 같이 $\overline{AB}$=4 cm, $\overline{AD}$=13 cm인 직사각형 ABCD가 있다. △ABC의 내심 I에서 $\overline{AD}$와 $\overline{CD}$에 내린 수선의 발을 각각 E, F라 하고, $\overline{AC}$가 $\overline{EI}$와 만나는 점을 P, $\overline{IF}$와 만나는 점을 Q라 할 때, 직사각형 EIFD의 넓이를 구하시오.

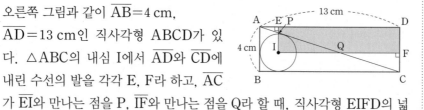

점 I에서 $\overline{AC}$에 수선을 긋는다.

---

10 삼각형의 내심을 지나는 평행선

84 오른쪽 그림에서 점 I는 △ABC의 내심이고, $\overline{DE}/\!/\overline{BC}$일 때, 다음 중 옳지 <u>않은</u> 것은?

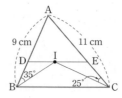

① ∠EIC=25°　　② $\overline{DB}=\overline{EC}$
③ $\overline{DI}=\overline{DB}$　　　④ ∠A=60°
⑤ (△ADE의 둘레의 길이)=20 cm

점 I가 △ABC의 내심이고, $\overline{DE}/\!/\overline{BC}$일 때
(1) $\overline{DE}=\overline{DI}+\overline{EI}$
　　$=\overline{DB}+\overline{EC}$
(2) (△ADE의 둘레의 길이)
　　$=\overline{AD}+\overline{DE}+\overline{EA}$
　　$=\overline{AD}+(\overline{DI}+\overline{EI})+\overline{EA}$
　　$=\overline{AD}+\overline{DB}+\overline{EC}+\overline{EA}$
　　$=\overline{AB}+\overline{AC}$

85 오른쪽 그림에서 점 I는 △ABC의 내심이고,
$\overline{DE} /\!/ \overline{BC}$일 때, △ADE의 둘레의 길이는?

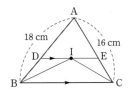

① 25 cm   ② 26 cm

③ 34 cm   ④ 46 cm

⑤ 50 cm

86 오른쪽 그림에서 점 I는 △ABC의 내심이고,
$\overline{DE} /\!/ \overline{BC}$일 때, □DBCE의 넓이는?

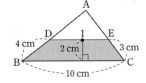

① 10 cm^2 ② 15 cm^2

③ 17 cm^2 ④ 24 cm^2

⑤ 34 cm^2

87 오른쪽 그림에서 점 I는 △ABC의 내심이고,
$\overline{DE} /\!/ \overline{BC}$이다. △ADE의 넓이가 18 cm^{2}일 때,
△ADE의 내접원의 반지름의 길이는?

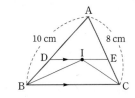

① 1 cm   ② $\dfrac{3}{2}$ cm

③ 2 cm   ④ $\dfrac{5}{2}$ cm   ⑤ 3 cm

88 오른쪽 그림에서 점 I는 △ABC의 내심이다.
$\overline{AB} /\!/ \overline{ID}$, $\overline{AC} /\!/ \overline{IE}$이고 $\overline{BC}=8$ cm일 때, △IDE의
둘레의 길이를 구하시오.

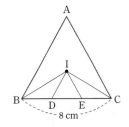

내심은 세 내각의 이등분선의 교점이다.

89 오른쪽 그림에서 점 O와 점 I는 각각 △ABC의 외심과 내심이다. ∠A=60°, ∠B=50°일 때, ∠OAI의 크기는?

① 5° ② 6°

③ 8° ④ 10°

⑤ 12°

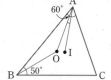

∠AOB=2∠C임을 이용한다.
〈공식〉
$\angle OAI = \dfrac{1}{2}\angle A +$
(∠B 또는 ∠C 중 큰 각)−90°

90 오른쪽 그림과 같이 ∠A=72°, ∠C=38°인 △ABC에서 점 O와 점 I는 각각 △ABC의 외심과 내심이다. ∠IAO=∠x, ∠IBO=∠y, ∠ICO=∠z라 할 때, ∠x+∠y+∠z의 값을 구하시오.

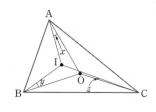

91 오른쪽 그림에서 점 O, I는 각각 △ABC의 외심과 내심이다. ∠BOC=100°일 때, ∠BIC의 크기를 구하시오.

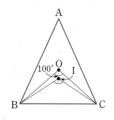

92 오른쪽 그림과 같이 $\overline{AB}=\overline{AC}$인 이등변삼각형 ABC의 외심과 내심을 각각 O, I라 할 때, ∠OBI의 크기는?

① 14° ② 18° ③ 22°

④ 24° ⑤ 26°

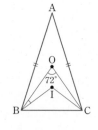

93 오른쪽 그림과 같이 ∠C=90°인 직각삼각형 ABC의 외심과 내심을 각각 O, I라 하고, $\overline{BI}$와 $\overline{CO}$의 교점을 P라 하자. ∠A=60°일 때, ∠BPC의 크기를 구하시오.

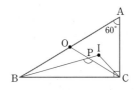

94 오른쪽 그림과 같이 ∠B=90°인 직각삼각형 ABC의 외심과 내심을 각각 O, I라 할 때, 외접원과 내접원의 둘레의 길이의 합은?

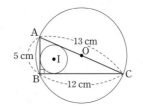

① 4π cm   ② 8π cm

③ 13π cm   ④ 15π cm

⑤ 17π cm

95 오른쪽 그림과 같이 $\overline{AB}$=6 cm, $\overline{BC}$=8 cm, $\overline{CA}$=10 cm인 직각삼각형 ABC의 외심과 내심을 각각 O, I라 하고, 내접원과 삼각형이 만나는 접점을 각각 D, E, F라 할 때, $\overline{FO}$의 길이를 구하시오.

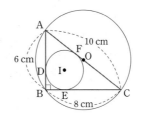

△ABC의 세 변의 길이가 a, b, c이고 내접원의 반지름의 길이가 r일 때,
△ABC의 넓이 S는
$$S=\frac{1}{2}r(a+b+c)$$

96 오른쪽 그림에서 $\overline{AB}$가 원 O의 지름이고, 원 O는 △ABC의 외접원, 원 I는 내접원이다. 두 원 O, I의 반지름의 길이가 각각 5 cm, 2 cm이고, 점 D, E, F는 접점일 때, △ABC의 넓이를 구하시오.

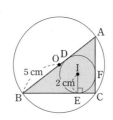

97 오른쪽 그림에서 $\overline{BD} : \overline{DC}=1 : 2$, $\overline{DE} : \overline{EC}=2 : 1$ 일 때, △ABD와 △AEC의 넓이의 비를 가장 간단한 자연수의 비로 나타내시오.

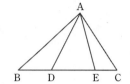

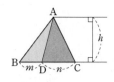

➡ △ABD : △ADC
$=\dfrac{1}{2}mh : \dfrac{1}{2}nh$
$=m : n$

98 오른쪽 그림에서 $\overline{BM}=\overline{CM}$, $2\overline{AN}=3\overline{NM}$일 때, △ANC와 △BMN의 넓이의 비를 가장 간단한 자연수의 비로 나타내시오.

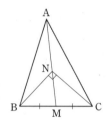

99 오른쪽 그림의 △ABC에서 $\overline{BP} : \overline{CP}=2 : 3$이고, △ABC$=50\ cm^2$일 때, △APQ의 넓이는?

① $5\ cm^2$ ② $15\ cm^2$
③ $20\ cm^2$ ④ $25\ cm^2$
⑤ $30\ cm^2$

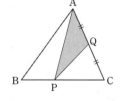

100 오른쪽 그림에서 점 D는 $\overline{BC}$의 중점, 점 M은 $\overline{AD}$의 중점이다. △BMN$=4\ cm^2$, $\overline{AN} : \overline{ND}=3 : 1$일 때, △ABC의 넓이를 구하시오.

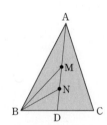

13 평행선과 삼각형의 넓이 − 등적 변형

101 오른쪽 그림에서 $\overline{BC}:\overline{CD}=3:2$이고, △ABC의 넓이는 18 cm²이다. $\overline{AC}\,/\!/\,\overline{DE}$일 때, □ABCE의 넓이는?

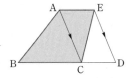

➡ $l\,/\!/\,m$이면
   △ABC=△DBC

① 18 cm²   ② 24 cm²

③ 30 cm²   ④ 36 cm²

⑤ 40 cm²

102 오른쪽 그림에서 $\overline{AC}\,/\!/\,\overline{DE}$이고, $\overline{AF}=6$ cm, $\overline{FB}=4$ cm, $\overline{FE}=12$ cm일 때, □ABCD의 넓이는?

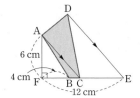

① 12 cm²   ② 24 cm²

③ 36 cm²   ④ 48 cm²

⑤ 72 cm²

103 오른쪽 그림과 같이 △ABC의 변 BC의 연장선 위에 $\overline{DC}\,/\!/\,\overline{AE}$가 되는 점 E를 잡았다. $\overline{BM}=\overline{ME}$일 때, 다음 중 △DME와 넓이가 같은 것을 모두 고르면? (정답 2개)

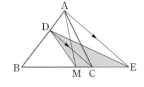

① △DBM   ② △AME   ③ △BCD

④ □ADMC   ⑤ □ADCE

104 오른쪽 그림의 △ABC에서 점 M은 $\overline{BC}$의 중점이고, $\overline{AD}\,/\!/\,\overline{EM}$이다. △ABC의 넓이가 20 cm²일 때, △BDE의 넓이는?

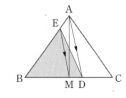

① 10 cm²   ② 12 cm²

③ 15 cm²   ④ 16 cm²

⑤ 18 cm²

단원 종합 문제

01

오른쪽 그림과 같이 $\overline{AB}=\overline{AC}$인 이등변삼각형 ABC에서 $\overline{BD}$와 $\overline{CE}$는 각각 ∠B, ∠C의 이등분선이고, 점 P는 $\overline{BD}$와 $\overline{CE}$의 교점일 때, 다음 중 옳지 <u>않은</u> 것은?

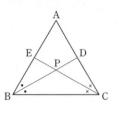

① $\overline{BD}=\overline{CE}$ ② $\overline{BP}=\overline{CP}$

③ △BPE≡△CPD   ④ △BAD≡△BCD

⑤ ∠PBC=∠PCB

02

오른쪽 그림에서 △ABC는 $\overline{AB}=\overline{AC}$인 이등변삼각형이다. $\overline{BD}=\overline{BE}$, $\overline{CE}=\overline{CF}$이고 ∠A=68°일 때, ∠DEF의 크기를 구하시오.

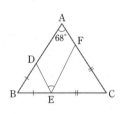

03

오른쪽 그림의 직각삼각형 ABC에서 $\overline{DB}=\overline{DC}$, $\overline{AC}=5$ cm이고 ∠B=30°일 때, $\overline{AD}$의 길이는?

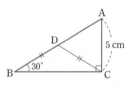

① 4 cm   ② 5 cm   ③ 6 cm

④ 8 cm   ⑤ 10 cm

04

다음 그림에서 $\overline{AB}=\overline{BC}=\overline{CD}=\overline{DE}$이고 ∠CDE=90°일 때, ∠A의 크기를 구하시오.

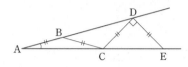

05

다음 그림과 같이 폭이 일정한 종이 테이프를 접었다. ∠GFC=63°일 때, ∠C′EA의 크기를 구하시오.

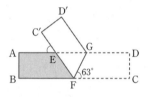

06

오른쪽 그림의 △ABC에서 $\overline{BE}=\overline{CD}$이고 ∠A=56°일 때, ∠DBC의 크기는?

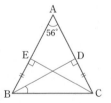

① 24°   ② 26°

③ 28°   ④ 30°

⑤ 32°

07 오른쪽 그림과 같이 직각이등변삼각형 ABC의 두 꼭짓점 B, C에서 꼭짓점 A를 지나는 직선 l에 내린 수선의 발을 각각 D, E라 하자. $\overline{AB}=\overline{AC}=11$ cm, $\overline{DE}=15$ cm일 때, $\overline{BD}+\overline{CE}$의 길이는?

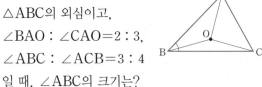

① 7 cm ② 8 cm ③ 9 cm
④ 11 cm ⑤ 15 cm

08 오른쪽 그림에서 점 O가 △ABC의 외심일 때, 다음 중 옳지 <u>않은</u> 것을 모두 고르면? (정답 2개)

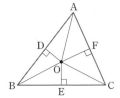

① ∠OAD=∠OBD
② $\overline{BE}=\overline{EC}$
③ △AOF≡△AOD
④ $\overline{OA}=\overline{OB}=\overline{OC}$
⑤ $\overline{OD}=\overline{OE}=\overline{OF}$

09 오른쪽 그림에서 점 O는 △ABC의 외심이다. ∠BOC=30°, ∠AOC=50°일 때, ∠ACB의 크기를 구하시오.

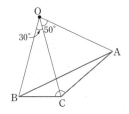

10 오른쪽 그림에서 점 O는 △ABC의 외심이고, ∠BAO : ∠CAO=2 : 3, ∠ABC : ∠ACB=3 : 4일 때, ∠ABC의 크기는?

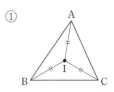

① 15° ② 22.5° ③ 30°
④ 45° ⑤ 60°

11 다음 그림에서 점 I가 △ABC의 내심인 것을 모두 고르면? (정답 2개)

①

②

③

④

⑤

12 오른쪽 그림에서 점 I는 △ABC의 내심이다. ∠IBC=32°, ∠IAC=40°일 때, ∠C의 크기를 구하시오.

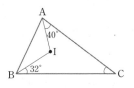

13 오른쪽 그림과 같이 △ABC의 내심 I를 지나고 변 BC에 평행한 직선을 그어 변 AB, AC와의 교점을 각각 D, E라 하자. $\overline{AB}=7$ cm, $\overline{BC}=10$ cm, $\overline{CA}=8$ cm일 때, △ADE의 둘레의 길이는?

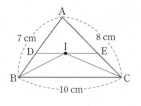

① 7 cm   ② 9 cm   ③ 11 cm

④ 13 cm   ⑤ 15 cm

14 오른쪽 그림에서 점 I는 △ABC의 내심이고, 점 D, E, F는 접점이다. $\overline{AB}=14$ cm, $\overline{BC}=11$ cm, $\overline{CA}=8$ cm일 때, $\overline{AD}$의 길이는?

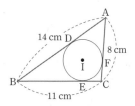

① 4 cm   ② $\frac{9}{2}$ cm   ③ 5 cm

④ $\frac{11}{2}$ cm   ⑤ 6 cm

15 다음 삼각형 중에서 외심과 내심이 일치하는 삼각형은?

① 예각삼각형   ② 이등변삼각형

③ 직각삼각형   ④ 정삼각형

⑤ 둔각삼각형

16 오른쪽 그림에서 △ABC의 외심과 내심이 각각 O, I이고 ∠BOC=104°일 때, ∠BIC의 크기는?

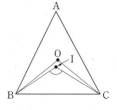

① 114°   ② 116°

③ 118°   ④ 120°

⑤ 122°

17 오른쪽 그림에서 $\overline{AC} /\!/ \overline{DE}$이고, △ABE=12 cm²일 때, □ABCD의 넓이는?

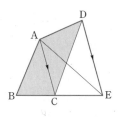

① 6 cm²   ② 10 cm²

③ 12 cm²   ④ 15 cm²

⑤ 20 cm²

18 오른쪽 그림과 같은 □ABCD에서 $\overline{BC}$의 연장선 위에 $\overline{AC} /\!/ \overline{DE}$가 되는 점 E를 잡았다. □ABCD=42 cm², △ABC=25 cm²일 때, △ACE의 넓이는?

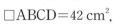
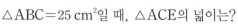

① 15 cm²   ② 16 cm²   ③ 17 cm²

④ 18 cm²   ⑤ 19 cm²

II 사각형의 성질

1 평행사변형

1 평행사변형의 성질

(1) **평행사변형** : 두 쌍의 대변이 각각 평행한 사각형
  ➡ $\overline{AB} /\!/ \overline{DC}$, $\overline{AD} /\!/ \overline{BC}$

(2) **평행사변형의 성질**
  ① 평행사변형의 두 쌍의 대변의 길이는 각각 같다.
    ➡ $\overline{AB} /\!/ \overline{DC}$, $\overline{AD} /\!/ \overline{BC}$이면 $\overline{AB} = \overline{DC}$, $\overline{AD} = \overline{BC}$

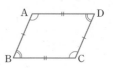

  ② 평행사변형의 두 쌍의 대각의 크기는 각각 같다.
    ➡ $\overline{AB} /\!/ \overline{DC}$, $\overline{AD} /\!/ \overline{BC}$이면 $\angle A = \angle C$, $\angle B = \angle D$
  ③ 평행사변형의 두 대각선은 서로 다른 것을 이등분한다.
    ➡ $\overline{AB} /\!/ \overline{DC}$, $\overline{AD} /\!/ \overline{BC}$이면 $\overline{AO} = \overline{CO}$, $\overline{BO} = \overline{DO}$

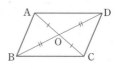

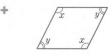

$2\angle x + 2\angle y = 360°$
$\therefore \angle x + \angle y = 180°$
➡ 평행사변형의 이웃하는 두 내각의 크기의 합은 $180°$이다.

2 평행사변형이 되기 위한 조건

사각형이 다음의 어느 한 조건을 만족하면 평행사변형이 된다.
① 두 쌍의 대변이 각각 평행하다.
② 두 쌍의 대변의 길이가 각각 같다.
③ 두 쌍의 대각의 크기가 각각 같다.
④ 두 대각선이 서로 다른 것을 이등분한다.
⑤ 한 쌍의 대변이 평행하고 그 길이가 같다.

주의
⑤ 한 쌍의 대변이 평행하고 반드시 그 변의 길이가 같아야 평행사변형이 된다. 다음 그림과 같이 한 쌍의 대변이 평행하고 다른 한 쌍의 대변의 길이가 같으면 사다리꼴이 될 수 있다.

3 평행사변형과 넓이

$\square ABCD$가 평행사변형일 때,

(1) 한 대각선에 의하여 넓이가 이등분된다.
  ➡ $\triangle ABC = \triangle ADC$

(2) 두 대각선에 의하여 넓이가 사등분된다.
  ➡ $\triangle ABO = \triangle BCO = \triangle CDO = \triangle DAO = \dfrac{1}{4}\square ABCD$

(3) 내부의 한 점 P에 대하여 다음을 만족한다.
  ➡ $\triangle APB + \triangle DPC = \triangle APD + \triangle BPC = \dfrac{1}{2}\square ABCD$

(3) 내부의 한 점 P에 대하여 점 P를 지나고 변 AB와 변 BC에 평행한 선을 각각 그으면

①+②+③+④
$= \triangle APB + \triangle DPC$
$= \triangle APD + \triangle BPC$
$= \dfrac{1}{2}\square ABCD$

주제별 실력다지기

01 다음은 '평행사변형의 두 쌍의 대변의 길이는 각각 같다.'를 설명하는 과정이다. (가)~(라)에 알맞은 것을 써넣으시오.

> 평행사변형 ABCD에서 대각선 AC를 그으면
> △ABC와 △CDA에서
> $\overline{AB}$∥$\overline{DC}$이므로 ∠BAC= (가)   (엇각)
> $\overline{AD}$∥$\overline{BC}$이므로 ∠BCA=∠DAC (엇각)
> (나)   는 공통
> 따라서 △ABC≡△CDA ((다)   합동)이므로
> (라)   , $\overline{AD}$=$\overline{BC}$

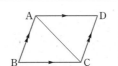

02 오른쪽 그림과 같은 평행사변형 ABCD에서 ∠B와 ∠C의 이등분선이 만나는 점을 P라 할 때, ∠BPC의 크기를 구하시오.

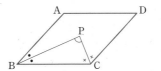

평행사변형의 이웃하는 두 내각의 크기의 합은 180°이다.

03 다음은 '평행사변형의 두 대각선은 서로 다른 것을 이등분한다.'를 설명하는 과정이다. ①~⑤에 알맞지 않은 것은?

> 평행사변형 ABCD에서 두 대각선의 교점을 O라 하면
> △ABO와 △CDO에서 $\overline{AB}$= ①
> $\overline{AB}$∥$\overline{DC}$이므로
> ∠ABO= ②   (엇각), ∠BAO=∠DCO (③   )
> 따라서 △ABO≡△CDO (④   합동)이므로
> $\overline{AO}$=$\overline{CO}$, ⑤

① $\overline{CD}$ ② ∠CDO   ③ 맞꼭지각
④ ASA   ⑤ $\overline{BO}$=$\overline{DO}$

04 오른쪽 그림의 평행사변형 ABCD에서 두 대각선 AC, BD의 교점을 O라 할 때, 다음 중 옳지 않은 것은?

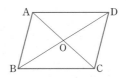

① $\overline{AD}$=$\overline{BC}$ ② ∠BAD=∠BCD
③ $\overline{AO}$=$\overline{CO}$ ④ ∠ABD=∠ACD
⑤ ∠ABC+∠BCD=180°

05 오른쪽 그림과 같은 평행사변형 ABCD에서 $\overline{AC}$=8 cm, $\overline{AD}$=6 cm, $\overline{BD}$=10 cm일 때, △BCO의 둘레의 길이는?

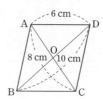

① 12 cm   ② 14 cm   ③ 15 cm

④ 16 cm   ⑤ 18 cm

06 오른쪽 그림의 평행사변형 ABCD에서 두 대각선의 교점 O를 지나는 직선과 $\overline{AB}$, $\overline{CD}$의 교점을 각각 P, Q라 할 때, 다음 중 옳지 <u>않은</u> 것은?

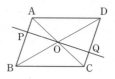

① $\overline{PO}=\overline{QO}$ ② ∠AOB=∠OQD

③ $\overline{AP}=\overline{CQ}$ ④ ∠OPA=∠OQC

⑤ △AOP≡△COQ

2 평행사변형의 성질의 활용

07 오른쪽 그림과 같은 평행사변형 ABCD에서 ∠D의 이등분선과 $\overline{BC}$의 교점을 E라 하자. ∠A=100°일 때, ∠x의 크기를 구하시오.

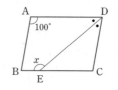

평행사변형 ABCD에서
∠ADE=∠CDE이면
∠CDE=∠CED
∴ $\overline{DC}=\overline{EC}$

08 오른쪽 그림의 평행사변형 ABCD에서 $\overline{AE}$는 ∠A의 이등분선이고, $\overline{AB}$=12 cm, $\overline{AD}$=16 cm일 때, $\overline{CE}$의 길이는?

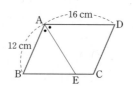

① 3 cm   ② 4 cm   ③ 5 cm

④ 6 cm   ⑤ 10 cm

09 오른쪽 그림과 같이 $\overline{AB}$=6 cm, $\overline{AD}$=9 cm인 평행사변형 ABCD에서 $\overline{AE}$, $\overline{DF}$는 각각 ∠A, ∠D의 이등분선일 때, $\overline{FE}$의 길이를 구하시오.

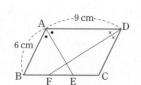

10 오른쪽 그림과 같은 평행사변형 ABCD에서 ∠A의 이등분선과 $\overline{DC}$의 연장선의 교점을 E라 하자. ∠AED=55°일 때, ∠BCD의 크기는?

① 60°　　　② 70°　　　③ 80°

④ 110°　　⑤ 120°

11 오른쪽 그림과 같은 평행사변형 ABCD에서 ∠B의 이등분선과 $\overline{CD}$의 연장선의 교점을 E라 하자. $\overline{AB}$=5 cm, $\overline{BC}$=7 cm일 때, $\overline{DE}$의 길이는?

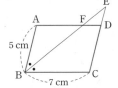

① 1 cm　　② 2 cm　　③ 3 cm

④ 4 cm　　⑤ 5 cm

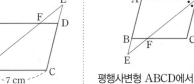

평행사변형 ABCD에서
∠ADF=∠CDF이면
∠AED=∠ADE
∴ $\overline{AD}=\overline{AE}$

12 오른쪽 그림과 같은 평행사변형 ABCD에서 ∠DAC의 이등분선과 $\overline{BC}$의 연장선의 교점을 E라 하자. ∠B=70°, ∠ACD=40°일 때, ∠E의 크기를 구하시오.

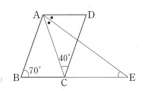

13 오른쪽 그림의 평행사변형 ABCD에서 ∠CAD의 이등분선과 $\overline{BC}$의 연장선이 만나는 점을 E라 하자. 이때 $\angle x + 2\angle y$의 크기를 구하시오.

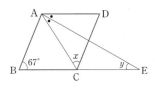

14 오른쪽 그림과 같은 평행사변형 ABCD의 꼭짓점 A, C에서 대각선 BD에 내린 수선의 발을 각각 E, F라 할 때, 다음 중 옳지 <u>않은</u> 것은?

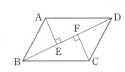

① $\overline{AD}=\overline{BC}$　　　② $\overline{BE}=\overline{DF}$

③ △ABE≡△CDF　　④ ∠ADE=∠DCF

⑤ △AED≡△CFB

15 오른쪽 그림과 같은 평행사변형 ABCD에서 $\overline{AB}=\overline{AE}$이고 $\overline{DF}\perp\overline{AE}$이다. $\angle B=70°$일 때, $\angle CDF$의 크기를 구하시오.

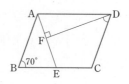

16 오른쪽 그림과 같은 평행사변형 ABCD에서 점 E는 $\overline{CD}$의 중점, 꼭짓점 A에서 $\overline{BE}$에 내린 수선의 발을 F라 하자. $\angle DAF=72°$일 때, $\angle DFE$의 크기를 구하시오.

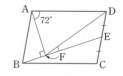

$\overline{AD}$와 $\overline{BE}$의 연장선이 만나는 점을 P라고 한 뒤 $\triangle AFP$가 직각삼각형임을 이용한다.

---

3 평행사변형이 되기 위한 조건

17 오른쪽 그림과 같은 평행사변형 ABCD에서 $\angle B$, $\angle D$의 이등분선이 $\overline{AD}$, $\overline{BC}$와 만나는 점을 각각 E, F라 할 때, 다음은 □BFDE가 어떤 사각형인지 알아보는 과정이다. (가)~(다)에 알맞은 것을 써넣으시오.

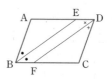

> $\overline{ED}\,/\!/\,\overline{BF}$이므로 $\angle EDF=$ ☐(가) (엇각)
> 이때 $\angle DFC=\angle EBF$ (동위각)이므로 $\overline{EB}\,/\!/$ ☐(나)
> 따라서 □EBFD는 두 쌍의 대변이 각각 평행하므로 ☐(다) 이다.

평행사변형이 되기 위한 조건
① 두 쌍의 대변이 각각 평행하다.
② 두 쌍의 대변의 길이가 각각 같다.
③ 두 쌍의 대각의 크기가 각각 같다.
④ 두 대각선이 서로 다른 것을 이등분한다.
⑤ 한 쌍의 대변이 평행하고 그 길이가 같다.

18 오른쪽 그림의 평행사변형 ABCD에서 $\angle B$, $\angle D$의 이등분선이 $\overline{AD}$, $\overline{BC}$와 만나는 점을 각각 E, F라 하자. $\overline{FC}=3\,\text{cm}$, $\overline{BC}=5\,\text{cm}$일 때, $\overline{ED}$의 길이를 구하시오.

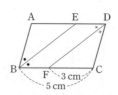

19 다음 중 □ABCD가 평행사변형이 되는 것은?

(단, 점 O는 두 대각선의 교점이다.)

① ∠A=130˚, ∠B=50˚, ∠C=130˚
② $\overline{AB}$=6 cm, $\overline{DC}$=6 cm, $\overline{AD}$∥$\overline{BC}$
③ $\overline{AO}$=7 cm, $\overline{BO}$=7 cm, $\overline{CO}$=5 cm, $\overline{DO}$=5 cm
④ ∠B=∠C, $\overline{AB}$=$\overline{DC}$
⑤ ∠A+∠B=180˚

20 다음 중 □ABCD가 평행사변형이 될 수 <u>없는</u> 것은?

(단, 점 O는 두 대각선의 교점이다.)

① $\overline{AB}$∥$\overline{CD}$, $\overline{AD}$∥$\overline{BC}$
② $\overline{AB}$=$\overline{CD}$, $\overline{AD}$=$\overline{BC}$
③ $\overline{OA}$=$\overline{OD}$, $\overline{OB}$=$\overline{OC}$
④ $\overline{AB}$∥$\overline{CD}$, $\overline{AB}$=$\overline{CD}$
⑤ ∠A=∠C, ∠B=∠D

21 다음 그림에서 □ABCD가 평행사변형일 때, 어두운 부분의 사각형이 평행
사변형이 <u>아닌</u> 것은?

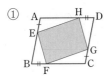
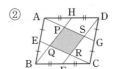
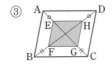

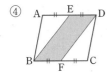
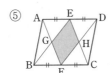

22 오른쪽 그림의 □ABCD가 평행사변형이 되게
하는 ∠x, ∠y에 대하여 ∠y−∠x의 크기는?

① 10˚   ② 20˚   ③ 30˚
④ 35˚   ⑤ 40˚

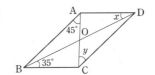

두 쌍의 대변이 각각 평행할 때 각
각의 엇각의 크기가 같음을 이용
한다.

23 오른쪽 그림의 □ABCD가 평행사변형이 되도록 하는 x, y에 대하여 $x+y$의 값은?

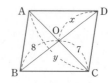

① 6   ② 12   ③ 20

④ 22   ⑤ 23

24 오른쪽 그림은 평행사변형 ABCD에서 두 대각선의 교점을 O라 하고, 대각선 BD 위에 $\overline{OE}=\overline{OF}$가 되도록 점 E, F를 잡아서 □AECF를 그린 것이다. 다음 중 옳지 <u>않은</u> 것은?

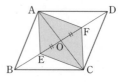

① $\overline{AE}=\overline{FC}$ ② $\overline{BE}=\overline{DF}$

③ ∠EAO=∠FAO   ④ △AOE≡△COF

⑤ □AECF는 평행사변형이다.

25 오른쪽 그림과 같은 평행사변형 ABCD의 꼭짓점 B, D에서 대각선 AC에 내린 수선의 발을 각각 E, F라 하자. 이때 □EBFD는 어떤 사각형인지 말하시오.

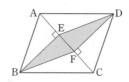

26 오른쪽 그림과 같이 $\overline{AB}=50$ cm인 평행사변형 ABCD에서 점 P는 점 A에서 출발하여 점 B의 방향으로 매초 4 cm의 속력으로 움직이고, 점 Q는 점 C에서 출발하여 점 D의 방향으로 매초 7 cm의 속력으로 움직이고 있다. 점 P가 점 A를 출발한 지 3초 후에 점 Q가 점 C를 출발한다면 $\overline{AQ}/\!/\overline{PC}$가 되는 것은 점 Q가 출발한 지 몇 초 후인지 구하시오.

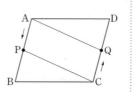

$\overline{AQ}/\!/\overline{PC}$가 되는 때는 □APCQ가 평행사변형이 될 때이다.

27 오른쪽 그림은 △ABC의 세 변을 각각 한 변으로 하는 정삼각형 PBA, QBC, RAC를 그린 것이다. 다음 **보기** 중 옳은 것을 모두 고르시오.

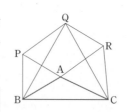

┌─────── 보기 ───────┐

ㄱ. △ABC≡△PBQ   ㄴ. ∠QCR=∠PBQ

ㄷ. $\overline{AP}=\overline{RQ}$ ㄹ. $\overline{PQ}=\overline{BC}$

ㅁ. □PARQ는 평행사변형이다.

28 오른쪽 그림과 같은 평행사변형 ABCD에서 각 변의 중점을 각각 E, F, G, H라 하고, $\overline{AF}$와 $\overline{EC}$의 교점을 P, $\overline{AG}$와 $\overline{HC}$의 교점을 Q라 하자. 이때 평행사변형은 모두 몇 개인지 구하시오.
(단, □ABCD는 제외한다.)

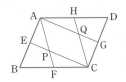

29 오른쪽 그림에서 □ABCD, □OCDE는 모두 평행사변형이고, 점 O는 $\overline{AC}$의 중점이다. $\overline{AB}=10$, $\overline{BC}=14$일 때, $\overline{AF}+\overline{OF}$의 길이를 구하시오.

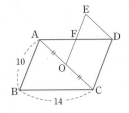

4 평행사변형의 넓이

30 오른쪽 그림의 평행사변형 ABCD에서 $\overline{AD}$, $\overline{BC}$의 중점을 각각 M, N이라 하자. □ABCD$=48\,cm^2$일 때, □PNQM의 넓이는?

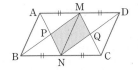

① $6\,cm^2$ ② $12\,cm^2$ ③ $18\,cm^2$
④ $24\,cm^2$ ⑤ $30\,cm^2$

31 오른쪽 그림과 같은 평행사변형 ABCD의 넓이가 $160\,cm^2$일 때, 어두운 부분의 넓이의 합을 구하시오.
(단, 점 O는 두 대각선 AC, BD의 교점이다.)

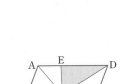

△OAE≡△OCF임을 이용한다.

32 오른쪽 그림의 평행사변형 ABCD에서 $\overline{BC}=\overline{CE}$, $\overline{DC}=\overline{CF}$가 되도록 $\overline{BC}$, $\overline{DC}$의 연장선 위에 각각 점 E, F를 잡았다. □BFED$=100\,cm^2$일 때, △ABC의 넓이는?

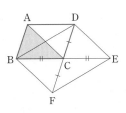

① $20\,cm^2$ ② $22\,cm^2$ ③ $25\,cm^2$
④ $30\,cm^2$ ⑤ $35\,cm^2$

33 오른쪽 그림에서 □ABCD는 평행사변형이고, $\overline{BC}=\overline{CF}$, $\overline{DC}=\overline{CE}$이다. △AOD$=8$ cm^{2}일 때, 다음 중 옳지 <u>않은</u> 것은?

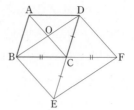

① △DCF$=16$ cm^2 ② △BEF$=24$ cm^2
③ □ABCD$=32$ cm^2 ④ □ACFD$=32$ cm^2
⑤ □BEFD$=64$ cm^2

34 오른쪽 그림과 같은 평행사변형 ABCD에서 $\overline{AM}:\overline{MD}=2:1$, $\overline{BN}:\overline{NC}=2:1$을 만족하는 변 AD, BC 위의 점을 각각 M, N이라 하자. 또, $\overline{AB}$ 위의 임의의 점 E에 대하여 점 M을 지나고 $\overline{EN}$과 평행한 직선이 $\overline{CD}$와 만나는 점을 F라 하자. 이때 □MENF : □ABCD의 값을 가장 간단한 자연수의 비로 나타내시오.

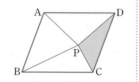

평행사변형은 한 대각선에 의하여 넓이가 이등분된다.

35 오른쪽 그림과 같이 평행사변형 ABCD의 내부에 한 점 P를 잡았을 때, △ABP$=32$ cm^2, △BCP$=18$ cm^2, △ADP$=42$ cm^{2}이다. 이때 △CDP의 넓이는?

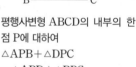

① 12 cm^2 ② 16 cm^2 ③ 20 cm^2
④ 24 cm^2 ⑤ 28 cm^2

평행사변형 ABCD의 내부의 한 점 P에 대하여
△APB$+$△DPC
$=$△APD$+$△BPC
$=\dfrac{1}{2}$□ABCD

36 오른쪽 그림과 같이 평행사변형 ABCD의 내부의 한 점 P에 대하여 △APD$=6$ cm^2, △BPC$=8$ cm^{2}일 때, □ABCD의 넓이를 구하시오.

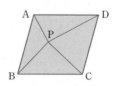

37 오른쪽 그림과 같이 평행사변형 ABCD의 내부에 한 점 P를 잡을 때, 어두운 부분의 넓이의 합은?

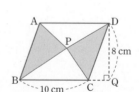

① 20 cm^2 ② 40 cm^2 ③ 50 cm^2
④ 60 cm^2 ⑤ 70 cm^2

38 오른쪽 그림과 같이 $\overline{BC}=8$ cm, $\overline{DH}=5$ cm인 평행사변형 ABCD의 내부에 한 점 P를 잡을 때, $\triangle PBC=6$ cm^{2}이다. 이때 $\triangle PAD$의 넓이를 구하시오.

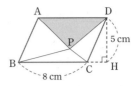

---

5 선분의 길이의 비에 의한 넓이의 분할

39 오른쪽 그림의 평행사변형 ABCD에서 $\overline{BC}$, $\overline{CD}$의 중점을 각각 M, N이라 하고, $\overline{AM}$, $\overline{AN}$과 대각선 BD가 만나는 점을 각각 P, Q라 하자. $\triangle APQ=4$ cm^{2}일 때, $\square PMNQ$의 넓이는?

① 3 cm^2 ② 3.5 cm^2 ③ 4 cm^2
④ 4.5 cm^2 ⑤ 5 cm^2

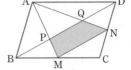

평행사변형에서 넓이의 분할

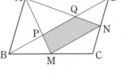

40 오른쪽 그림과 같은 평행사변형 ABCD에서 $\overline{BC}$, $\overline{CD}$의 중점을 각각 M, N이라 하고, 대각선 BD와 $\overline{AM}$, $\overline{AN}$의 교점을 각각 P, Q라 하자. $\square ABCD=36$ cm^{2}일 때, $\triangle PBM$의 넓이는?

① 3 cm^2 ② 6 cm^2 ③ 9 cm^2
④ 12 cm^2 ⑤ 18 cm^2

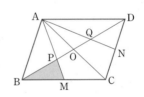

41 오른쪽 그림의 평행사변형 ABCD에서 대각선 AC의 삼등분점을 각각 P, Q라 하자. $\square ABCD=60$ cm^{2}일 때, $\triangle DPQ$의 넓이는?

① 10 cm^2 ② 12 cm^2 ③ 15 cm^2
④ 17 cm^2 ⑤ 20 cm^2

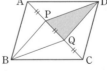

42 오른쪽 그림의 평행사변형 ABCD의 넓이는 80 cm^{2}이다. 대각선 BD 위의 한 점 P에 대하여 $\overline{BP}:\overline{BD}=5:8$일 때, $\triangle PBC$의 넓이를 구하시오.

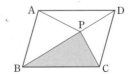

43 오른쪽 그림과 같이 평행사변형 ABCD에서 ∠A의 이등분선과 $\overline{BC}$의 교점을 E라 하자. $\overline{AB}=4\,\text{cm}$, $\overline{AD}=6\,\text{cm}$일 때, △ABE와 △DEC의 넓이의 비는?

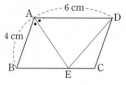

① 1 : 2   ② 2 : 1   ③ 3 : 4
④ 5 : 3   ⑤ 4 : 3

선분의 길이의 비에 의한 삼각형의 넓이의 비

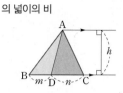

➡ △ABD : △ADC
$=\dfrac{1}{2}mh : \dfrac{1}{2}nh$
$=m : n$

44 오른쪽 그림의 □ABCD는 평행사변형이고, $\overline{CE} : \overline{ED}=2 : 3$이다. □ABCD$=100\,\text{cm}^2$일 때, △APE의 넓이를 구하시오.

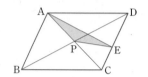

45 오른쪽 그림과 같은 평행사변형 ABCD에서 $\overline{AB}=\overline{BE}$가 되도록 $\overline{AB}$의 연장선 위에 점 E를 잡고 $\overline{ED}$와 $\overline{BC}$가 만나는 점을 F라 하자. □ABCD$=36\,\text{cm}^2$일 때, △FEC의 넓이를 구하시오.

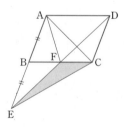

46 오른쪽 그림의 □ABCD는 평행사변형이다. $\overline{AE} : \overline{EB}=3 : 2$, $\overline{DF} : \overline{FE}=5 : 3$이고, □ABCD$=160\,\text{cm}^2$일 때, △DFO의 넓이는?

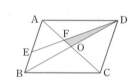

① $10\,\text{cm}^2$ ② $12\,\text{cm}^2$ ③ $14\,\text{cm}^2$
④ $16\,\text{cm}^2$ ⑤ $18\,\text{cm}^2$

47 오른쪽 그림의 평행사변형 ABCD의 넓이가 36 cm²일 때, △PBC의 넓이는?

① 9 cm²　　② 12 cm²　　③ 18 cm²

④ 24 cm²　　⑤ 30 cm²

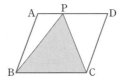

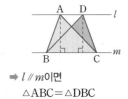

➡ $l \parallel m$이면
　△ABC＝△DBC

48 오른쪽 그림과 같은 평행사변형 ABCD에서 $\overline{BD} \parallel \overline{EF}$이고, △AFD＝10 cm²일 때, △BED의 넓이는?

① 5 cm²　　② 10 cm²　　③ 15 cm²

④ 20 cm²　　⑤ 25 cm²

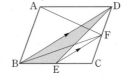

49 오른쪽 그림의 평행사변형 ABCD에서 △ABF＝20 cm², △BCE＝16 cm²일 때, △DFE의 넓이를 구하시오.

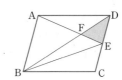

50 오른쪽 그림의 평행사변형 ABCD에서 $\overline{AD}$의 연장선 위에 점 E를 잡고 $\overline{BE}$와 $\overline{DC}$의 교점을 F라 하자. □ABCD＝28 cm², △BCF＝10 cm²일 때, △CEF의 넓이를 구하시오.

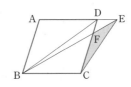

2 여러 가지 사각형

1 사다리꼴

(1) **사다리꼴** : 한 쌍의 대변이 평행한 사각형

(2) **등변사다리꼴** : 밑변의 양 끝각의 크기가 같은 사다리꼴
  ➡ $\angle B = \angle C$

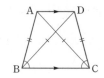

(3) **등변사다리꼴의 성질**
  ① 평행하지 않은 한 쌍의 대변의 길이가 같다. ➡ $\overline{AB} = \overline{DC}$
  ② 두 대각선의 길이가 같다. ➡ $\overline{AC} = \overline{DB}$

2 마름모

(1) **마름모** : 네 변의 길이가 모두 같은 사각형

(2) **마름모의 성질** : 두 대각선은 서로 다른 것을 수직이등분한다. ➡ $\overline{AO} = \overline{CO}$, $\overline{BO} = \overline{DO}$, $\overline{AC} \perp \overline{BD}$

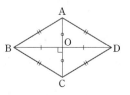

(3) **평행사변형이 마름모가 되기 위한 조건**
  ① 이웃하는 두 변의 길이가 같다.   ② 두 대각선이 서로 직교한다.

✛ 마름모에서
- 대각선에 의하여 생긴 4개의 삼각형은 모두 합동이다.
- 대각선이 내각을 이등분한다.

3 직사각형

(1) **직사각형** : 네 내각의 크기가 모두 같은 사각형

(2) **직사각형의 성질** : 두 대각선은 길이가 같고, 서로 다른 것을 이등분한다.
  ➡ $\overline{AC} = \overline{BD}$, $\overline{AO} = \overline{BO} = \overline{CO} = \overline{DO}$

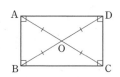

(3) **평행사변형이 직사각형이 되기 위한 조건**
  ① 한 내각이 직각이다.   ② 두 대각선의 길이가 같다.

4 정사각형

(1) **정사각형** : 네 변의 길이가 모두 같고, 네 내각의 크기가 모두 같은 사각형

(2) **정사각형의 성질** : 두 대각선은 길이가 같고, 서로 다른 것을 수직이등분한다.
  ➡ $\overline{AC} = \overline{BD}$, $\overline{AO} = \overline{BO} = \overline{CO} = \overline{DO}$, $\overline{AC} \perp \overline{BD}$

(3) **직사각형이 정사각형이 되기 위한 조건**
  ① 두 대각선이 서로 직교한다.   ② 이웃하는 두 변의 길이가 같다.

(4) **마름모가 정사각형이 되기 위한 조건**
  ① 두 대각선의 길이가 같다.   ② 한 내각이 직각이다.

✛ 정사각형은 직사각형과 마름모의 성질을 모두 만족한다.

5 여러 가지 사각형 사이의 관계

(1) 사다리꼴, 평행사변형, 직사각형, 마름모, 정사각형 사이의 관계

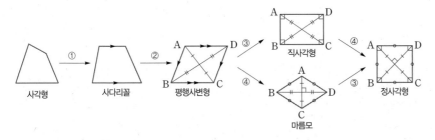

① 한 쌍의 대변이 평행하다.

② 다른 한 쌍의 대변이 평행하다.

③ 두 대각선의 길이가 같다. 또는 한 내각의 크기가 90°이다.

➡ $\overline{AC} = \overline{BD}$ 또는 $\angle A = 90°$

④ 두 대각선이 서로 수직이다. 또는 이웃하는 두 변의 길이가 같다.

➡ $\overline{AC} \perp \overline{BD}$ 또는 $\overline{AB} = \overline{BC}$

(2) 사각형의 각 변의 중점을 연결하여 만든 사각형

주어진 사각형의 각 변의 중점을 연결하면 다음과 같은 사각형이 만들어진다.

① 사각형 ➡ 평행사변형

② 평행사변형 ➡ 평행사변형

③ 직사각형 ➡ 마름모

④ 마름모 ➡ 직사각형

⑤ 정사각형 ➡ 정사각형

⑥ 등변사다리꼴 ➡ 마름모

✛ 대각선의 성질에 따른 사각형의 분류

① 대각선이 서로 다른 것을 이등분한다.

➡ 평행사변형, 직사각형, 마름모, 정사각형

② 대각선의 길이가 같다.

➡ 등변사다리꼴, 직사각형, 정사각형

③ 대각선이 서로 다른 것을 수직이등분한다.

➡ 마름모, 정사각형

④ 대각선이 내각을 이등분한다.

➡ 마름모, 정사각형

6 사다리꼴에서 삼각형의 넓이의 활용

$\overline{AD} /\!/ \overline{BC}$인 사다리꼴 ABCD에서

① $\triangle ABC = \triangle DBC$이므로 $\triangle AOB = \triangle DOC$

② $\triangle OAB : \triangle OBC = \triangle OAD : \triangle OCD = \overline{OA} : \overline{OC}$

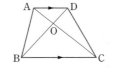

주제별 실력다지기

1 등변사다리꼴

01 다음은 '등변사다리꼴에서 평행하지 않은 한 쌍의 대변의 길이는 같다.'를 설명하는 과정이다. (가)~(라)에 알맞은 것을 써넣으시오.

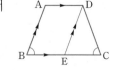

> $\overline{AD} /\!/ \overline{BC}$인 등변사다리꼴 ABCD의 꼭짓점 D에서 $\overline{AB}$와 평행한 직선이 $\overline{BC}$와 만나는 점을 E라 하면 □ABED는 ▢(가)▢ 이다.
> ∠B=∠C (등변사다리꼴) ······ ㉠
> ∠B=▢(나)▢ (동위각) ······ ㉡
> ㉠, ㉡에 의해 ∠C=▢(나)▢ 이므로 △DEC는 ▢(다)▢ 이다.
> 따라서 □ABCD에서 $\overline{DE}=\overline{DC}$이고 $\overline{AB}=\overline{DE}$이므로 ▢(라)▢ 이다.

02 오른쪽 그림의 등변사다리꼴 ABCD에 대한 다음 설명 중 옳지 <u>않은</u> 것은?

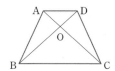

① $\overline{AD} /\!/ \overline{BC}$
② $\overline{AC}=\overline{BD}$
③ ∠ABC=∠DCB
④ $\overline{AC} \perp \overline{BD}$
⑤ $\overline{AB}=\overline{DC}$

03 오른쪽 그림과 같이 $\overline{AD} /\!/ \overline{BC}$인 등변사다리꼴 ABCD에서 $\overline{AB}=\overline{AD}$이고, ∠DBC=32°일 때, ∠BDC의 크기를 구하시오.

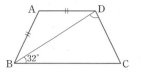

꼭짓점 D에서 $\overline{AB}$에 평행한 선분을 그어 $\overline{BC}$와 만나는 점을 E라 할 때, △DEC는 이등변삼각형이다.

04 오른쪽 그림과 같이 $\overline{AD} /\!/ \overline{BC}$인 사다리꼴 ABCD에서 $\overline{AB}=\overline{AD}=\overline{CD}$, $\overline{BC}=2\overline{AD}$일 때, ∠C의 크기는?

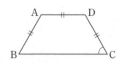

① 30°
② 40°
③ 50°
④ 60°
⑤ 70°

05 오른쪽 그림과 같이 $\overline{AD}\,/\!/\,\overline{BC}$인 등변사다리꼴 ABCD에서 $\angle A=120°$이고 $\overline{AB}=10\ cm$, $\overline{AD}=6\ cm$일 때, □ABCD의 둘레의 길이를 구하시오.

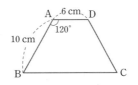

꼭짓점 A에서 $\overline{CD}$에 평행한 선분을 그어 $\overline{BC}$와 만나는 점을 E라 할 때, △ABE는 정삼각형이다.

06 오른쪽 그림과 같은 사각형 ABCD에서 $\overline{AD}\,/\!/\,\overline{BC}$이고, 평행하지 않은 두 변의 길이는 같다. $\overline{AB}=6\ cm$, $\overline{BC}=14\ cm$, $\angle B=60°$일 때, $\overline{AD}$의 길이를 구하시오.

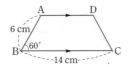

---

2 사다리꼴의 넓이

07 오른쪽 그림과 같은 사다리꼴 ABCD에서 $\triangle ABC=30\ cm^2$, $\triangle DOC=12\ cm^2$일 때, △BOC의 넓이는?

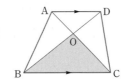

① $12\ cm^2$ ② $14\ cm^2$

③ $16\ cm^2$ ④ $18\ cm^2$ ⑤ $20\ cm^2$

08 오른쪽 그림과 같이 $\overline{AD}\,/\!/\,\overline{BC}$인 사다리꼴 ABCD에서 두 대각선의 교점을 O라 하자. $\triangle ABC=30\ cm^2$, $\triangle OBC=20\ cm^2$일 때, △AOD의 넓이를 구하시오.

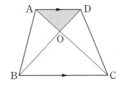

$\triangle AOD : \triangle DOC=\overline{AO} : \overline{OC}$임을 이용한다.

09 오른쪽 그림과 같이 $\overline{AD}\,/\!/\,\overline{BC}$인 사다리꼴 ABCD에서 $\overline{AO} : \overline{OC}=1 : 3$이고, $\triangle ABD=16\ cm^2$일 때, □ABCD의 넓이를 구하시오.

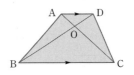

10 오른쪽 그림과 같은 마름모 ABCD에서
∠ADO=30°, $\overline{AB}$=20 cm일 때, $\overline{AO}$의 길이는?

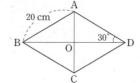

① 4 cm ② 6 cm
③ 8 cm ④ 10 cm
⑤ 12 cm

최상위
Q&A 002

마름모의 이름은 어떻게 지었지?
도형 중에 사다리꼴은 실제 사다리와 비슷하고 부채꼴은 부채와 닮아서 이름을 붙였다. 이처럼 도형의 이름을 실제 물건에서 따오는 경우가 많은데 사각형 중에서 마름모가 이와 같은 경우이다. 물에 사는 풀 중에 '마름'이라는 풀이 있다. 이 풀의 잎의 모양이 마름모꼴로 생긴 것이 많은데서 유래됐다. 원래는 마름의 한자인 '능(菱)'을 써서 '능형(菱形)'이라고 불리다가 해방 후 순 우리말인 '마름'으로 바뀌어 마름모라고 불리게 됐다.

11 오른쪽 그림에서 □ABCD는 마름모이고, △APD는 정삼각형이다. ∠C=100°일 때, ∠APB의 크기는?

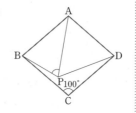

① 40° ② 50°
③ 60° ④ 70°
⑤ 80°

12 오른쪽 그림과 같이 마름모 ABCD의 꼭짓점 A에서 $\overline{BC}$에 내린 수선의 발을 E, $\overline{AE}$와 $\overline{BD}$의 교점을 P라 하자. ∠C=130°일 때, ∠x의 크기를 구하시오.

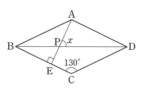

13 오른쪽 그림과 같이 ∠BAD=120°인 마름모 ABCD에서 $\overline{BE}:\overline{EC}=\overline{CF}:\overline{FD}$=1 : 2를 만족하도록 $\overline{BC}$와 $\overline{CD}$ 위에 점 E, F를 각각 잡을 때, ∠AEF의 크기를 구하시오.

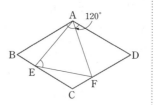

마름모의 대각선은 내각을 이등분한다.

14 오른쪽 그림과 같은 마름모 ABCD에서 $\overline{BP}:\overline{PC}$=1 : 3이고, $\overline{AC}$=12 cm, $\overline{BD}$=20 cm일 때, △APC의 넓이를 구하시오.

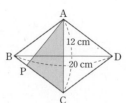

4 직사각형

15 오른쪽 그림과 같은 □ABCD가 직사각형이고 ∠BAO=48°일 때, ∠x+∠y의 크기를 구하시오.

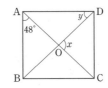

16 오른쪽 그림과 같은 직사각형 ABCD에서 $\overline{AB}$=5 cm, $\overline{AC}$=8 cm일 때, △COD의 둘레의 길이를 구하시오.

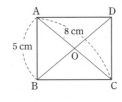

17 오른쪽 그림의 직사각형 ABCD에서 $\overline{AC}$=12 cm이고 ∠ADB=36°일 때, x, y의 값을 차례로 구하면?

① 32°, 4 cm   ② 36°, 6 cm

③ 54°, 6 cm   ④ 78°, 6 cm

⑤ 58°, 10 cm

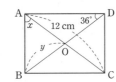

18 오른쪽 그림의 직사각형 AOBC에서 $\overline{AB}$=10 cm, $\overline{OB}$=7 cm일 때, 원 O의 반지름의 길이를 구하시오.
(단, 점 C는 원 O 위에 있다.)

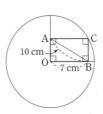

19 오른쪽 그림과 같은 직사각형 ABCD에서 점 E, F는 각각 $\overline{AB}$, $\overline{CD}$의 중점이다. 어두운 부분의 넓이의 합이 6일 때, 직사각형 ABCD의 넓이를 구하시오.

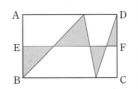

$\overline{AB}$와 평행한 보조선을 그어서 직사각형의 대각선은 넓이를 이등분함을 이용한다.

20 오른쪽 그림과 같은 정사각형 ABCD에서 $\overline{AC}$는 대각선이고, ∠ADF=20°일 때, 다음 중 옳지 <u>않은</u> 것은?

① ∠BAG=45°   ② ∠AFG=70°

③ ∠BGC=70°   ④ ∠BFG=110°

⑤ ∠AGB=115°

△AGD≡△AGB임을 이용한다.

21 오른쪽 그림과 같은 정사각형 ABCD에서 $\overline{BD}$는 대각선이고, ∠AEB=70°일 때, ∠DCE의 크기는?

① 20°   ② 22.5°

③ 25°   ④ 27.5°

⑤ 30°

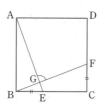

△ABE≡△CBE임을 이용한다.

22 오른쪽 그림과 같은 정사각형 ABCD에서 $\overline{BE}=\overline{CF}$일 때, ∠AGF의 크기를 구하시오.

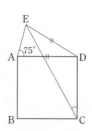

23 오른쪽 그림에서 □ABCD는 정사각형이고, △EAD는 $\overline{AD}=\overline{ED}$인 이등변삼각형이다. ∠EAD=75°일 때, ∠ECD의 크기를 구하시오.

24 오른쪽 그림과 같은 정사각형 ABCD의 내부에 한 점 P
를 잡았더니 △PBC가 정삼각형이 되었다. 이때 ∠APD
의 크기를 구하시오.

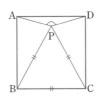

25 오른쪽 그림에서 □ABCD는 정사각형이고, △EBC는
정삼각형이다. 이때 ∠x + ∠y의 크기를 구하시오.

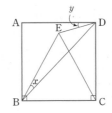

6 여러 가지 사각형 사이의 관계

26 다음 중 옳은 것을 모두 고르면? (정답 2개)

① 직사각형은 사다리꼴이다.

② 마름모는 직사각형이다.

③ 정사각형은 등변사다리꼴이다.

④ 사다리꼴은 평행사변형이다.

⑤ 사다리꼴은 등변사다리꼴이다.

27 다음 중 옳지 <u>않은</u> 것은?

① 직사각형은 평행사변형이다.

② 직사각형이면서 마름모인 사각형은 정사각형이다.

③ 정사각형, 마름모, 직사각형은 평행사변형이다.

④ 평행사변형은 사다리꼴이다.

⑤ 등변사다리꼴은 평행사변형이다.

28 다음 그림에서 사각형이 화살표 방향으로 변하기 위해서 추가되어야 할 조건이 바르게 짝지어지지 <u>않은</u> 것은?

① 한 쌍의 대변이 평행하다.
② 다른 한 쌍의 대변이 평행하다.
③ 두 대각선이 서로 다른 것을 이등분한다.
④ 이웃하는 두 변의 길이가 같다.
⑤ 네 내각의 크기가 모두 같다.

직사각형은 네 내각의 크기가 모두 같은 사각형이고 마름모는 네 변의 길이가 모두 같은 사각형이다.

[29~30] 아래 **보기**에 대하여 다음 물음에 답하시오.

보기

ㄱ. 사다리꼴   ㄴ. 평행사변형   ㄷ. 등변사다리꼴
ㄹ. 직사각형   ㅁ. 마름모   ㅂ. 정사각형

29 두 대각선의 길이가 서로 같은 사각형을 **보기**에서 모두 고르시오.

30 두 대각선이 서로 다른 것을 이등분하는 사각형을 **보기**에서 모두 고르시오.

31 다음 중 오른쪽 그림의 평행사변형 ABCD에 대한 설명으로 옳은 것은?

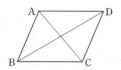

① $\angle BAD = \angle ABC$이면 정사각형이다.
② $\overline{AC} \perp \overline{BD}$이면 직사각형이다.
③ $\angle BAD = \angle BCD$이면 직사각형이다.
④ $\overline{AC} = \overline{BD}$이면 마름모이다.
⑤ $\overline{AB} = \overline{AD}$이면 마름모이다.

32 다음 중 옳지 <u>않은</u> 것을 모두 고르면? (정답 2개)

① ∠A＝90°인 평행사변형 ABCD는 직사각형이다.

② ∠A＝90°, $\overline{AC}$⊥$\overline{BD}$인 평행사변형 ABCD는 정사각형이다.

③ $\overline{AB}$＝$\overline{AD}$인 평행사변형 ABCD는 정사각형이다.

④ ∠A＋∠C＝180°인 평행사변형 ABCD는 직사각형이다.

⑤ $\overline{AC}$＝$\overline{BD}$인 평행사변형 ABCD는 마름모이다.

33 다음은 '두 대각선이 서로 수직인 평행사변형은 마름모이다.'를 설명하는 과정이다. ①~⑤에 알맞지 <u>않은</u> 것은?

$\overline{AC}$⊥$\overline{BD}$인 평행사변형 ABCD의
△ABO와 △ADO에서
$\overline{BO}$＝ ① , ② 는 공통
∠AOB＝∠AOD＝ ③ °이므로
△ABO≡△ADO (④ 합동)
∴ $\overline{AB}$＝ ⑤ ····· ㉠
□ABCD는 평행사변형이므로
$\overline{AB}$＝$\overline{CD}$, $\overline{BC}$＝$\overline{AD}$ ····· ㉡
따라서 ㉠, ㉡에서 $\overline{AB}$＝$\overline{BC}$＝$\overline{CD}$＝$\overline{DA}$이므로 □ABCD는 마름모이다.

① $\overline{DO}$ ② $\overline{AO}$ ③ 90

④ ASA   ⑤ $\overline{AD}$

34 오른쪽 그림과 같은 평행사변형 ABCD가 마름모가 될 조건을 모두 고르면? (정답 2개)

① $\overline{AC}$＝$\overline{BD}$ ② ∠A＝∠D

③ $\overline{AC}$⊥$\overline{BD}$ ④ $\overline{BC}$＝$\overline{CD}$

⑤ ∠C＝90°

> 평행사변형이 마름모가 되기 위한 조건
> ① 이웃하는 두 변의 길이가 같다.
> ② 두 대각선이 서로 수직이다.

35 오른쪽 그림과 같은 평행사변형 ABCD에서 ∠A, ∠B의 이등분선과 $\overline{BC}$, $\overline{AD}$가 만나는 점을 각각 E, F라 할 때, □ABEF에 대한 다음 설명 중 옳지 <u>않은</u> 것은?

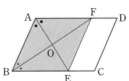

① $\overline{AB}$∥$\overline{EF}$ ② $\overline{AE}$＝$\overline{BF}$

③ ∠BAF＝∠BEF   ④ $\overline{AE}$⊥$\overline{BF}$

⑤ $\overline{BE}$＝$\overline{EF}$

36 오른쪽 그림과 같은 평행사변형 ABCD에서 대각선 BD 위의 한 점 P에 대하여 $\overline{AP}=\overline{CP}$일 때, □ABCD 는 어떤 사각형인가?

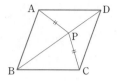

① 사다리꼴　　② 평행사변형
③ 직사각형　　④ 마름모
⑤ 정사각형

37 오른쪽 그림과 같은 평행사변형 ABCD에서 ∠DAC=50°, ∠DBC=40°일 때, ∠BDC의 크기를 구하시오.

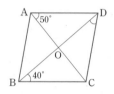

38 다음은 '한 내각이 직각인 평행사변형은 직사각형이다.'를 설명하는 과정이다. (가)~(라)에 알맞은 것을 써넣으시오.

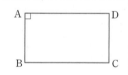

∠A=90°인 평행사변형 ABCD에서
∠A+∠B= (가) °
∠A=90°이므로 ∠B= (나) °
또 ∠A= (다) , ∠B= (라) 이므로
∠A=∠B=∠C=∠D= (나) °
따라서 □ABCD는 직사각형이다.

39 오른쪽 그림과 같은 평행사변형 ABCD가 직사각형이 될 조건을 모두 고르면? (정답 2개)

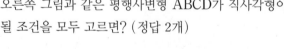
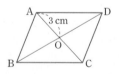

① ∠BAD=90°　　② ∠BOC=90°
③ $\overline{AB}$=3 cm　　④ $\overline{AC}$=6 cm
⑤ $\overline{BD}$=6 cm

평행사변형이 직사각형이 되기 위한 조건
① 한 내각이 직각이다.
　㉠ 이웃하는 두 내각의 크기가 같다.
　㉡ 대각의 크기의 합이 180°이다.
② 두 대각선의 길이가 같다.

40 오른쪽 그림과 같은 평행사변형 ABCD가 직사각형이 되지 <u>않는</u> 조건을 모두 고르면? (정답 2개)

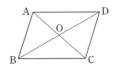

① $\overline{AB}=\overline{AD}$ 　　② $\angle BCD=90°$
③ $\overline{AC}=\overline{BD}$ 　　④ $\angle BAD=\angle ABC$
⑤ $\overline{OA}=\overline{OC}$

41 오른쪽 그림과 같은 평행사변형 ABCD에서 네 내각의 이등분선의 교점을 각각 E, F, G, H라 하자. 이때 네 교점으로 생기는 □EFGH는 어떤 사각형인지 구하시오.

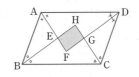

평행사변형 ABCD에서
$\angle A+\angle B=180°$임을 이용한다.

42 오른쪽 그림과 같은 평행사변형 ABCD에서 변 AD의 중점을 M이라 할 때, $\overline{MB}=\overline{MC}$이다. $\angle ABM=30°$일 때, $\angle BMC$의 크기를 구하시오.

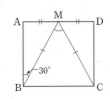

43 오른쪽 그림의 정사각형 ABCD에서 $\overline{EB}=\overline{FC}=\overline{GD}=\overline{HA}$가 되도록 각 변 위에 점 E, F, G, H를 잡을 때, □EFGH는 어떤 사각형인지 구하시오.

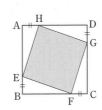

44 오른쪽 그림의 평행사변형 ABCD가 정사각형이 될
수 있는 조건을 다음 **보기**에서 모두 고르시오.

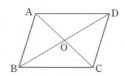

┌─────── 보기 ├───────┐
ㄱ. $\overline{AB}=\overline{AD}$, $\angle BAD=\angle ABC$　　ㄴ. $\overline{AB}=\overline{BC}$, $\angle BAO=\angle DAO$
ㄷ. $\angle BAD=90°$, $\overline{AC}\perp\overline{BD}$　　ㄹ. $\angle BAD=90°$, $\overline{AC}=\overline{BD}$
ㅁ. $\overline{AO}=\overline{BO}=\overline{CO}=\overline{DO}$, $\angle AOB=90°$

45 다음 중 정사각형이 될 수 <u>없는</u> 것을 모두 고르면? (정답 2개)

① 이웃하는 두 변의 길이가 같은 직사각형
② 한 내각이 직각이고, 두 대각선의 길이가 같은 평행사변형
③ 두 대각선의 길이가 같은 마름모
④ 두 대각선이 서로 수직인 직사각형
⑤ 두 대각선이 서로 수직이고, 이웃하는 두 변의 길이가 같은 평행사변형

46 오른쪽 그림과 같은 마름모 ABCD가 정사각형이 되기
위한 조건을 모두 고르면? (정답 2개)

① $\overline{AB}=\overline{AD}$　　　　② $\overline{AO}=\overline{BO}$
③ $\overline{AC}\perp\overline{BD}$　　　　④ $\angle BAO=\angle DAO$
⑤ $\angle ADC=90°$

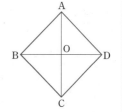

마름모가 정사각형이 될 조건
① 두 대각선의 길이가 같다.
② 한 내각이 직각이다.

47 오른쪽 그림의 마름모 ABCD에서 $\angle OAB=\angle OBC$일
때, 다음 중 옳지 <u>않은</u> 것은?

① □ABCD$=25$ cm²　　② $\angle BAO=45°$
③ $\overline{AO}=\overline{BO}$　　　　④ $\triangle AOD=10$ cm²
⑤ $\triangle BCO\equiv\triangle DAO$

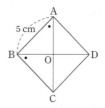

48 오른쪽 그림과 같은 직사각형 ABCD가 정사각형이 되
는 조건을 모두 고르면? (정답 2개)

① $\overline{AB}=\overline{BC}$　　　　② $\overline{AO}=\overline{DO}$
③ $\overline{AC}=\overline{BD}$　　　　④ $\overline{AC}\perp\overline{BD}$
⑤ $\angle BAD=\angle ABC$

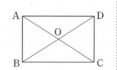

직사각형이 정사각형이 될 조건
① 두 대각선이 서로 수직이다.
② 이웃하는 두 변의 길이가 같다.

8 중점을 연결하여 만든 사각형

49 다음은 마름모 ABCD에서 각 변의 중점을 P, Q, R, S 라 할 때, □PQRS가 어떤 사각형이 되는지 알아보는 과정이다. ①~⑤에 알맞지 <u>않은</u> 것은?

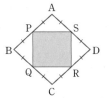

△APS≡ ① (② 합동)

∴ ∠APS＝∠ASP＝∠CQR＝∠CRQ

△BPQ≡ ③ (④ 합동)

∴ ∠BPQ＝∠BQP＝∠DSR＝∠DRS

□PQRS에서

∠QPS＝180°−(∠APS＋∠BPQ)

＝∠PQR＝∠QRS＝∠RSP

따라서 □PQRS는 ⑤ 이다.

① △CQR　　　② SAS　　　③ △DSR

④ SAS　　　⑤ 마름모

50 오른쪽 그림과 같은 직사각형 ABCD에서 각 변의 중점을 P, Q, R, S라 할 때, □PQRS에 대한 다음 설명 중 옳지 <u>않은</u> 것을 모두 고르면? (정답 2개)

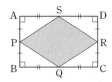

① 네 변의 길이가 모두 같다.

② 네 내각이 모두 직각이다.

③ 두 대각선의 길이가 같다.

④ 두 대각선이 서로 수직이다.

⑤ 두 대각선은 서로 다른 것을 이등분한다.

51 다음 중 사각형의 각 변의 중점을 차례로 연결하였을 때 생기는 사각형으로 옳게 짝지어진 것은?

① 사각형　　➡ 사다리꼴

② 평행사변형　➡ 평행사변형

③ 직사각형　　➡ 정사각형

④ 마름모　　　➡ 정사각형

⑤ 등변사다리꼴 ➡ 직사각형

52 오른쪽 그림과 같은 등변사다리꼴 ABCD의 각 변의 중점을 연결하여 □PQRS를 만들었다. 이때 □PQRS의 둘레의 길이는?

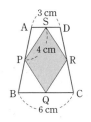

① 14 cm　　② 16 cm　　③ 18 cm

④ 20 cm　　⑤ 24 cm

등변사다리꼴의 각 변의 중점을 연결하여 만든 사각형은 마름모이다.

단원 종합 문제

01 오른쪽 그림과 같은 평행사변형 ABCD에서 ∠x, ∠y의 크기를 각각 구하시오.

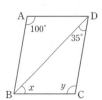

02 오른쪽 그림의 □ABCD가 다음 조건을 만족할 때, 평행사변형이 되는 이유를 **보기**에서 고르시오.

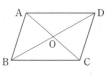

┌─── 보기 ───┐
ㄱ. 두 쌍의 대변이 각각 평행하다.
ㄴ. 두 쌍의 대변의 길이가 각각 같다.
ㄷ. 두 쌍의 대각의 크기가 각각 같다.
ㄹ. 두 대각선이 서로 다른 것을 이등분한다.
ㅁ. 한 쌍의 대변이 평행하고 그 길이가 같다.
└──────────┘

(1) $\overline{AO}=\overline{CO}=3$ cm, $\overline{BO}=\overline{DO}=4$ cm
(2) ∠BAD=100°, ∠ABC=80°, ∠CDA=80°
(3) $\overline{AB}=\overline{DC}=6$ cm, $\overline{AB} /\!/ \overline{DC}$
(4) $\overline{AB}=\overline{BC}=\overline{CD}=\overline{DA}=7$ cm

03 오른쪽 그림과 같은 평행사변형 ABCD에서 $\overline{BC}$의 중점을 E, $\overline{AE}$의 연장선과 $\overline{DC}$의 연장선의 교점을 F라 하자.
$\overline{AB}=8$ cm,
$\overline{AD}=12$ cm일 때, $\overline{DF}$의 길이는?

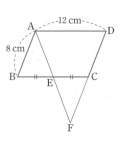

① 12 cm   ② 14 cm   ③ 16 cm
④ 18 cm   ⑤ 20 cm

04 오른쪽 그림의 평행사변형 ABCD에서 ∠D=80°이고 ∠BAE : ∠EAD=3 : 2일 때, ∠AEC의 크기는?

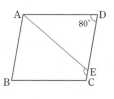

① 80°   ② 90°   ③ 100°
④ 110°   ⑤ 120°

05 오른쪽 그림과 같은 평행사변형 ABCD에서 $\overline{DE}$는 ∠D의 이등분선이고 ∠ADC=50°, $\overline{AF}\perp\overline{ED}$일 때, ∠BAF의 크기를 구하시오.

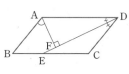

06 오른쪽 그림과 같은 평행사변형 ABCD의 내부에 한 점 P를 잡고 각 꼭짓점과 연결한다.
□ABCD=50 cm², △ABP=17 cm²일 때, △PCD의 넓이를 구하시오.

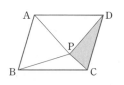

07 오른쪽 그림과 같은 평행사변형 ABCD에서 ∠AOB=90°일 때, 다음 중 옳은 것을 모두 고르면?

(정답 2개)

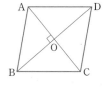

① 네 내각의 크기가 모두 같다.
② 네 변의 길이가 모두 같다.
③ 두 대각선의 길이가 같다.
④ 대각선이 내각을 이등분한다.
⑤ 한 내각의 크기가 90°이다.

08 오른쪽 그림과 같이 $\overline{AD}=2\overline{AB}$인 평행사변형 ABCD에서 $\overline{CD}$의 연장선 위에 $\overline{CE}=\overline{CD}=\overline{DF}$가 되도록 점 E, F를 잡고 $\overline{AE}$와 $\overline{BF}$의 교점을 P라 할 때, 다음 중 옳지 <u>않은</u> 것은?

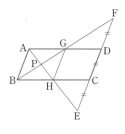

① ∠APG=90°
② $\overline{AB}=\overline{AG}$
③ $\overline{AG}=\overline{DC}$
④ $\overline{GH}=\overline{CD}$
⑤ $\overline{GF}=\overline{HE}$

09 오른쪽 그림은 $\overline{AD}\,/\!/\,\overline{BC}$인 등변사다리꼴 ABCD이다. $\overline{AD}=4$ cm, $\overline{BC}=8$ cm일 때, $\overline{BE}$의 길이는?

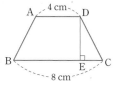

① 4 cm
② 4.5 cm
③ 5 cm
④ 5.5 cm
⑤ 6 cm

10 오른쪽 그림과 같은 □ABCD는 $\overline{AD}\,/\!/\,\overline{BC}$인 등변사다리꼴이고, $\overline{AB}=\overline{AD}$일 때, ∠BDC의 크기는?

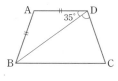

① 65°
② 75°
③ 85°
④ 95°
⑤ 105°

11 오른쪽 그림에서 □ABCD는 마름모이다. $\overline{AD}=6$ cm, ∠DAC=60°일 때, x, y의 값을 각각 구하시오.

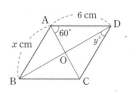

12 오른쪽 그림과 같은 마름모 ABCD에서 ∠ABO=25°일 때, ∠x+∠y의 크기는?

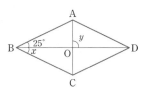

① 95°
② 100°
③ 105°
④ 110°
⑤ 115°

13 다음은 오른쪽 그림과 같은 평행사변형 ABCD의 각 변의 중점을 각각 E, F, G, H라 할 때, □EFGH는 어떤 사각형인지 알아보는 과정이다. ①~⑤에 알맞지 <u>않은</u> 것은?

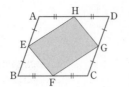

$\triangle AEH \equiv$ [①] (SAS 합동)이므로
$\overline{EH} =$ [②]
$\triangle EBF \equiv$ [③] (SAS 합동)이므로
$\overline{EF} =$ [④]
따라서 □EFGH는 두 쌍의 대변의 길이가 각각 같으므로 [⑤]이다.

① $\triangle BEF$ ② $\overline{GF}$
③ $\triangle GDH$ ④ $\overline{GH}$
⑤ 평행사변형

14 마름모의 네 변의 중점을 이어 만든 사각형에 대한 다음 설명 중 옳지 않은 것을 모두 고르면?

(정답 2개)

① 네 내각의 크기가 같다.
② 네 변의 길이가 같다.
③ 두 대각선이 서로 수직이다.
④ 두 대각선이 서로 다른 것을 이등분한다.
⑤ 두 쌍의 대변이 각각 평행하다.

15 오른쪽 그림과 같이 폭이 같은 두 테이프를 겹쳐 놓을 때, 겹쳐진 부분은 어떤 사각형인가?

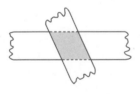

① 사다리꼴 ② 평행사변형
③ 직사각형 ④ 마름모
⑤ 정사각형

16 오른쪽 그림의 직사각형 ABCD에서 대각선 BD의 수직이등분선과 $\overline{AD}$, $\overline{BC}$의 교점을 각각 E, F라 할 때, □EBFD에 대한 다음 설명 중 옳지 <u>않은</u> 것은?

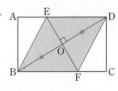

① $\overline{OB} = \overline{OE}$ ② $\overline{ED} = \overline{BF}$
③ $\overline{EB} = \overline{DF}$ ④ $\angle BED = \angle BFD$
⑤ $\angle BEO = \angle DEO$

17 오른쪽 그림과 같이 직사각형 모양의 종이를 꼭짓점 C가 꼭짓점 A에 겹쳐지도록 접었다. $\angle GAF = 14°$일 때, $\angle EFD$의 크기를 구하시오.

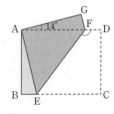

18 오른쪽 그림의 □ABCD에서 $\triangle OAB = 6 \, cm^2$, $\triangle OAD = 4 \, cm^2$, $\triangle OCD = 8 \, cm^2$일 때, $\triangle OBC$의 넓이를 구하시오.

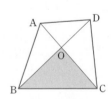

Ⅲ 도형의 닮음

1 도형의 닮음

1 닮은 도형

(1) 닮음과 닮은 도형

① 닮음 : 두 도형이 서로 합동이거나 한 도형을 일정한 비율로 확대 또는 축소하여
얻은 도형이 다른 한 도형과 합동일 때, 이 두 도형을 서로 닮음이라 한다.

② 닮은 도형 : 닮음인 관계에 있는 두 도형을 닮은 도형이라 한다.

(2) 닮음의 기호

△ABC와 △DEF가 서로 닮음일 때, 기호 ∽를
사용하여 △ABC∽△DEF와 같이 나타낸다.

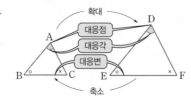

✛ ① 항상 닮은 평면도형
　➡ 정다각형(정삼각형, 정
　　사각형, …), 직각이등
　　변삼각형, 원, 중심각의
　　크기가 같은 부채꼴
　② 항상 닮은 입체도형
　➡ 정다면체, 구

　주의
닮음의 기호를 사용하여 나타낼
때는 대응하는 꼭짓점의 순서가
같도록 쓴다.

2 닮은 도형의 성질과 닮음비

(1) 평면도형에서의 닮음의 성질 : 서로 닮은 두 평면도형에서

① 대응변의 길이의 비는 일정하다.

② 대응각의 크기는 각각 같다.

③ 닮음비 : 대응변의 길이의 비

　예 오른쪽 그림에서 △ABC∽△DEF일 때,
　△ABC와 △DEF의 닮음비는
　$\overline{AB} : \overline{DE} = 10 : 16 = 5 : 8$

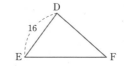

✛ ① 합동인 두 도형은 서로 닮
　음이고, 닮음비는 1 : 1이
　다.
　② 원에서는 반지름의 길이
　의 비가 닮음비이다.

(2) 입체도형에서의 닮음의 성질 : 서로 닮은 두 입체도형에서

① 대응하는 모서리의 길이의 비는 일정하다.

② 대응하는 면은 각각 닮은 도형이다.

③ 닮음비 : 대응하는 모서리의 길이의 비

　예 오른쪽 그림에서 두 삼각기둥은 서로 닮은 도형일 때,
　두 삼각기둥의 닮음비는
　$\overline{CF} : \overline{IL} = 10 : 15 = 2 : 3$

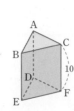
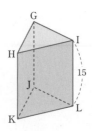

3 삼각형의 닮음 조건

두 삼각형이 다음의 닮음 조건 중 어느 한 조건을 만족하면 서로 닮은 도형이다.

(1) SSS 닮음

세 쌍의 대응변의 길이의 비가 모두 같다.

➡ $a : a' = b : b' = c : c'$

(2) SAS 닮음

두 쌍의 대응변의 길이의 비가 같고, 그 끼인각의 크기가 같다.

➡ $a : a' = c : c'$, $\angle B = \angle B'$

(3) AA 닮음

두 쌍의 대응각의 크기가 각각 같다.

➡ $\angle A = \angle A'$, $\angle C = \angle C'$

✚ 삼각형의 합동 조건
 ① SSS 합동
  ➡ 대응하는 세 변의 길이
   가 각각 같다.
 ② SAS 합동
  ➡ 대응하는 두 변의 길이
   가 각각 같고, 그 끼인
   각의 크기가 같다.
 ③ ASA 합동
  ➡ 한 변의 길이가 같고,
   그 양 끝 각의 크기가
   각각 같다.

4 직각삼각형에서의 닮음

(1) 직각삼각형의 닮음

$\angle A = 90°$인 직각삼각형 ABC의 꼭짓점 A에서 빗변 BC에 내린 수선의 발을 H라 하면

$\triangle ABC \backsim \triangle HBA \backsim \triangle HAC$ (AA 닮음)

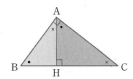

(2) 직각삼각형의 닮음의 활용

① $\triangle ABC \backsim \triangle HBA$이므로

$\overline{AB} : \overline{HB} = \overline{BC} : \overline{BA}$ ➡ $\overline{AB}^2 = \overline{BH} \times \overline{BC}$

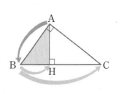

② $\triangle ABC \backsim \triangle HAC$이므로

$\overline{AC} : \overline{HC} = \overline{BC} : \overline{AC}$ ➡ $\overline{AC}^2 = \overline{CH} \times \overline{CB}$

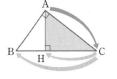

③ $\triangle HBA \backsim \triangle HAC$이므로

$\overline{HB} : \overline{HA} = \overline{AH} : \overline{CH}$ ➡ $\overline{AH}^2 = \overline{HB} \times \overline{HC}$

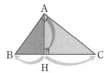

④ 직각삼각형 ABC의 넓이로부터

$\overline{AB} \times \overline{AC} = \overline{BC} \times \overline{AH}$

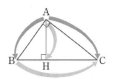

주의

공식을 무조건 암기하려고 하지
말고, 닮음 관계를 이해한 후,
화살표의 방향을 이용하여 쉽게
암기하도록 한다.

주제별 실력다지기

1 닮은 도형

01 다음 중 닮은 도형에 대한 설명으로 옳지 <u>않은</u> 것은?

① 합동인 두 도형의 닮음비는 1 : 1이다.
② 대응하는 면의 넓이의 비는 일정하다.
③ 대응각의 크기는 각각 같다.
④ 대응변의 길이의 비는 일정하다.
⑤ 닮음비는 두 닮은 도형에서 대응각의 크기의 비와 같다.

(1) 평면도형에서의 닮음의 성질
　① 대응변의 길이의 비는 일정하다.
　② 대응각의 크기는 각각 같다.
(2) 입체도형에서의 닮음의 성질
　① 대응하는 모서리의 길이의 비는 일정하다.
　② 대응하는 면은 각각 닮은 도형이다.

02 다음 **보기** 중 항상 닮은 도형인 것은 모두 몇 개인가?

┌─────────────── 보기 ───────────────┐
ㄱ. 두 이등변삼각형　　ㄴ. 두 직사각형　　ㄷ. 두 원
ㄹ. 두 정육각형　　　　ㅁ. 두 마름모　　　ㅂ. 두 부채꼴
ㅅ. 두 정육면체　　　　ㅇ. 두 구
└─────────────────────────────────────┘

① 없다.　　　　　　② 1개　　　　　　③ 2개
④ 3개　　　　　　　⑤ 4개

03 오른쪽 그림에서 □ABCD∽□PQRS일 때, 다음 **보기** 중 옳은 것을 모두 고르시오.

┌─────────────── 보기 ───────────────┐
ㄱ. ∠A=50°　　　　　ㄴ. ∠PQR=90°
ㄷ. △BCD∽△QRS　　ㄹ. $\overline{QS}$=9 cm
ㅁ. □ABCD와 □PQRS의 닮음비는 3 : 4이다.
└─────────────────────────────────────┘

04 오른쪽 그림의 △ABC와 △DFE가 닮은 도형이 되려면 다음 중 어느 조건을 만족해야 하는가?

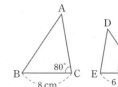

① $\overline{AB}$=12 cm, $\overline{DF}$=8 cm
② ∠A=45°, ∠E=75°
③ $\overline{AC}$=10 cm, $\overline{DE}$=6 cm
④ ∠B=55°, ∠D=45°
⑤ $\overline{AB}$=15 cm, $\overline{DE}$=10 cm

05 다음 중 오른쪽 그림의 삼각형과 서로 닮음인 것을 모두 고르면? (정답 2개)

①

②

③

④

⑤

06 오른쪽 그림의 두 삼각기둥이 서로 닮은 도형일 때, 다음 중 옳은 것은?

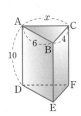

① 닮음비는 4 : 3이다.
② $\overline{A'D'}=5$
③ $\overline{DF}=6$
④ $\triangle ABC=\triangle D'E'F'$
⑤ $x+y=10$

07 오른쪽 그림의 두 원기둥이 서로 닮은 도형일 때, 작은 원기둥의 한 밑면의 넓이를 구하시오.

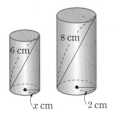

닮은 두 원뿔 또는 원기둥의 닮음비
➡ 높이의 비
➡ 모선의 길이의 비
➡ 밑면인 원의 반지름의 길이의 비
➡ 밑면인 원의 둘레의 길이의 비

08 오른쪽 그림과 같이 원뿔을 밑면에 평행한 평면으로 자를 때 생기는 단면인 원 O'의 넓이가 16π일 때, 처음 원뿔의 밑면의 반지름의 길이를 구하시오.

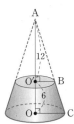

09 오른쪽 그림의 △ABC에서 ∠ACB=∠EDB일 때, $\overline{\text{EC}}$의 길이는?

① 17　　② 18　　③ 19

④ 20　　⑤ 21

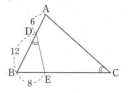

10 오른쪽 그림의 △ABC에서 ∠ABC=∠DCA이고, $\overline{\text{AB}}$=9 cm, $\overline{\text{AC}}$=6 cm일 때, $\overline{\text{DB}}$의 길이를 구하시오.

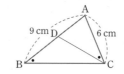

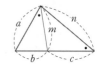

(1) $a^2=b(b+c)$
　　└→ 짧은 것 곱하기 긴 것
　└→ 제곱이

(2) $an=m(b+c)$
　　└→ 'ㅗ' 곱한 것
　└→ 'ㅅ' 곱한 것이

11 오른쪽 그림의 △ABC에서 ∠ABC=∠DAC이고, $\overline{\text{AC}}$=8 cm, $\overline{\text{BC}}$=12 cm일 때, $\overline{\text{DC}}$의 길이는?

① $\dfrac{16}{3}$ cm　　② 6 cm　　③ $\dfrac{13}{2}$ cm

④ $\dfrac{20}{3}$ cm　　⑤ 7 cm

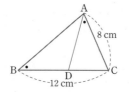

12 오른쪽 그림의 △ABC에서 $\overline{\text{AD}}$=4 cm, $\overline{\text{DB}}$=2 cm, $\overline{\text{AE}}$=3 cm, $\overline{\text{EC}}$=5 cm, $\overline{\text{BC}}$=10 cm일 때, $\overline{\text{DE}}$의 길이를 구하시오.

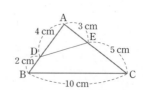

두 쌍의 대응변의 길이의 비가 같고 그 끼인각의 크기가 같다.
➡ SAS 닮음

13 오른쪽 그림의 △ABC에서 $\overline{AD}=5$ cm, $\overline{DB}=7$ cm, $\overline{AE}=4$ cm, $\overline{EC}=11$ cm, $\overline{DE}=6$ cm일 때, $\overline{BC}$의 길이를 구하시오.

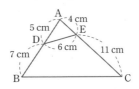

14 오른쪽 그림의 △ABC에서 $\overline{AD}=6$, $\overline{DB}=4$, $\overline{DE}=3$, $\overline{BE}=5$, $\overline{EC}=3$일 때, $\overline{AC}$의 길이를 구하시오.

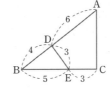

15 오른쪽 그림의 △ABC에서 $\overline{BC}$의 길이는?

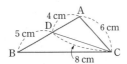

① 11 cm   ② 12 cm   ③ 13 cm

① 14 cm   ⑤ 15 cm

16 오른쪽 그림의 △ABC에서 $\overline{AB}=21$ cm, $\overline{AD}=15$ cm, $\overline{DC}=12$ cm, $\overline{BC}=18$ cm일 때, $\overline{BD}$의 길이를 구하시오.

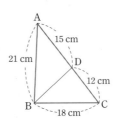

17 오른쪽 그림과 같이 ∠A=90°인 직각삼각형 ABC 에서 $\overline{AD}\perp\overline{BC}$일 때, $\overline{CD}$의 길이는?

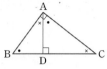

① 4 cm ② 6 cm ③ 8 cm
④ 10 cm ⑤ 12 cm

두 직각삼각형에서 한 예각의 크기가 같으면 두 삼각형은 닮은 도형이다.

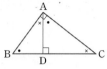

$\triangle ABC \backsim \triangle DBA \backsim \triangle DAC$
(AA 닮음)이므로
(1) $\overline{AB}^2 = \overline{BD} \times \overline{BC}$
(2) $\overline{AC}^2 = \overline{CD} \times \overline{CB}$
(3) $\overline{AD}^2 = \overline{BD} \times \overline{CD}$
(4) $\overline{AB} \times \overline{AC} = \overline{AD} \times \overline{BC}$
(5) $\overline{AB}^2 : \overline{AC}^2 = \overline{BD} : \overline{CD}$

18 오른쪽 그림의 △ABC에서 ∠A=90°, $\overline{AD}\perp\overline{BC}$이 고 $\overline{AB}=10$ cm, $\overline{BD}=6$ cm일 때, △ABC의 넓이 를 구하시오.

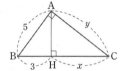

19 오른쪽 그림의 △ABC에서 ∠BAC=∠AHB=90° 이고 $\overline{AB}=5$, $\overline{BH}=3$일 때, $x+y$의 값은?

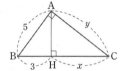

① 8 ② 9 ③ 10
④ 11 ⑤ 12

20 오른쪽 그림과 같이 ∠A=90°인 직각삼각형 ABC 에서 $\overline{AD}\perp\overline{BC}$일 때, $x+y$의 값은?

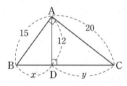

① 21 ② 22 ③ 23
④ 24 ⑤ 25

21 오른쪽 그림과 같이 ∠A=90°인 직각삼각형 ABC에서 $\overline{AD} \perp \overline{BC}$, $\overline{AB} \perp \overline{DE}$이다. $\overline{AD}$=4 cm, $\overline{CD}$=3 cm일 때, $\overline{AB} : \overline{AE}$를 가장 간단한 자연수의 비로 나타내시오.

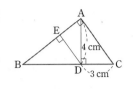

22 오른쪽 그림과 같이 ∠A=90°인 직각삼각형 ABC에서 $\overline{BM}=\overline{CM}$이고, $\overline{AD} \perp \overline{BC}$, $\overline{DH} \perp \overline{AM}$이다. $\overline{BD}$=16 cm, $\overline{CD}$=4 cm일 때, 다음 선분의 길이를 구하시오.

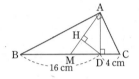

직각삼각형의 빗변의 중점은 외심임을 이용한다.

(1) $\overline{AD}$　　　　　(2) $\overline{AM}$
(3) $\overline{AH}$　　　　　(4) $\overline{DH}$

23 오른쪽 그림과 같이 ∠A=90°인 직각삼각형 ABC에서 점 M은 $\overline{BC}$의 중점이고, $\overline{AD} \perp \overline{BC}$, $\overline{DH} \perp \overline{AM}$, $\overline{BD}$=5, $\overline{CD}$=20일 때, $\overline{DH}$의 길이를 구하시오.

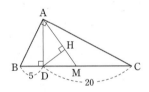

24 오른쪽 그림의 △ABC에서 ∠A=90°이고, 점 M은 $\overline{BC}$의 중점이다. $\overline{AD} \perp \overline{BC}$, $\overline{AM} \perp \overline{DH}$이고, $\overline{AD}$=4 cm, $\overline{CD}$=8 cm일 때, $\overline{DH}$의 길이는?

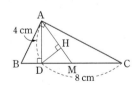

① 2 cm　　　② $\frac{12}{5}$ cm　　　③ 3 cm

④ $\frac{13}{4}$ cm　　　⑤ $\frac{15}{4}$ cm

25 오른쪽 그림과 같이 △ABC의 꼭짓점 A, B에서 변 BC, CA에 내린 수선의 발을 각각 D, E라 하고, $\overline{AD}$, $\overline{BE}$의 교점을 F라 할 때, △BDF와 닮은 삼각형은 모두 몇 개인가?

① 1개   ② 2개   ③ 3개
④ 4개   ⑤ 5개

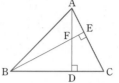

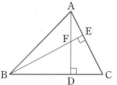

△ABC∽△DBE∽△AFE
          ∽△DFC이므로
(1) $\overline{BE}×\overline{BD}=\overline{BC}×\overline{BA}$
(2) $\overline{AF}×\overline{CF}=\overline{DF}×\overline{EF}$
(3) $\overline{AB}×\overline{DE}=\overline{AC}×\overline{DB}$
　　　⋮

26 오른쪽 그림과 같이 △ABC의 꼭짓점 A, B에서 $\overline{BC}$, $\overline{AC}$에 내린 수선의 발을 각각 D, E라 할 때, $\overline{AE}$의 길이는?

① 7   ② 8   ③ 9
④ 10   ⑤ 11

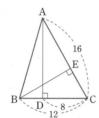

27 오른쪽 그림의 △ABC에서 $\overline{AB}⊥\overline{CE}$, $\overline{AC}⊥\overline{BD}$이고, $\overline{AB}=10$ cm, $\overline{AC}=9$ cm, $\overline{AD}=6$ cm일 때, $\overline{BE}$의 길이를 구하시오.

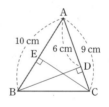

28 오른쪽 그림에서 $\overline{AC}=15$ cm, $\overline{CF}=3$ cm, $\overline{DF}=4$ cm일 때, $\overline{EF}$의 길이를 구하시오.

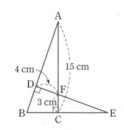

29 오른쪽 그림은 $\overline{AB}=10$ cm, $\overline{BC}=24$ cm인 직사각형 ABCD에서 대각선 BD를 접는 선으로 하여 꼭짓점 C가 점 E에 오도록 접은 것이다. $\overline{BD}=26$ cm이고 $\overline{AD}$와 $\overline{BE}$의 교점 F에서 $\overline{BD}$에 내린 수선의 발을 G라 할 때, $\overline{FG}$의 길이를 구하시오.

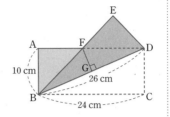

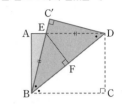

직사각형 ABCD에서 $\overline{BD}$를 접는 선으로 하여 접었을 때

(1) △EBD는 이등변삼각형
(2) $\overline{BC}=\overline{BC'}$, $\overline{CD}=\overline{C'D}$
(3) △EBF∽△DBC (AA 닮음)

30 오른쪽 그림은 직사각형 ABCD에서 $\overline{AC}$를 접는 선으로 하여 꼭짓점 B가 점 B′에 오도록 접은 것이다. $\overline{AC}=10$ cm, $\overline{BC}=8$ cm, $\overline{DC}=6$ cm이고 $\overline{AC}\perp\overline{EF}$일 때, △EAC의 넓이를 구하시오.

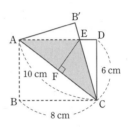

31 오른쪽 그림은 직각삼각형 ABC에서 $\overline{AD}$를 접는 선으로 하여 꼭짓점 C가 $\overline{AB}$ 위의 점 E에 오도록 접은 것이다. $\overline{AB}=10$ cm, $\overline{BC}=8$ cm, $\overline{CA}=6$ cm일 때, $\overline{DE}$의 길이를 구하시오.

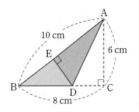

32 오른쪽 그림은 직사각형 ABCD를 $\overline{BP}$를 접는 선으로 하여 꼭짓점 C가 $\overline{AD}$ 위의 점 C′에 오도록 접은 것이다. $\overline{AB}=6$ cm, $\overline{BC}=10$ cm, $\overline{C'D}=2$ cm일 때, $\overline{PC}$의 길이를 구하시오.

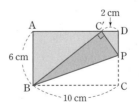

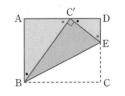

직사각형 ABCD에서 $\overline{BE}$를 접는 선으로 하여 꼭짓점 C가 $\overline{AD}$ 위의 점 C′에 오도록 접을 때

➡ △ABC′∽△DC′E (AA 닮음)

33 오른쪽 그림은 직사각형 ABCD를 $\overline{BP}$를 접는 선으로 하여 꼭짓점 C가 $\overline{AD}$ 위의 점 C′에 오도록 접은 것이다. 이때 $\overline{BC'}$의 길이는?

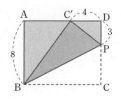

① 10   ② $\dfrac{32}{3}$ ③ 11

④ 12   ⑤ $\dfrac{44}{3}$

34 오른쪽 그림과 같이 정삼각형 ABC의 꼭짓점 A가 변 BC 위의 점 E에 오도록 접었다. 이때 $\overline{AD}$의 길이는?

① 10   ② 12   ③ 14

④ 16   ⑤ 18

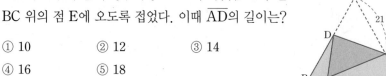

정삼각형 ABC에서 $\overline{DE}$를 접는 선으로 하여 꼭짓점 A가 $\overline{BC}$ 위의 점 A′에 오도록 접을 때

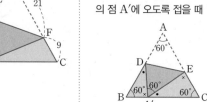

➡ △DBA′∽△A′CE (AA 닮음)

35 오른쪽 그림은 정삼각형 ABC를 $\overline{DF}$를 접는 선으로 하여 꼭짓점 A가 $\overline{BC}$ 위의 점 E에 오도록 접은 것이다. $\overline{AB}=15\,\mathrm{cm}$, $\overline{BD}=8\,\mathrm{cm}$, $\overline{CE}=10\,\mathrm{cm}$일 때, $\overline{CF}$의 길이를 구하시오.

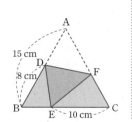

---

6 두 쌍의 평행선이 이루는 도형의 닮음

36 오른쪽 그림에서 $\overline{AB}/\!/\overline{EF}/\!/\overline{DC}$, $\overline{AF}/\!/\overline{EC}$이고 $\overline{AB}=2$, $\overline{DC}=8$일 때, $\overline{EF}$의 길이를 구하시오.

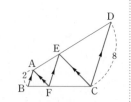

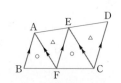

(1) 평행선이 이루는 도형의 닮음
$\overline{AB}/\!/\overline{EF}/\!/\overline{DC}$이고
$\overline{AF}/\!/\overline{EC}$일 때,
△ABF∽△EFC (AA 닮음)
△AFE∽△ECD (AA 닮음)
(2) $\overline{EF}^2=\overline{AB}\times\overline{DC}$

37 오른쪽 그림의 △ABC에서 $\overline{DE}\,/\!/\,\overline{BC}$, $\overline{FE}\,/\!/\,\overline{DC}$이고 $\overline{AD}=6$, $\overline{DB}=4$일 때, x의 값을 구하시오.

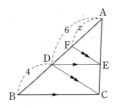

38 오른쪽 그림의 △ABC에서 $\overline{AB}\,/\!/\,\overline{DE}$, $\overline{BD}\,/\!/\,\overline{EF}$이고 $\overline{DF}:\overline{FC}=2:5$, $\overline{DC}=14\,\text{cm}$일 때, $\overline{AD}$의 길이를 구하시오.

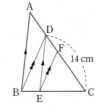

39 오른쪽 그림의 △ABC에서 $\overline{AC}\,/\!/\,\overline{DE}$, $\overline{CD}\perp\overline{AB}$, $\overline{EH}\perp\overline{AB}$이고 $\overline{AD}=3\,\text{cm}$, $\overline{DB}=6\,\text{cm}$, $\overline{EH}=4\,\text{cm}$일 때, $\overline{CD}$의 길이를 구하시오.

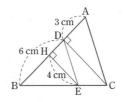

7 특수한 경우의 닮음

40 오른쪽 그림의 직사각형 ABCD에서 $\overline{PQ}$가 대각선 BD를 수직이등분할 때, $\overline{PQ}$의 길이는?

① 6 ② $\dfrac{25}{4}$ ③ 7

④ $\dfrac{15}{2}$ ⑤ 8

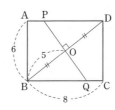

41 오른쪽 그림과 같은 평행사변형 ABCD에서 $\overline{CB}$의 연장선 위에 점 P를 잡아 $\overline{PD}$와 $\overline{AB}$의 교점을 Q, $\overline{PD}$와 $\overline{AC}$의 교점을 R라 하자. $\overline{QR}=9$, $\overline{RD}=12$일 때, $\overline{PQ}$의 길이를 구하시오.

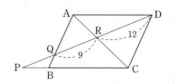

$\overline{AB}/\!/\overline{DC}$이므로
△RAQ∽△RCD(AA 닮음)
$\overline{QB}/\!/\overline{DC}$이므로
△PQB∽△PDC(AA 닮음)

42 오른쪽 그림과 같은 정사각형 ABCD에서 $\overline{AB}$와 $\overline{BC}$ 위에 ∠PDQ=45°가 되도록 점 P와 점 Q를 잡은 다음 점 P와 점 Q에서 대각선 BD에 내린 수선의 발을 각각 H, G라 하자. $\overline{DG}=7$, $\overline{GH}=4$일 때, □ABCD의 넓이를 구하시오.

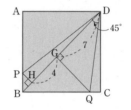

43 오른쪽 그림과 같이 △ABC에서 ∠BAC의 이등분선이 $\overline{BC}$와 만나는 점을 D라 하고, $\overline{CD}=\overline{CE}$가 되는 점 E를 $\overline{AD}$ 위에 잡았다. $\overline{AB}=12$, $\overline{AC}=9$, $\overline{AD}=8$일 때, $\overline{DE}$의 길이를 구하시오.

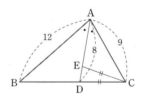

∠CDE=∠CED이므로
∠AEC=∠ADB

44 오른쪽 그림에서 △ABC∽△AED이고 ∠D=75°, ∠ACE=30°, ∠DAE=20°일 때, ∠CBE의 크기를 구하시오.

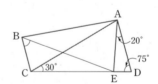

△ABC∽△AED에서
∠BAE=∠CAD이고,
$\overline{AB}:\overline{AC}=\overline{AE}:\overline{AD}$이므로
△ABE∽△ACD(SAS 닮음)

2 평행선과 선분의 길이의 비

1 삼각형에서 평행선과 선분의 길이의 비

(1) △ABC에서 두 점 D, E가 각각 $\overline{AB}$, $\overline{AC}$ 또는 그 연장선 위에 있을 때, $\overline{BC} /\!/ \overline{DE}$이면

① $\overline{AB}:\overline{AD}=\overline{AC}:\overline{AE}=\overline{BC}:\overline{DE}$

② $\overline{AD}:\overline{DB}=\overline{AE}:\overline{EC}$

(2) △ABC에서 점 D, E가 각각 $\overline{AB}$, $\overline{AC}$ 또는 그 연장선 위에 있을 때,

① $\overline{AB}:\overline{AD}=\overline{AC}:\overline{AE}=\overline{BC}:\overline{DE}$이면 $\overline{BC} /\!/ \overline{DE}$

② $\overline{AD}:\overline{DB}=\overline{AE}:\overline{EC}$이면 $\overline{BC} /\!/ \overline{DE}$

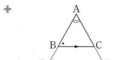

△ABC와 △ADE에서
∠ABC=∠ADE (동위각)
∠A는 공통
∴ △ABC∽△ADE
          (AA 닮음)
∴ $\overline{AB}:\overline{AD}=\overline{AC}:\overline{AE}$
      $=\overline{BC}:\overline{DE}$

2 삼각형의 각의 이등분선과 닮음

(1) **삼각형의 내각의 이등분선의 성질**

△ABC에서 ∠A의 이등분선이 $\overline{BC}$와 만나는 점을 D라 하면

➡ $\overline{AB}:\overline{AC}=\overline{BD}:\overline{CD}$

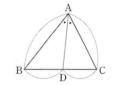

(2) **삼각형의 외각의 이등분선의 성질**

△ABC에서 ∠A의 외각의 이등분선이 $\overline{BC}$의 연장선과 만나는 점을 D라 하면

➡ $\overline{AB}:\overline{AC}=\overline{BD}:\overline{CD}$

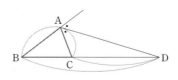

높이가 같은 두 삼각형 ABD와 ADC의 넓이의 비는 밑변의 길이의 비와 같다. 즉

△ABD : △ADC
$=\overline{BD}:\overline{CD}$
$=\overline{AB}:\overline{AC}$

3 평행선 사이에 있는 선분의 길이의 비

세 개 이상의 평행선이 다른 두 직선과 만나서 생긴 선분의 길이의 비는 같다.

➡ $l /\!/ m /\!/ n$이면 $a : b = a' : b'$ 또는 $a : a' = b : b'$

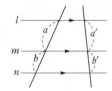 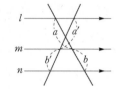

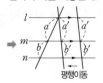 ✚ 한 직선을 평행이동하여 삼각형에서의 평행선과 선분의 길이의 비를 이용한다.

➡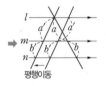

4 평행선과 선분의 길이의 비의 활용

(1) 사다리꼴에서 평행선과 선분의 길이의 비

① $\overline{AD} /\!/ \overline{BC}$인 사다리꼴 $ABCD$에서 $\overline{EF} /\!/ \overline{BC}$이고
$\overline{AD} = a$, $\overline{BC} = b$, $\overline{AE} = m$, $\overline{EB} = n$일 때

➡ $\overline{EF} = \dfrac{an + bm}{m + n}$

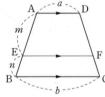

② $\overline{AD} /\!/ \overline{BC}$인 사다리꼴 $ABCD$에서 $\overline{EF} /\!/ \overline{BC}$이고
$\overline{AD} = a$, $\overline{BC} = b$일 때

➡ $\overline{EO} = \overline{FO} = \dfrac{ab}{a + b}$

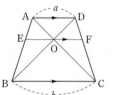

✚ 사다리꼴에서 $\overline{EF}$의 길이를 구할 때, 꼭짓점 A를 지나고 $\overline{DC}$와 평행한 보조선 또는 대각선 AC를 그어서 구한다.

➡ $\overline{EF} = \overline{EG} + \overline{GF}$

(2) 평행선과 선분의 길이의 비의 활용

$\overline{AC}$와 $\overline{BD}$의 교점을 E라 할 때,
$\overline{AB} /\!/ \overline{EF} /\!/ \overline{DC}$이고 $\overline{AB} = a$, $\overline{CD} = b$이면

① $\overline{AE} : \overline{EC} = \overline{BE} : \overline{ED} = \overline{BF} : \overline{FC} = a : b$

② $\overline{EF} = \dfrac{ab}{a + b}$

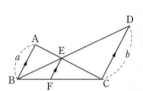

 ┃ 닮은 삼각형을 모두 찾으면
① $\triangle ABE \backsim \triangle CDE$ ➡ 닮음비는 $a : b$
② $\triangle CEF \backsim \triangle CAB$ ➡ 닮음비는 $b : (b + a)$
③ $\triangle BFE \backsim \triangle BCD$ ➡ 닮음비는 $a : (a + b)$

5 삼각형의 두 변의 중점을 연결한 선분의 성질

(1) **삼각형의 두 변의 중점을 연결한 선분의 성질**

삼각형의 두 변의 중점을 연결한 선분은 나머지 한 변과 평행하고, 그 길이는 나머지 한 변의 길이의 $\frac{1}{2}$이다.

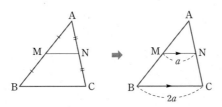

$$\overline{AM}=\overline{MB},\ \overline{AN}=\overline{NC} \Rightarrow \overline{MN}\,/\!/\,\overline{BC},\ \overline{MN}=\frac{1}{2}\overline{BC}$$

(2) **삼각형의 두 변의 중점을 연결한 선분의 성질의 응용**

삼각형에서 한 변의 중점을 지나고, 다른 한 변에 평행한 직선은 나머지 한 변의 중점을 지난다.

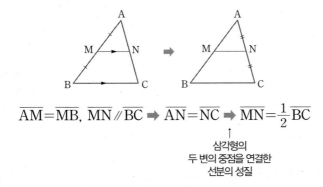

$$\overline{AM}=\overline{MB},\ \overline{MN}\,/\!/\,\overline{BC} \Rightarrow \overline{AN}=\overline{NC} \Rightarrow \overline{MN}=\frac{1}{2}\overline{BC}$$

삼각형의
두 변의 중점을 연결한
선분의 성질

6 사다리꼴에서 삼각형의 두 변의 중점을 연결한 선분의 성질의 활용

$\overline{AD}\,/\!/\,\overline{BC}$인 사다리꼴 ABCD에서 $\overline{AB}$, $\overline{CD}$의 중점을 각각 M, N이라 하면

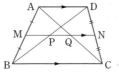

① $\overline{AD}\,/\!/\,\overline{MN}\,/\!/\,\overline{BC}$

② $\overline{MN}=\frac{1}{2}(\overline{AD}+\overline{BC})$

③ $\overline{PQ}=\frac{1}{2}(\overline{BC}-\overline{AD})$ (단, $\overline{BC}>\overline{AD}$)

+ (1) $\overline{AM}=\overline{MB}$, $\overline{AN}=\overline{NC}$
  이므로
  $\overline{AB}:\overline{AM}=\overline{AC}:\overline{AN}$
  $\qquad=2:1$
  $\therefore\ \overline{MN}\,/\!/\,\overline{BC}$
  또
  $\overline{AB}:\overline{AM}=\overline{BC}:\overline{MN}$
  $\qquad=2:1$
  이므로
  $\overline{MN}=\frac{1}{2}\overline{BC}$

(2) $\overline{MN}\,/\!/\,\overline{BC}$이므로
  $\overline{AB}:\overline{AM}=\overline{AC}:\overline{AN}$
  $\qquad=2:1$
  에서
  $\overline{AN}=\frac{1}{2}\overline{AC}$
  즉 점 N은 $\overline{AC}$의 중점이므로
  $\overline{AN}=\overline{NC}$

+ 사다리꼴 ABCD에서
  ① $\overline{MP}=\frac{1}{2}\overline{AD}$,
  $\overline{PN}=\overline{MQ}=\frac{1}{2}\overline{BC}$
  ② $\overline{MN}=\overline{MP}+\overline{PN}$
  $\qquad=\frac{1}{2}(\overline{AD}+\overline{BC})$
  ③ $\overline{PQ}=\overline{MQ}-\overline{MP}$
  $\qquad=\frac{1}{2}(\overline{BC}-\overline{AD})$

7 사각형에서 각 변의 중점을 연결한 도형의 성질

(1) 사각형 ABCD의 네 변의 중점을 각각 P, Q, R, S라 할 때, 다음이 성립한다.

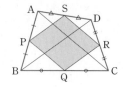

① $\overline{BD} /\!/ \overline{PS} /\!/ \overline{QR}$, $\overline{AC} /\!/ \overline{PQ} /\!/ \overline{SR}$이므로
$\square$PQRS는 평행사변형

② $\overline{PS} = \overline{QR} = \dfrac{1}{2}\overline{BD}$, $\overline{PQ} = \overline{SR} = \dfrac{1}{2}\overline{AC}$

(2) **여러 가지 사각형의 각 변의 중점을 연결하여 만든 사각형**

① 사각형 ➡ 평행사변형   ② 평행사변형 ➡ 평행사변형

③ 직사각형 ➡ 마름모   ④ 마름모 ➡ 직사각형

⑤ 정사각형 ➡ 정사각형   ⑥ 등변사다리꼴 ➡ 마름모

8 삼각형의 무게중심

(1) **삼각형의 중선**

삼각형의 한 꼭짓점과 그 대변의 중점을 이은 선분

(2) **삼각형의 중선의 성질**

삼각형의 중선은 그 삼각형의 넓이를 이등분한다.

➡ △ABM = △ACM

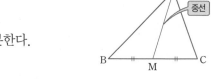

(3) **삼각형의 무게중심(G)**

삼각형의 세 중선의 교점

(4) **삼각형의 무게중심의 성질**

$\overline{AG} : \overline{GD} = \overline{BG} : \overline{GE} = \overline{CG} : \overline{GF} = 2 : 1$

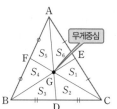

(5) **삼각형의 무게중심과 넓이**

① $\triangle ABG = \triangle GBC = \triangle GCA = \dfrac{1}{3}\triangle ABC$

② $S_1 = S_2 = S_3 = S_4 = S_5 = S_6 = \dfrac{1}{6}\triangle ABC$

개념+ 평행사변형에서 삼각형의 무게중심의 활용

평행사변형 ABCD에서 점 M, N은 각각 $\overline{BC}$, $\overline{CD}$의 중점이고, $\overline{AM}$, $\overline{AN}$이 대각선 BD와 만나는 점을 각각 P, Q라 하면

① 점 P, Q는 각각 △ABC, △ACD의 무게중심이다.

② $\overline{BP} : \overline{PO} = \overline{DQ} : \overline{QO} = 2 : 1$

③ $\overline{BP} = \overline{PQ} = \overline{QD}$

④ $\overline{PQ} : \overline{MN} = \overline{AP} : \overline{AM} = 2 : 3 \ (\because \triangle APQ \backsim \triangle AMN)$

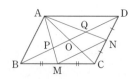

✚ ⑴ 한 삼각형에는 세 개의 중선이 있다.
⑵ 밑변의 길이가 $\overline{BM} = \overline{CM}$으로 같고, 높이가 같으므로 두 삼각형 ABM과 ACM의 넓이는 같다.

주의
넓이가 같다는 것이 합동을 의미하는 것은 아니다.

주제별 실력다지기

1 삼각형에서 평행선과 선분의 길이의 비

01 오른쪽 그림의 △ABC에서 $\overline{BC}\,/\!/\,\overline{DE}$일 때, xy의 값은?

① 21   ② 22   ③ 24

④ 28   ⑤ 30

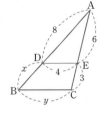

$\overline{BC}\,/\!/\,\overline{DE}$이므로
△ABC∽△ADE (AA 닮음)

02 오른쪽 그림에서 $\overline{AB}\,/\!/\,\overline{ED}$이고 $\overline{AB}=10\ \text{cm}$, $\overline{ED}=4\ \text{cm}$, $\overline{AD}=14\ \text{cm}$일 때, $\overline{CD}$의 길이는?

① 2 cm   ② 3 cm   ③ 4 cm

④ 5 cm   ⑤ 6 cm

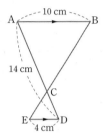

03 오른쪽 그림의 평행사변형 ABCD에서 $\overline{BC}$ 위의 점 E와 꼭짓점 D를 이은 선분이 $\overline{AC}$와 만나는 점을 F라 하자. $\overline{AD}=15\ \text{cm}$, $\overline{AF}=10\ \text{cm}$, $\overline{FC}=8\ \text{cm}$일 때, $\overline{BE}$의 길이를 구하시오.

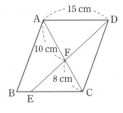

04 오른쪽 그림에서 $\overline{BC}\,/\!/\,\overline{DE}$, $\overline{BD}\,/\!/\,\overline{GF}$일 때, $\overline{FG}$의 길이를 구하시오.

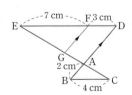

05 오른쪽 그림의 △ABC에서 $\overline{BC} /\!/ \overline{DE}$이고, $\overline{DP}=6$, $\overline{BQ}=8$, $\overline{QC}=4$일 때, $\overline{PE}$의 길이를 구하시오.

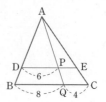

06 오른쪽 그림의 △ABC에서 $\overline{AB} /\!/ \overline{EF}$, $\overline{BC} /\!/ \overline{DE}$ 이고, $\overline{AD}=4$ cm, $\overline{DB}=2$ cm, $\overline{DE}=6$ cm일 때, $\overline{FC}$의 길이를 구하시오.

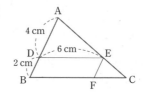

07 오른쪽 그림의 △ABC에서 $\overline{DE} /\!/ \overline{BC}$, $\overline{AB} /\!/ \overline{FH}$일 때, $\overline{GH}$의 길이를 구하시오.

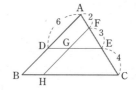

08 오른쪽 그림과 같은 △ABC에서 $\overline{BD} : \overline{CD}=3 : 2$ 이고, 점 M은 $\overline{AD}$의 중점이다. $\overline{BM}$의 연장선이 $\overline{AC}$와 만나는 점을 P, 점 M을 지나고 $\overline{AC}$와 평행한 직선이 $\overline{AB}$, $\overline{BC}$와 만나는 점을 각각 E, F라 하자. $\overline{EM}=12$일 때, $\overline{AC}$의 길이를 구하시오.

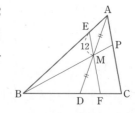

09 다음 중 $\overline{BC}/\!/\overline{DE}$인 것을 모두 고르면? (정답 2개)

①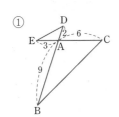
②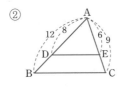
③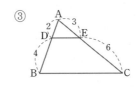
④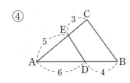
⑤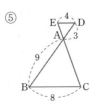

$\overline{AB}:\overline{AD}=\overline{AC}:\overline{AE}$ 또는 $\overline{AD}:\overline{DB}=\overline{AE}:\overline{EC}$이면 $\overline{BC}/\!/\overline{DE}$

10 오른쪽 그림의 △ABC에 대하여 다음 설명 중 옳은 것을 모두 고르면? (정답 2개)

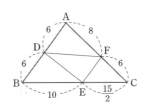

① $\overline{DF}/\!/\overline{BC}$ ② $\overline{AB}/\!/\overline{FE}$
③ $\overline{DE}/\!/\overline{AC}$ ④ $\angle BAC=\angle EFC$
⑤ $\angle AFD=\angle ACB$

두 선분의 평행 여부를 따지려면 선분의 길이의 비를 조사한다.

2 삼각형의 내각의 이등분선의 성질

11 다음은 '△ABC에서 ∠A의 이등분선이 $\overline{BC}$와 만나는 점을 D라 할 때, $\overline{AB}:\overline{AC}=\overline{BD}:\overline{CD}$이다.'를 설명하는 과정이다. ①~⑤에 알맞지 **않은** 것은?

△ABC에서 ∠BAD=∠CAD일 때, $\overline{AB}:\overline{AC}=\overline{BD}:\overline{CD}$

오른쪽 그림과 같이 ∠BAD=∠DAC인 △ABC에서 점 C를 지나고 $\overline{AD}$에 평행한 직선과 $\overline{BA}$의 연장선과의 교점을 E라 하면 $\overline{DA}/\!/\overline{CE}$이므로

∠BAD=◻①◻ (동위각)
∠DAC=◻②◻ (엇각)
∠BAD=◻③◻이므로
◻①◻=◻②◻
따라서 △ACE는 ◻④◻이므로
$\overline{AC}=$◻⑤◻ ……㉠
또 $\overline{DA}/\!/\overline{CE}$이므로
$\overline{BA}:\overline{AE}=\overline{BD}:\overline{DC}$ ……㉡
따라서 ㉠, ㉡에서 $\overline{AB}:\overline{AC}=\overline{BD}:\overline{CD}$이다.

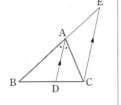

① ∠AEC ② ∠ACE ③ ∠DAC
④ 정삼각형 ⑤ $\overline{AE}$

12 오른쪽 그림의 △ABC에서 ∠BAD=∠CAD이고, $\overline{AB}=16$ cm, $\overline{AC}=12$ cm, $\overline{BC}=20$ cm일 때, 다음 **보기** 중 옳은 것을 모두 고른 것은?

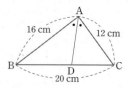

보기
ㄱ. $\overline{BD}=10$ cm
ㄴ. △ABD : △ACD=4 : 3
ㄷ. △ABD∽△ACD
ㄹ. $\overline{AB} : \overline{AC}=\overline{BD} : \overline{CD}$

① ㄱ   ② ㄷ   ③ ㄱ, ㄴ

④ ㄴ, ㄹ   ⑤ ㄷ, ㄹ

13 오른쪽 그림의 △ABC에서 $\overline{AD}$는 ∠A의 이등분선이다. $\overline{AB}=8$ cm, $\overline{AC}=10$ cm, $\overline{DC}=5$ cm일 때, △ABC의 둘레의 길이를 구하시오.

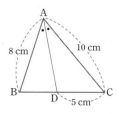

14 오른쪽 그림의 △ABC에서 $\overline{AD}$는 ∠A의 이등분선이고, $\overline{AB}=12$ cm, $\overline{AC}=9$ cm이다. △ABC의 넓이가 35 cm²일 때, △ABD의 넓이는?

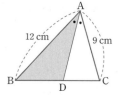

① 15 cm²   ② 20 cm²   ③ 25 cm²

④ 27 cm²   ⑤ 30 cm²

15 오른쪽 그림의 △ABC에서 $\overline{AE}$는 ∠A의 이등분선이고 $\overline{AC}/\!/\overline{DE}$일 때, $\overline{DE}$의 길이를 구하시오.

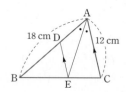

16 오른쪽 그림의 △ABC에서 $\overline{AD}$, $\overline{BE}$는 각각 ∠A, ∠B의 이등분선일 때, $\overline{AE}$의 길이는?

① 6   ② 7   ③ 8

④ 9   ⑤ 10

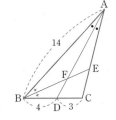

∠A의 이등분선의 성질과 ∠B의 이등분선의 성질을 순차적으로 적용하여 푼다.

17 오른쪽 그림의 △ABC에서 점 I는 △ABC의 내심이다. $\overline{AD}$가 점 I를 지날 때, $\overline{AI} : \overline{ID}$는?

① 2 : 3   ② 2 : 5   ③ 3 : 2

④ 4 : 5   ⑤ 5 : 4

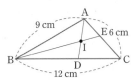

18 오른쪽 그림의 △ABC에서 ∠ABC=∠CAE, ∠BAD=∠EAD이고, $\overline{AB}=5$, $\overline{BC}=6$, $\overline{CA}=3$일 때, $\overline{DE}$의 길이를 구하시오.

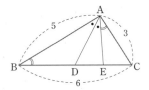

△ABC∽△EAC (AA 닮음)이고, △ABE에서 $\overline{AD}$는 ∠BAE의 이등분선이므로 $\overline{AB} : \overline{AE} = \overline{BD} : \overline{ED}$가 성립한다.

---

3 삼각형의 외각의 이등분선의 성질

19 다음은 '△ABC에서 ∠A의 외각의 이등분선이 $\overline{BC}$의 연장선과 만나는 점을 D라 할 때, $\overline{AB} : \overline{AC} = \overline{BD} : \overline{CD}$이다.'를 설명하는 과정이다. (가)~(다)에 알맞은 것을 차례로 나열한 것은?

> 오른쪽 그림과 같이 점 C를 지나고 $\overline{AD}$에 평행한 직선이 $\overline{AB}$와 만나는 점을 F라 하면 $\overline{AD} /\!/ \overline{FC}$이므로
> ∠EAD= ☐ (가) (동위각),
> ∠DAC= ☐ (나) (엇각),
> ∠EAD=∠DAC이므로 ☐ (가) = ☐ (나)
> 따라서 △AFC는 이등변삼각형이므로 $\overline{AF}=\overline{AC}$ ······ ㉠
> 또 △ABD에서 $\overline{AD} /\!/ \overline{FC}$이므로
> $\overline{AB} :$ ☐ (다) $= \overline{BD} : \overline{CD}$ ······ ㉡
> 따라서 ㉠, ㉡에서 $\overline{AB} : \overline{AC} = \overline{BD} : \overline{CD}$이다.

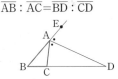

다음 그림과 같이 ∠EAD=∠CAD일 때, $\overline{AB} : \overline{AC} = \overline{BD} : \overline{CD}$

① ∠AFC, ∠ACF, $\overline{AC}$ ② ∠CAD, ∠ACF, $\overline{AF}$

③ ∠AFC, ∠ACF, $\overline{AF}$ ④ ∠CAD, ∠ACF, $\overline{AC}$

⑤ ∠AFC, ∠EAD, $\overline{AF}$

20 오른쪽 그림과 같은 △ABC에서 $\overline{AD}$가 ∠A의 외각의 이등분선일 때, x의 값을 구하시오.

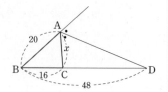

21 오른쪽 그림에서 $\overline{AD}$가 ∠EAC의 이등분선일 때, $\overline{CD}$의 길이를 구하시오.

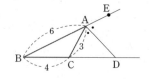

22 오른쪽 그림과 같은 △ABC에서 $\overline{AD}$는 ∠A의 외각의 이등분선이고, $\overline{AB}=6$, $\overline{AC}=8$, $\overline{DB}=7$일 때, $\overline{BC}$의 길이는?

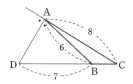

① $\dfrac{7}{4}$ ② $\dfrac{7}{3}$

③ $\dfrac{14}{3}$ ④ $\dfrac{21}{4}$ ⑤ $\dfrac{28}{3}$

23 오른쪽 그림과 같은 △ABC에서 $\overline{AD}$는 ∠A의 외각의 이등분선이고, $\overline{AB}=20$ cm, $\overline{AC}=12$ cm일 때, △ABC와 △ACD의 넓이의 비를 가장 간단한 자연수의 비로 나타내시오.

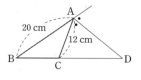

24 오른쪽 그림에서 $\overline{AP}$는 ∠BAC의 이등분선이고, $\overline{AQ}$는 ∠DAC의 이등분선일 때, $\overline{CQ}$의 길이를 구하시오.

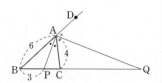

삼각형의 내각의 이등분선의 성질과 외각의 이등분선의 성질을 순차적으로 적용하여 푼다.

25 오른쪽 그림과 같은 △ABC에서 $\overline{AD}$, $\overline{AE}$가 각각 ∠A의 내각과 외각의 이등분선이고, △ABD의 넓이가 15 cm²일 때, △ADE의 넓이를 구하시오.

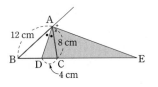

26 오른쪽 그림과 같은 △ABC에서 $\overline{AP}$와 $\overline{AQ}$는 각각 ∠A의 내각과 외각의 이등분선이다. $\overline{AB}=9$, $\overline{AC}=12$, $\overline{PC}=2$일 때, $\overline{PQ}$의 길이는?

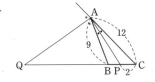

① 12 ② 13 ③ 14
④ 15 ⑤ 16

27 오른쪽 그림과 같은 △ABC에서 $\overline{AB}=8$, $\overline{BE}=\overline{AC}=4$이고, ∠GAC의 이등분선이 $\overline{BC}$의 연장선과 만나는 점을 D, ∠BAC의 이등분선이 $\overline{BC}$와 만나는 점을 E, ∠ABC의 이등분선이 $\overline{AC}$와 만나는 점을 F라 하자. △ABD의 넓이가 28일 때, △ABF의 넓이를 구하시오.

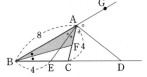

높이가 같은 삼각형의 넓이는 밑변의 길이에 정비례하므로
△ABC : △ABD = $\overline{BC} : \overline{BD}$
△ABC : △ABF = $\overline{AC} : \overline{AF}$

4 평행선 사이에 있는 선분의 길이의 비

28 오른쪽 그림에서 $l /\!/ m /\!/ n$일 때, x의 값은?

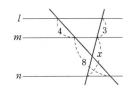

① 6 ② 7 ③ 8
④ 9 ⑤ 10

29 오른쪽 그림에서 $l /\!/ m /\!/ n$일 때, $x+y$의 값을 구하시오.

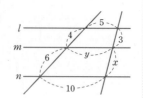

두 직선이 평행선에 의해 잘려서 생긴 선분의 길이의 비는 같다.

30 오른쪽 그림에서 $l /\!/ m /\!/ n$일 때, $3xy$의 값은?

① 152 　　② 158 　　③ 164

④ 176 　　⑤ 182

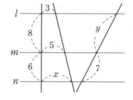

31 오른쪽 그림과 같이 일정한 간격으로 다리가 놓여 있는 사다리에서 아래에서 두 번째 다리가 파손되었다. 이 두 번째 다리인 $\overline{AB}$를 새로 만들려고 할 때, $\overline{AB}$의 길이는?
(단, 사다리의 다리들은 서로 평행하다.)

① 49 cm 　　② 50 cm 　　③ 51 cm

④ 52 cm 　　⑤ 53 cm

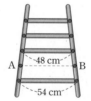

---

5 사다리꼴에서 평행선과 선분의 길이의 비

32 오른쪽 그림의 □ABCD에서 $\overline{AD} /\!/ \overline{EF} /\!/ \overline{BC}$일 때, $\overline{EF}$의 길이는?

① 35 　　② 40 　　③ 45

④ 50 　　⑤ 55

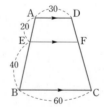

$$\overline{EF} = \frac{an+bm}{m+n}$$

33 오른쪽 그림과 같은 사다리꼴 ABCD에서 $\overline{AD} /\!/ \overline{EF} /\!/ \overline{BC}$이고 $\overline{AE} : \overline{EB}=1 : 2$일 때, $\overline{BC}$의 길이를 구하시오.

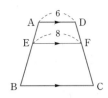

34 오른쪽 그림에서 $\overline{PQ}$는 $\overline{AD} /\!/ \overline{BC}$인 사다리꼴 ABCD의 두 대각선의 교점 O를 지나고 $\overline{BC}$에 평행할 때, $\overline{PQ}$의 길이를 구하시오.

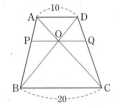

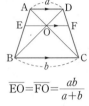

$$\overline{EO}=\overline{FO}=\frac{ab}{a+b}$$

35 오른쪽 그림에서 $\overline{AD} /\!/ \overline{EF} /\!/ \overline{BC}$이고 $\overline{EO}=6$ cm, $\overline{BC}=18$ cm일 때, $\overline{AD}+\overline{OF}$의 길이를 구하시오.

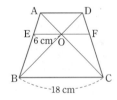

36 오른쪽 그림과 같은 사다리꼴 ABCD에서 $\overline{AD} /\!/ \overline{EF} /\!/ \overline{BC}$이고, $\overline{AE} : \overline{EB}=3 : 2$이다. $\overline{AD}=10$ cm, $\overline{BC}=15$ cm일 때, $\overline{GH}$의 길이를 구하시오.

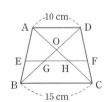

37 오른쪽 그림에서 $\overline{AB}\,/\!/\,\overline{EF}\,/\!/\,\overline{DC}$일 때, 다음을 가장 간단한 자연수의 비로 나타내시오.

(1) $\overline{BE} : \overline{DE}$

(2) $\overline{CA} : \overline{CE}$

(3) $\overline{BF} : \overline{BC}$

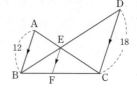

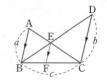

(1) $\overline{EF} = \dfrac{ab}{a+b}$

(2) $\overline{BF} = \dfrac{ac}{a+b}$

(3) $\overline{CF} = \dfrac{bc}{a+b}$

38 오른쪽 그림에서 $\overline{AB}\,/\!/\,\overline{PQ}\,/\!/\,\overline{CD}$일 때, $\overline{CD}$의 길이는?

① 30   ② 32   ③ 36

④ 38   ⑤ 40

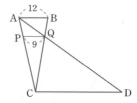

39 오른쪽 그림에서 $\overline{AB}$, $\overline{DC}$는 모두 $\overline{BC}$에 수직이고, $\overline{AB}=10\,\text{cm}$, $\overline{BC}=25\,\text{cm}$, $\overline{DC}=15\,\text{cm}$일 때, △PBC의 넓이를 구하시오.

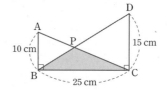

40 오른쪽 그림에서 $\overline{AB}=6\,\text{cm}$, $\overline{BE}=2\,\text{cm}$, $\overline{EC}=8\,\text{cm}$, $\overline{DC}=8\,\text{cm}$일 때, $\overline{GF}$의 길이를 구하시오.

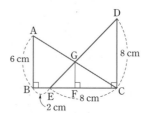

41 오른쪽 그림에서 $\overline{AB}\,/\!/\,\overline{EF}\,/\!/\,\overline{CD}$일 때, $\overline{EF}$의 길이를 구하시오.

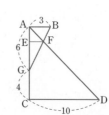

42 다음 그림과 같이 10 m 떨어진 A, B 두 지점에 높이가 각각 4 m, 3 m인 가로등이 세워져 있고, C 지점에는 높이가 1 m인 나무가 한 그루 서 있다. A, B 지점에 있는 두 가로등에 의해 생기는 나무의 두 그림자의 길이가 같을 때, A 지점에서 C 지점까지의 거리를 구하시오.

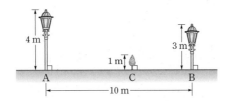

7 삼각형의 두 변의 중점을 연결한 선분의 성질

43 오른쪽 그림의 △ABC에서 점 D, E, F는 각각 $\overline{AB}$, $\overline{BC}$, $\overline{CA}$의 중점이다. $\overline{AB}=10$ cm, $\overline{BC}=16$ cm, $\overline{CA}=12$ cm일 때, △DEF의 둘레의 길이를 구하시오.

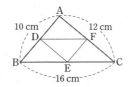

> 삼각형에서 두 변의 중점이 주어지면 삼각형의 두 변의 중점을 연결한 선분의 성질을 이용한다.

44 오른쪽 그림에서 점 M, N, P, Q는 각각 $\overline{AB}$, $\overline{AC}$, $\overline{DB}$, $\overline{DC}$의 중점이다. $\overline{MN}=5$ cm일 때, $\overline{PQ}$의 길이를 구하시오.

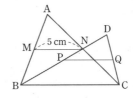

45 오른쪽 그림과 같은 △ABC에서 점 F는 $\overline{AC}$의 중점이고, $\overline{AB}/\!\!/\overline{EF}$, $\overline{AC}/\!\!/\overline{DE}$일 때, $\overline{BD}$의 길이는?

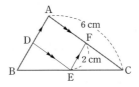

① $\dfrac{3}{2}$ cm ② 2 cm ③ $\dfrac{5}{2}$ cm

④ 3 cm ⑤ $\dfrac{7}{2}$ cm

46 오른쪽 그림에서 점 C, G는 각각 $\overline{BD}$, $\overline{FB}$의 중점 이고, $\overline{AE} : \overline{EC}=2 : 1$일 때, $\overline{ED}$의 길이는?

① 5 cm   ② 6 cm   ③ 7 cm

④ 8 cm   ⑤ 9 cm

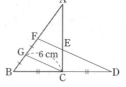

47 오른쪽 그림의 △ABC에서 점 E, F는 $\overline{AB}$의 3등분 점이고, 점 G는 $\overline{AD}$의 중점일 때, $\overline{GC}$의 길이를 구 하시오.

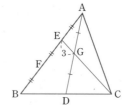

점 D와 점 F를 연결한다.

48 오른쪽 그림에서 $\overline{AB}=\overline{AD}$, $\overline{AM}=\overline{MC}$, $\overline{BE}=8$ cm 일 때, $\overline{BC}$의 길이는?

① 12 cm   ② 13 cm   ③ 14 cm

④ 15 cm   ⑤ 16 cm

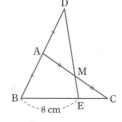

점 A에서 $\overline{BC}$에 평행한 선을 긋 는다.

49 오른쪽 그림에서 $\overline{AE}=\overline{CE}$, $\overline{DF}=\overline{EF}$이고, $\overline{DC}=18$ cm일 때, $\overline{BD}$의 길이를 구하시오.

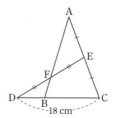

점 E에서 $\overline{BC}$에 평행한 선을 긋 는다.

50 오른쪽 그림과 같은 △ABC에서 점 M은 $\overline{AB}$의 중 점이고, 점 N은 $\overline{BN} : \overline{CN}=2 : 1$을 만족하는 $\overline{BC}$ 위의 점이다. $\overline{AN}$과 $\overline{CM}$의 교점을 P라 할 때, $\overline{AP} : \overline{PN}$을 가장 간단한 자연수의 비로 나타내시오.

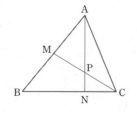

점 M에서 $\overline{AN}$에 평행한 선을 긋 는다.

9 사다리꼴에서 삼각형의 두 변의 중점을 연결한 선분의 성질의 활용

51 오른쪽 그림의 □ABCD에서 $\overline{AD} /\!/ \overline{BC}$이고, 점 M, N은 각각 $\overline{AB}$, $\overline{DC}$의 중점일 때, $\overline{MN}$의 길이를 구하시오.

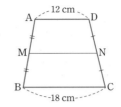

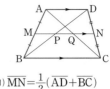

(1) $\overline{MN} = \dfrac{1}{2}(\overline{AD} + \overline{BC})$

(2) $\overline{PQ} = \dfrac{1}{2}(\overline{BC} - \overline{AD})$

52 오른쪽 그림의 □ABCD에서 $\overline{AD} /\!/ \overline{BC}$이고, 점 M, N은 각각 $\overline{AB}$, $\overline{DC}$의 중점일 때, $\overline{PQ}$의 길이는?

① 1 cm   ② 2 cm   ③ $\dfrac{5}{2}$ cm

④ 3 cm   ⑤ $\dfrac{7}{2}$ cm

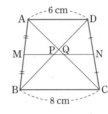

53 오른쪽 그림의 사다리꼴 ABCD에서 점 M, N은 각각 $\overline{AB}$, $\overline{DC}$의 중점이고, $\overline{ME} = \overline{EF} = \overline{FN}$일 때, $\overline{BC}$의 길이는?

① 9 cm   ② 12 cm   ③ 14 cm

④ 16 cm   ⑤ 18 cm

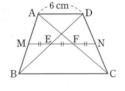

54 오른쪽 그림의 $\overline{AD} /\!/ \overline{BC}$인 사다리꼴 ABCD에서 점 M, N은 각각 $\overline{AB}$, $\overline{DC}$의 중점일 때, $\overline{BC}$의 길이를 구하시오.

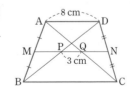

55 오른쪽 그림에서 $\overline{AD}/\!/\overline{BC}$이고, 점 P, R, T는 $\overline{AB}$의 4등분점, 점 Q, S, U는 $\overline{DC}$의 4등분점일 때, $\overline{PQ}$의 길이는?

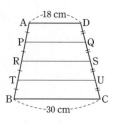

① 19 cm   ② 19.5 cm   ③ 20 cm
④ 20.5 cm   ⑤ 21 cm

$\overline{BD}$와 $\overline{RD}$를 긋고 삼각형의 두 변의 중점을 연결한 선분의 성질을 이용한다.

56 오른쪽 그림에서 점 E, N은 각각 $\overline{AB}$, $\overline{AC}$의 중점이고, $\overline{AD}/\!/\overline{BC}$이다. $\overline{EN}$과 $\overline{BD}$의 교점이 M이고, $\overline{AD}=8$, $\overline{BC}=14$일 때, $\overline{MN}$의 길이는?

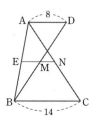

① 2   ② $\dfrac{5}{2}$ ③ 3
④ $\dfrac{7}{2}$ ⑤ 4

57 오른쪽 그림의 □ABCD에서 $\overline{AB}=\overline{DC}$이고, 점 P, Q, R는 각각 $\overline{AD}$, $\overline{AC}$, $\overline{BC}$의 중점이다. ∠PRQ=20°일 때, ∠PQR의 크기는?

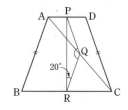

① 120°   ② 130°   ③ 140°
④ 150°   ⑤ 160°

삼각형의 두 변의 중점을 연결한 선분의 성질을 이용하여 △PRQ 가 어떤 삼각형인지 먼저 구한다.

58 오른쪽 그림과 같은 □ABCD에서 $\overline{AD}/\!/\overline{BC}$, $\overline{AB}=\overline{DC}$이고, 점 P, Q, R는 각각 $\overline{AC}$, $\overline{AD}$, $\overline{BC}$의 중점이다. ∠BAC=85°, ∠ACD=25°일 때, ∠PQR의 크기를 구하시오.

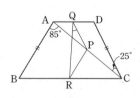

10 중점을 연결하여 만든 사각형

59 다음은 '□ABCD의 네 변의 중점을 각각 E, F, G, H라 할 때, □EFGH 는 평행사변형이다.'를 설명하는 과정이다. ①~⑤에 알맞지 <u>않은</u> 것은?

> □ABCD에 대각선 AC를 그으면 △ABC에서 점 E, F는 각각 $\overline{AB}$, $\overline{BC}$의 중점이므로
> $\overline{EF}$ // ⑤① ，, $\overline{EF}$ = ② $\overline{AC}$ ...... ㉠
> △ACD에서 점 G, H는 각각 $\overline{CD}$, $\overline{DA}$의 중점이므로
> ③ // $\overline{AC}$, $\overline{HG}$ = ④ ...... ㉡
> 따라서 ㉠, ㉡에서 $\overline{EF}$ ⑤ $\overline{HG}$, $\overline{EF}$=$\overline{HG}$이므로 □EFGH는 평행사변형이다.

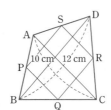

① $\overline{AC}$　　　　② 2　　　　③ $\overline{HG}$

④ $\frac{1}{2}\overline{AC}$　　　⑤ //

사각형의 각 변의 중점을 연결하여 만든 사각형

사각형
➡ 평행사변형

평행사변형
➡ 평행사변형

직사각형
➡ 마름모

마름모
➡ 직사각형

정사각형
➡ 정사각형

등변사다리꼴
➡ 마름모

60 오른쪽 그림의 □ABCD에서 네 변의 중점을 각각 P, Q, R, S라 하고, $\overline{AC}$=10 cm, $\overline{BD}$=12 cm일 때, □PQRS의 둘레의 길이를 구하시오.

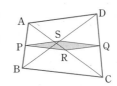

61 오른쪽 그림의 □ABCD에서 $\overline{AB}$, $\overline{CD}$의 중점을 각각 P, Q라 하고, 두 대각선 AC, BD의 중점을 각각 R, S 라 하자. 이때 생기는 □PRQS는 어떤 사각형인가?

① 일반사각형　　② 사다리꼴
③ 평행사변형　　④ 마름모
⑤ 등변사다리꼴

62 오른쪽 그림과 같이 $\overline{AD}$ // $\overline{BC}$인 등변사다리꼴 ABCD 의 네 변의 중점을 각각 E, F, G, H라 할 때, □EFGH는 어떤 사각형이며, □EFGH의 둘레의 길이를 차례로 구하면?

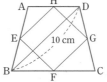

① 정사각형, 20 cm　　② 마름모, 20 cm
③ 직사각형, 30 cm　　④ 평행사변형, 30 cm
⑤ 정사각형, 30 cm

대각선 AC를 긋고 삼각형의 두 변의 중점을 연결한 선분의 성질의 응용을 이용한다.

63 오른쪽 그림과 같은 마름모 ABCD에서 네 변의 중점을 각각 E, F, G, H라 하고, $\overline{AC}=10\,cm$, $\overline{BD}=16\,cm$일 때, □EFGH의 넓이를 구하시오.

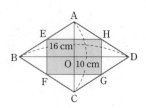

64 오른쪽 그림의 평행사변형 ABCD의 넓이는 40 cm²이다. 네 변의 중점을 각각 E, F, G, H라 할 때, $\overline{AG}$, $\overline{BH}$, $\overline{CE}$, $\overline{DF}$의 각 교점 P, Q, R, S 로 만들어지는 □PQRS의 넓이는?

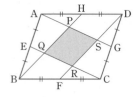

① 5 cm²　　　　② 6 cm²　　　　③ 7 cm²

④ 8 cm²　　　　⑤ 9 cm²

11 삼각형의 무게중심과 길이

65 오른쪽 그림에서 점 G, G′은 각각 △ABC, △GBC의 무 게중심이고 ∠BGC=90°일 때, $\overline{AG'}$의 길이를 구하시오.

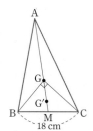

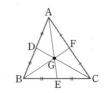

$\overline{AG}:\overline{GE}=\overline{BG}:\overline{GF}$
$\quad\quad\quad=\overline{CG}:\overline{GD}$
$\quad\quad\quad=2:1$
➡ △ABE에서 $\overline{AG}:\overline{GE}=2:1$
이므로
$\quad$△ABG : △GBE$=\overline{AG}:\overline{GE}$
$\quad\quad\quad\quad\quad\quad=2:1$

66 오른쪽 그림에서 점 G, G′은 각각 △ABC와 △GBC 의 무게중심이다. $\overline{AD}=18\,cm$일 때, $\overline{GG'}$의 길이는?

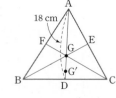

① 1 cm　　　② 2 cm　　　③ 3 cm

④ 4 cm　　　⑤ 5 cm

67 오른쪽 그림에서 점 G는 △ABC의 무게중심이고, $\overline{EF} /\!/ \overline{BC}$이다. $\overline{AD}=27$ cm일 때, $\overline{GF}$의 길이는?

① 2 cm   ② 3 cm   ③ $\dfrac{7}{2}$ cm

④ $\dfrac{9}{2}$ cm   ⑤ 5 cm

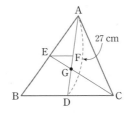

사각형에서도 무게중심을 찾을 수 있을까?

무게중심은 어떤 물체 전체의 무게가 한 점에 있는 것처럼 작용하는 점을 말한다. 즉 물체의 모든 무게가 한 점에 모여 균형을 이루는 점이라고 할 수 있다. 그러므로 정사각형, 직사각형, 마름모, 평행사변형, 등변사다리꼴의 무게중심은 두 대각선의 교점이 된다. 그렇다면 일반적인 사다리꼴이나 일반적인 사각형의 무게중심은 어디일까?

먼저 □ABCD의 한 대각선 BD를 그어 두 삼각형 △ABD와 △BCD를 만든 후 각각의 무게중심 G, G′을 찾는다. 또 △ABD와 △BCD의 넓이를 구하여 각각 S, S'이라고 하면 □ABCD의 무게중심은 $\overline{GG'}$을 S' : S, 즉

(△BCD의 넓이)

: (△ABD의 넓이)

로 나누는 점이 된다.

68 오른쪽 그림에서 점 G는 △ABC의 무게중심이고, $\overline{GM}=6$ cm일 때, $\overline{FC}$의 길이를 구하시오.

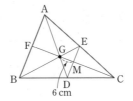

69 오른쪽 그림의 $\overline{AB}=\overline{AC}$인 이등변삼각형 ABC에서 밑변 BC의 중점을 D, △ABD와 △ADC의 무게중심을 각각 G, G′이라 하자. $\overline{GG'}=8$ cm일 때, $\overline{BC}$의 길이를 구하시오.

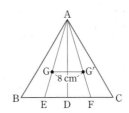

70 오른쪽 그림에서 점 G는 △ABC의 무게중심이고, $\overline{EF}=\overline{FC}$일 때, $\overline{DF}$의 길이는?

① 6 cm   ② 7 cm   ③ 8 cm
④ 9 cm   ⑤ 10 cm

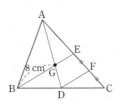

점 G가 △ABC의 무게중심이고, $\overline{BE} /\!/ \overline{DF}$, $\overline{GE}=a$일 때,

(1) $\overline{BG}=2\overline{GE}=2a$

(2) $\overline{DF}=\dfrac{1}{2}\overline{BE}$

$=\dfrac{1}{2}\times 3a$

$=\dfrac{3}{2}a$

71 오른쪽 그림의 △ABC에서 $\overline{BC}$, $\overline{AB}$, $\overline{BD}$의 중점을 각각 D, E, F라 하고, $\overline{AD}$와 $\overline{CE}$의 교점을 G라 할 때, $\overline{AG}$의 길이는?

① 6 cm ② 7 cm ③ 8 cm
④ 9 cm ⑤ 10 cm

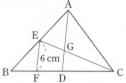

72 오른쪽 그림에서 점 G는 직각삼각형 ABC의 무게중심이다. $\overline{BC}=30$ cm일 때, $\overline{AG}$의 길이는?

① 10 cm ② 11 cm ③ 13 cm
④ 14 cm ⑤ 15 cm

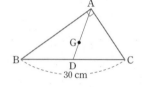

---

12 삼각형의 무게중심과 넓이

73 오른쪽 그림에서 점 G가 △ABC의 무게중심일 때, 다음 중 옳지 <u>않은</u> 것은?

① △GBD=△GCD
② $△GFB=\dfrac{1}{6}△ABC$
③ $\overline{AG}:\overline{GD}=2:1$
④ $\overline{GF}=\overline{GE}$
⑤ $\overline{CG}=2\overline{GF}$

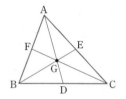

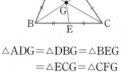

△ADG=△DBG=△BEG
=△ECG=△CFG
$=△FAG=\dfrac{1}{6}△ABC$

74 오른쪽 그림에서 점 G는 △ABC의 무게중심이다. △ABC=24 cm²일 때, ▭DBFG의 넓이를 구하시오.

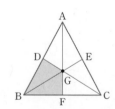

75 오른쪽 그림에서 점 G는 △ABC의 무게중심이고,
△GBD=4 cm²일 때, △ABC의 넓이는?

① 8 cm²　　② 12 cm²　　③ 16 cm²

④ 20 cm²　　⑤ 24 cm²

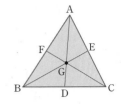

76 오른쪽 그림에서 점 G는 △ABC의 무게중심이고,
$\overline{BM}=2\overline{GM}$이다. △ABC의 넓이가 72 cm²일 때,
△GMD의 넓이를 구하시오.

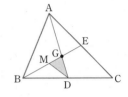

77 오른쪽 그림에서 점 G는 △ABC의 무게중심이고,
△ABC=30 cm²이다. $\overline{GB}$, $\overline{GC}$의 중점을 각각 E,
F라 할 때, 어두운 부분의 넓이를 구하시오.

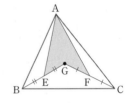

78 오른쪽 그림에서 점 G, G′은 각각 △ABC, △GBC의
무게중심이다. △GBG′=8 cm²일 때, △GCA의 넓이
는?

① 18 cm²　　② 20 cm²　　③ 24 cm²

④ 28 cm²　　⑤ 32 cm²

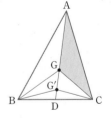

$\overline{GG'}:\overline{GD}=2:3$이므로

$\triangle GBD=\dfrac{3}{2}\triangle GBG'$

79 오른쪽 그림에서 $\overline{AE}=\overline{EC}$, $\overline{BD}=\overline{DC}$이고,
△GDE=6 cm²일 때, △ABC의 넓이를 구하시오.

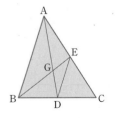

80 오른쪽 그림에서 점 G는 △ABC의 무게중심이고, $\overline{EF}\,/\!/\,\overline{BC}$ 이다. △EDG의 넓이가 $5\,\text{cm}^2$일 때, △EBD의 넓이는?

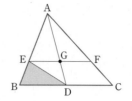

① $5\,\text{cm}^2$ ② $\dfrac{13}{2}\,\text{cm}^2$ ③ $7\,\text{cm}^2$

④ $\dfrac{15}{2}\,\text{cm}^2$ ⑤ $8\,\text{cm}^2$

81 오른쪽 그림에서 점 G는 △ABC의 무게중심이고, △ABC $=72\,\text{cm}^2$이다. 점 G를 지나고 $\overline{BC}$와 평행한 직선이 $\overline{AB}$, $\overline{AC}$와 만나는 점을 각각 P, Q라 할 때, △GPD의 넓이를 구하시오.

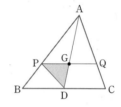

13 평행사변형에서 삼각형의 무게중심의 활용

82 오른쪽 그림과 같은 평행사변형 ABCD에서 변 CD의 중점을 M, 대각선 AC와 BD의 교점을 O, $\overline{AM}$과 $\overline{BD}$의 교점을 E라 할 때, $\overline{OE}$의 길이는?

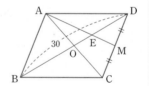

① 3 ② 4 ③ 5
④ 6 ⑤ 7

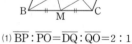

(1) $\overline{BP}:\overline{PO}=\overline{DQ}:\overline{QO}=2:1$
(2) $\overline{BP}=\overline{PQ}=\overline{QD}$
(3) $\overline{PQ}:\overline{MN}=\overline{AP}:\overline{AM}=2:3$
(4) △ABP $=\dfrac{1}{6}$□ABCD
(5) △PBM $=\dfrac{1}{12}$□ABCD
(6) △APQ $=\dfrac{1}{6}$□ABCD

83 오른쪽 그림과 같은 평행사변형 ABCD에서 점 M, N은 각각 $\overline{BC}$, $\overline{CD}$의 중점일 때, $\overline{MN}$의 길이는?

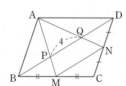

① 4 ② 5 ③ 6
④ 7 ⑤ 8

84 오른쪽 그림에서 □ABCD는 평행사변형이고, 점 M, N은 각각 $\overline{BC}$, $\overline{CD}$의 중점이다. △APQ의 넓이가 12 cm²일 때, □ABCD의 넓이는?

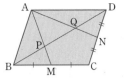

① 48 cm²   ② 56 cm²   ③ 64 cm²

④ 68 cm²   ⑤ 72 cm²

85 오른쪽 그림의 평행사변형 ABCD에서 점 M, N은 각각 $\overline{BC}$, $\overline{DC}$의 중점이고, 점 P, Q는 $\overline{AM}$, $\overline{AN}$과 $\overline{BD}$의 교점이다. □ABCD=60 cm²일 때, 어두운 부분의 넓이를 구하시오.

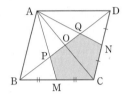

86 오른쪽 그림의 평행사변형 ABCD에서 점 E는 $\overline{AD}$의 중점이고, 점 G는 $\overline{BE}$와 대각선 AC의 교점이다. $\overline{BC}$=12 cm, $\overline{DF}$=8 cm일 때, □GODE의 넓이를 구하시오.

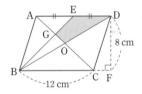

87 오른쪽 그림과 같은 평행사변형 ABCD에서 $\overline{AB}$, $\overline{BC}$, $\overline{CD}$의 중점을 각각 E, F, G라 하고, $\overline{AF}$와 $\overline{ED}$, $\overline{BG}$의 교점을 각각 P, Q라 하자. $\overline{QF}$=2 cm일 때, $\overline{AQ}$의 길이를 구하시오.

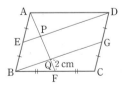

$\overline{DB}$와 $\overline{DF}$를 그려 △DBC의 무게중심을 찾고 선분의 길이의 비를 이용한다.

3 닮음의 활용

1 닮은 두 평면도형의 둘레의 길이의 비와 넓이의 비

닮은 두 평면도형의 닮음비가 $m:n$일 때

(1) 둘레의 길이의 비는 $m:n$

(2) 넓이의 비는 $m^2:n^2$

예) 닮음비가 $1:2$인 두 정사각형 A, B에서
둘레의 길이의 비는 $1:2$
넓이의 비는 $1^2:2^2=1:4$

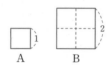

> ✚ 닮은 두 도형에서 둘레의 길이의 비는 닮음비와 같다.

2 닮은 두 입체도형의 겉넓이의 비와 부피의 비

닮은 두 입체도형의 닮음비가 $m:n$일 때

(1) 겉넓이의 비는 $m^2:n^2$

(2) 부피의 비는 $m^3:n^3$

예) 닮음비가 $1:2$인 두 정육면체 A, B에서
모서리의 길이의 비는 $1:2$
겉넓이의 비는 $1^2:2^2=1:4$
부피의 비는 $1^3:2^3=1:8$

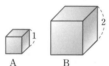

> ✚ 닮은 두 각기둥의 닮음비가 $m:n$일 때
> ① 옆넓이의 비 ➡ $m^2:n^2$
> ② 밑넓이의 비 ➡ $m^2:n^2$

3 닮음의 활용

거리나 높이 등을 직접 측정하여 구할 수 없는 경우에는 도형의 닮음을 이용한 축도를 그려서 구할 수 있다.

(1) **축도** : 어떤 도형을 일정한 비율로 줄인 그림

(2) **축척** : 축도에서 실제 도형을 줄인 비율

① $(축척) = \dfrac{(축도에서의 길이)}{(실제 길이)}$

② $(축도에서의 길이) = (실제 길이) \times (축척)$

③ $(실제 길이) = \dfrac{(축도에서의 길이)}{(축척)}$

예) 축척이 $\dfrac{1}{10000}$인 지도에서 두 지점 A, B 사이의 거리를 자로 재었을 때, $\overline{AB}=2\,cm$이면 두 지점 A, B 사이의 실제 거리는 $2 \times 10000 = 20000(cm) = 200(m)$이다.

> 주의
> 축척 문제에서는 항상 단위에 주의한다.
> ① 길이의 단위
> • $1\,m = 100\,cm$
> • $1\,km = 1000\,m$
> $\qquad = 100000\,cm$
> ② 넓이의 단위
> • $1\,m^2 = 10000\,cm^2$
> • $1\,km^2$
> $\quad = 1000000\,m^2$
> $\quad = 10000000000\,cm^2$

주제별 실력다지기

1 닮은 두 평면도형의 넓이의 비

01 오른쪽 그림에서 ∠ABC=∠AED이고
△ADE=9 cm²일 때, □DBCE의 넓이는?

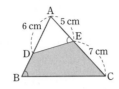

① 9 cm²　　② 18 cm²　　③ 24 cm²

④ 27 cm²　　⑤ 36 cm²

닮음비가 $m:n$인 두 평면도형
에서
(1) 둘레의 길이의 비 ➡ $m:n$
(2) 넓이의 비 ➡ $m^2:n^2$

02 오른쪽 그림에서 ∠ABC=∠ACD이고
△ACD의 넓이가 24 cm²일 때, △DBC의 넓
이는?

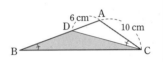

① 42 cm²　　　　② $\dfrac{127}{3}$ cm²　　　　③ $\dfrac{128}{3}$ cm²

④ 43 cm²　　　　⑤ $\dfrac{130}{3}$ cm²

03 오른쪽 그림과 같이 ∠C=90°인 직각삼각형 ABC에서
$\overline{AB} \perp \overline{CD}$이고, $\overline{AB}$=5 cm, $\overline{BC}$=3 cm, $\overline{CA}$=4 cm일
때, △ABC와 △CBD의 넓이의 비를 가장 간단한 자연
수의 비로 나타내시오.

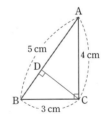

04 오른쪽 그림에서 $\overline{AB}=2\overline{AC}$이고 점 M, N은 각
각 $\overline{AB}$, $\overline{BC}$의 중점이다. ∠A의 이등분선과 $\overline{MN}$
의 연장선이 만나는 점을 P, $\overline{BC}$와 만나는 점을 Q
라 하자. △NPQ의 넓이가 1 cm²일 때, △ABC
의 넓이를 구하시오.

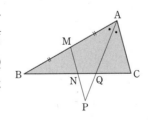

05 오른쪽 그림과 같이 $\overline{AD} /\!/ \overline{BC}$인 사다리꼴 ABCD에서 $\overline{AD}=8$ cm, $\overline{BC}=16$ cm이다. △OCD의 넓이가 30 cm²일 때, □ABCD의 넓이를 구하시오.

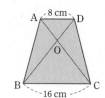

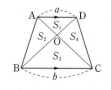

(1) $S_1 : S_3 = a^2 : b^2$
(2) $S_1 : S_2 = a : b$
(3) $S_1 : S_4 = a : b$
(4) $S_2 = S_4$

06 오른쪽 그림과 같이 $\overline{AD} /\!/ \overline{BC}$, $\overline{AD}=8$ cm, $\overline{BC}=10$ cm인 사다리꼴이 있다. $\overline{AB}$ 위에 $\overline{AM} : \overline{BM}=2 : 1$인 점 M을 잡고, 점 M을 지나고 $\overline{BC}$와 평행한 직선이 $\overline{CD}$와 만나는 점을 N이라 하자. △PQR의 넓이가 12 cm²일 때, △APD의 넓이를 구하시오.

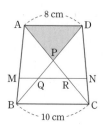

07 오른쪽 그림과 같이 한 변의 길이가 4 cm인 정사각형 ABCD에서 △GBE의 넓이는?

① $\dfrac{6}{5}$ cm² ② $\dfrac{42}{25}$ cm² ③ $\dfrac{46}{25}$ cm²

④ $\dfrac{54}{25}$ cm² ⑤ $\dfrac{12}{5}$ cm²

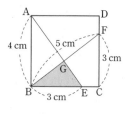

08 오른쪽 그림의 직사각형 ABCD에서 점 M은 $\overline{BC}$의 중점이고, 두 대각선이 만나는 점을 P, $\overline{AM}$과 대각선 BD가 만나는 점을 Q, $\overline{DM}$과 대각선 AC가 만나는 점을 R라 하자. △PQR=4 cm²일 때, □ABCD의 넓이는?

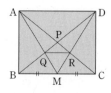

① 36 cm² ② 72 cm² ③ 108 cm²
④ 120 cm² ⑤ 144 cm²

09 가로, 세로의 길이가 각각 40 cm, 30 cm인 직사각형 모양의 액자의 가격이 5만 원이라 할 때, 가로, 세로의 길이가 각각 120 cm, 90 cm인 직사각형 모양의 액자의 가격은 얼마로 정하면 되겠는가? (단, 액자의 가격은 넓이에 정비례한다.)

① 15만 원   ② 20만 원   ③ 25만 원
④ 35만 원   ⑤ 45만 원

10 오른쪽 그림과 같이 직사각형 모양의 A3 용지를 계속 반으로 접을 때, 종이의 크기를 각각 A4, A5, A6, ⋯ 라고 한다. A4 용지와 A6 용지의 닮음비를 가장 간단한 자연수의 비로 나타내시오.

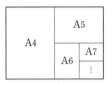

2 닮은 두 입체도형의 겉넓이와 부피의 비

11 오른쪽 그림과 같이 정사면체 A-BCD의 각 모서리의 길이를 $\frac{2}{3}$로 줄여 작은 정사면체 A-EFG를 만들었다. 정사면체 A-BCD의 겉넓이가 60 cm²일 때, 정사면체 A-EFG의 겉넓이는?

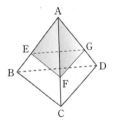

① $\frac{76}{3}$ cm²   ② $\frac{77}{3}$ cm²   ③ 26 cm²
④ $\frac{79}{3}$ cm²   ⑤ $\frac{80}{3}$ cm²

닮음비가 $m : n$인 두 닮은 입체도형에서
(1) 둘레의 길이의 비 ➡ $m : n$
(2) 옆넓이의 비 ➡ $m^2 : n^2$
(3) 밑넓이의 비 ➡ $m^2 : n^2$
(4) 겉넓이의 비 ➡ $m^2 : n^2$
(5) 부피의 비 ➡ $m^3 : n^3$

12 오른쪽 그림의 두 정육면체 A, B는 닮은 도형이고, 닮음비는 1 : 3이다. 두 정육면체의 모든 겉면에 색종이를 겹치지 않게 붙이려고 할 때, 정육면체 A에 사용되는 색종이의 넓이는 15 cm²이다. 이때 정육면체 B에 사용되는 색종이의 넓이는?

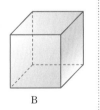

① 45 cm²   ② 90 cm²   ③ 135 cm²
④ 180 cm²   ⑤ 405 cm²

최상위
Q&A 004
용량이 다른 우유팩은 닮음일까?
우유가 담긴 우유팩은 언뜻 보면 크기가 다르고 모양은 같아 보인다. 그래서 닮은 도형이라고 착각하기 쉽다. 하지만 200 mL, 1000 mL 우유팩을 자세히 보면 밑면은 같고 높이만 다르다는 것을 알 수 있다. 분명 닮은 도형이 아니다. 이렇게 언뜻 보기에는 닮은 도형처럼 보이지만 그렇지 않은 것들도 우리 주변에서 많이 찾아볼 수 있다.

13 닮은 세 정육면체 A, B, C가 있다. A와 B의 부피의 비는 8 : 27이고, B와 C의 겉넓이의 비는 16 : 9일 때, A와 C의 닮음비는?

① 1 : 2   ② 2 : 3   ③ 3 : 4

④ 4 : 5   ⑤ 8 : 9

14 오른쪽 그림과 같이 크기가 같은 정육면체 모양의 상자가 2개 있다. A 상자에 구슬 1개, B 상자에 크기가 같은 구슬 27개를 넣었더니 각각 꼭 맞게 들어 갔다. A 상자와 B 상자에 들어 있는 구슬 전체의 겉넓이의 비를 구하시오. (단, 구슬은 구 모양이다.)

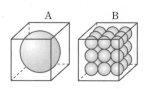

B 상자에는 27개의 구슬이 들어 있으므로 구슬 전체의 겉넓이의 비를 구할 때 27을 곱해야 함을 잊지 않도록 주의한다.

15 반지름의 길이가 5 cm인 금구슬 1개를 녹이면 반지름의 길이가 1 cm인 금구슬 a개를 만들 수 있고, 반지름의 길이가 1 cm인 금구슬 a개의 겉넓이를 모두 합하면 반지름의 길이가 5 cm인 금구슬의 겉넓이의 b배가 된다고 할 때, $a+b$의 값을 구하시오. (단, 금구슬은 구 모양이다.)

16 닮은 두 원뿔 A, B의 겉넓이의 비가 9 : 16일 때, 두 원뿔 A, B의 부피의 비를 가장 간단한 자연수의 비로 나타내시오.

17 오른쪽 그림에서 삼각형 ABC를 $\overline{AC}$를 축으로 1회전하여 생기는 회전체의 부피가 54 cm³일 때, 어두운 부분을 $\overline{EC}$를 축으로 1회전하여 생기는 회전체의 부피는?

① 16 cm³　　② 32 cm³　　③ 38 cm³

④ 40 cm³　　⑤ 46 cm³

① 닮은 입체도형 찾기
② 닮음비 구하기
③ 부피의 비 구하기
④ 부피 구하기

18 오른쪽 그림과 같이 원뿔을 모선의 삼등분점을 지나 밑면에 평행한 평면으로 잘라서 세 부분으로 나누었다. 처음 원뿔의 부피가 81 cm³일 때, 가운데 원뿔대의 부피는?

① 3 cm³　　② 9 cm³　　③ 21 cm³

④ 24 cm³　　⑤ 57 cm³

19 오른쪽 그림과 같이 높이가 20 cm인 원뿔 모양의 그릇에 일정한 속도로 물을 넣고 있다. 16초 동안 물을 넣었더니 높이가 8 cm만큼 채워졌다면 물을 가득 채울 때까지 더 걸리는 시간은?

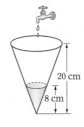

① 3분 50초　　② 3분 54초　　③ 4분 5초

④ 4분 10초　　⑤ 4분 20초

① (작은 원뿔을 채우는 데 걸리는 시간) : (큰 원뿔을 채우는 데 걸리는 시간)
＝(작은 원뿔의 부피) : (큰 원뿔의 부피)
② (물을 가득 채울 때까지 더 걸리는 시간)
＝(그릇을 가득 채우는 데 걸리는 시간)－(이미 채운 시간)

20 원뿔 모양의 그릇에 물의 높이가 그릇의 높이의 $\frac{3}{4}$이 되도록 일정한 속도로 물을 채우는 데 54분이 걸렸다. 이 그릇에 물을 가득 채우려면 앞으로 얼마나 시간이 더 걸리겠는가?

① 72분　　② 74분　　③ 98분

④ 101분　　⑤ 128분

21 오른쪽 그림은 강의 폭인 A, B 사이의 거리를 구하기 위해 측량한 것이다. 이 강의 폭은?

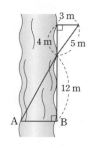

① 9 m　　② 12 m　　③ 15 m

④ 18 m　　⑤ 20 m

22 연못의 폭을 재기 위하여 오른쪽 그림과 같이 도형을 그리고 측정하였다. $\overline{BO}=15$ m, $\overline{CO}=6$ m, $\overline{CD}=8$ m일 때, 연못의 폭 $\overline{AB}$의 길이는?

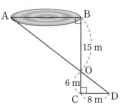

① 20 m　　② 21 m　　③ 24 m

④ 27 m　　⑤ 30 m

23 눈높이가 1.5 m인 나연이가 서 있는 곳에서 15 m 떨어진 어떤 건물의 옥상 A 지점을 올려다 본 각의 크기가 35°이었다. 이를 바탕으로 △ABC를 축소하여 △DEF를 그렸더니 다음 그림과 같았을 때, 건물의 실제 높이는 몇 m 인지 구하시오.

(건물의 실제 높이)
=(나연이의 눈높이)+$\overline{AC}$

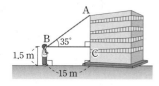

24 오른쪽 그림과 같은 나무의 높이를 알아보기 위하여 나무로부터 6 m 떨어진 곳에 길이가 80 cm인 막대를 세웠더니 나무와 막대의 그림자의 끝이 일치하였다. 막대의 그림자의 길이가 2 m일 때, 나무의 높이는?

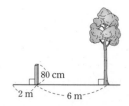

① 2.8 m　　② 3 m　　③ 3.2 m

④ 3.5 m　　⑤ 4 m

25 오른쪽 그림과 같이 폭이 5 m인 도로의 한쪽에는 나무가 한 그루 심어져 있고, 반대쪽에는 지면과 수직인 벽이 세워져 있다. 어느 날 낮에 나무와 같은 위치에 길이가 4 cm인 막대를 바닥에 수직으로 세웠더니 바닥에 생긴 그림자의 길이는 5 cm이었다. 같은 시각에 나무의 그림자가 벽에 2 m에 걸쳐 생겼을 때, 이 나무의 높이를 구하시오.

(단, 나무는 바닥과 수직을 이룬다.)

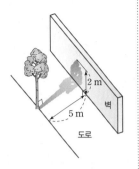

26 축척이 $\dfrac{1}{100000}$인 지도가 있다. 실제로 20 km 떨어진 두 지점 A, B의 지도에서의 거리는?

① 10 cm   ② 15 cm   ③ 20 cm
④ 25 cm   ⑤ 30 cm

1 km의 실제 거리를 1 cm로 나타낸 지도의 축척은
1 : 100000 또는 $\dfrac{1}{100000}$이다.

27 축척이 $\dfrac{1}{20000}$인 지도에서 집에서 학교까지의 거리를 자로 재어보니 4 cm이었다. 실제 집에서 학교까지의 거리를 시속 3 km로 걷는다면 얼마나 걸리겠는가?

① 8분   ② 16분   ③ 24분
④ 80분   ⑤ 160분

28 실제 넓이가 2.5 km²인 과수원이 있다. 축척이 $\dfrac{1}{5000}$인 지도에서 과수원의 넓이는?

① 50 cm²   ② 100 cm²   ③ 200 cm²
④ 1000 cm²   ⑤ 2000 cm²

단원 종합 문제

01
오른쪽 그림에서 $\overline{AB}/\!/\overline{DE}$, $\overline{AD}/\!/\overline{BC}$이 고, $\overline{AD}=6$, $\overline{BC}=8$, $\overline{EC}=2$일 때, $\overline{AE}$의 길이 는?

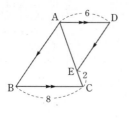

① 5   ② 6   ③ 7

④ 8   ⑤ 9

02
오른쪽 그림의 $\triangle ABC$에서 $\overline{DE}/\!/\overline{BC}$일 때, xy의 값을 구하시오.

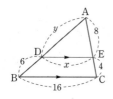

03
오른쪽 그림과 같은 평행 사변형 $ABCD$에서 변 AD 위의 점 E와 꼭짓점 B를 이은 선분이 대각선 AC와 만나는 점을 F라 하자. $\overline{AF}=6$ cm, $\overline{FC}=8$ cm, $\overline{BC}=12$ cm일 때, $\overline{DE}$의 길이를 구하시오.

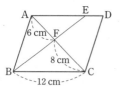

04
오른쪽 그림과 같은 평행사변형 $ABCD$ 에서 $\overline{AD}=18$ cm, $\overline{AB}=10$ cm, $\overline{BF}=5$ cm일 때, $\overline{EC}$의 길이를 구하시오.

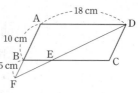

05
오른쪽 그림의 $\triangle ABC$ 에서 $\angle BAC=\angle ADC=90°$ 이고 $\overline{AB}=6$ cm, $\overline{BD}=4$ cm일 때, $\overline{CD}$의 길이는?

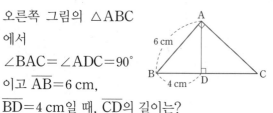

① 4 cm   ② 5 cm   ③ 6 cm

④ 7 cm   ⑤ 8 cm

06
오른쪽 그림과 같이 $\triangle ABC$ 의 꼭짓점 B, C에서 $\overline{AC}$, $\overline{AB}$에 내린 수선의 발을 각 각 D, E라 할 때, 다음 중 서로 닮은 삼각형끼리 짝지 어진 것은?

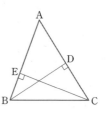

① $\triangle ABD$와 $\triangle BCE$

② $\triangle ACE$와 $\triangle ABD$

③ $\triangle ACE$와 $\triangle BCE$

④ $\triangle BCD$와 $\triangle ABD$

⑤ $\triangle BCD$와 $\triangle ACE$

07 오른쪽 그림과 같은
△ABC에서 $\overline{\text{AD}}$가 ∠A의
이등분선일 때, x의 값을 구
하시오.

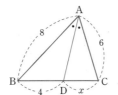

08 오른쪽 그림에서
∠CAD=∠EAD이고,
$\overline{\text{AB}}=4$, $\overline{\text{AC}}=3$,
$\overline{\text{CD}}=5$일 때, $\dfrac{\overline{\text{BC}}}{\overline{\text{BD}}}$의 값
을 구하시오.

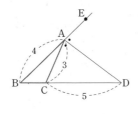

09 오른쪽 그림과 같은
△ABC에서 점 M은 $\overline{\text{AC}}$
의 중점, 점 D는 $\overline{\text{BM}}$의
중점이다. △ABD=9일
때, △ABC의 넓이는?

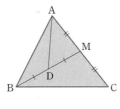

① 18   ② 27   ③ 36
④ 45   ⑤ 54

10 오른쪽 그림에서 $\overline{\text{AM}}$은
△ABC의 중선이고 점 P
는 $\overline{\text{AM}}$ 위의 점이다.
△ABC의 넓이가
60 cm²이고, △CPM의
넓이가 12 cm²일 때, △ABP의 넓이를 구하시오.

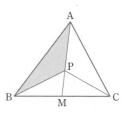

11 다음은 삼각형의 두 변의 중점을 연결한 선분의
성질을 설명하는 과정이다. (가)~(라)에 알맞은
것을 써넣으시오.

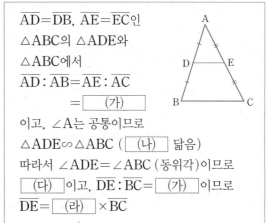

$\overline{\text{AD}}=\overline{\text{DB}}$, $\overline{\text{AE}}=\overline{\text{EC}}$인
△ABC의 △ADE와
△ABC에서
$\overline{\text{AD}}:\overline{\text{AB}}=\overline{\text{AE}}:\overline{\text{AC}}$
= ☐ (가) ☐
이고, ∠A는 공통이므로
△ADE∽△ABC (☐ (나) ☐ 닮음)
따라서 ∠ADE=∠ABC (동위각)이므로
☐ (다) ☐ 이고, $\overline{\text{DE}}:\overline{\text{BC}}=$ ☐ (가) ☐ 이므로
$\overline{\text{DE}}=$ ☐ (라) ☐ $\times\overline{\text{BC}}$

12 오른쪽 그림에서 점 G는
△ABC의 무게중심이고,
△DGE=6 cm²일 때,
△GBC의 넓이는?

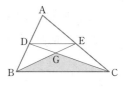

① 12 cm²   ② 18 cm²   ③ 24 cm²
④ 28 cm²   ⑤ 30 cm²

13 오른쪽 그림의 △ABC에서 점 D, E, F는 각각 $\overline{AB}$, $\overline{BC}$, $\overline{CA}$의 중점이다. △ABC의 둘레의 길이가 16 cm일 때, △DEF의 둘레의 길이는?

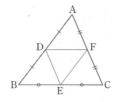

① 4 cm　　② 8 cm　　③ 10 cm

④ 12 cm　　⑤ 16 cm

14 오른쪽 그림에서 $\overline{EF}=9$이고 $\overline{DF}=\overline{CF}$, $\overline{BE}=\overline{CE}$, $\overline{AG}=2\overline{GE}$일 때, $\overline{BG}$의 길이를 구하시오.

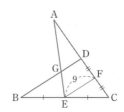

15 오른쪽 그림의 □ABCD는 $\overline{AD}/\!/\overline{BC}$인 사다리꼴이고, 점 M, N은 각각 $\overline{AB}$, $\overline{DC}$의 중점이다.
$\overline{MN}=16$ cm, $\overline{BC}=20$ cm일 때, $\overline{AD}$의 길이를 구하시오.

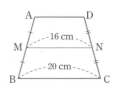

16 오른쪽 그림과 같은 사다리꼴 ABCD에서 $\overline{AD}/\!/\overline{EF}/\!/\overline{BC}$일 때, $\overline{EF}$의 길이는?

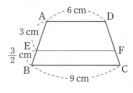

① $\dfrac{13}{2}$ cm　　② $\dfrac{20}{3}$ cm　　③ 7 cm

④ 8 cm　　⑤ $\dfrac{17}{2}$ cm

17 오른쪽 그림에서 점 P, Q, R, S는 각각 □ABCD의 네 변의 중점이다. 다음 중 옳은 것을 모두 고르면?

(정답 2개)

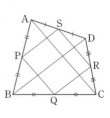

① $\overline{QR}=\dfrac{1}{2}\overline{AC}$　　② $\overline{BD}=\overline{AC}$

③ $\overline{PS}/\!/\overline{QR}$　　④ $\overline{PS}=\overline{SR}$

⑤ □PQRS는 평행사변형이다.

18 오른쪽 그림에서 $\overline{AB}/\!/\overline{PQ}/\!/\overline{CD}$일 때, $\overline{PQ}$의 길이는?

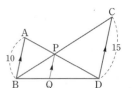

① 6　　② $\dfrac{32}{5}$

③ 7　　④ $\dfrac{36}{5}$

⑤ 8

19 오른쪽 그림에서 □ABCD는 $\overline{AD} /\!/ \overline{BC}$인 사다리꼴이다. △ODA=16 cm²일 때, △OBC의 넓이를 구하시오.

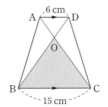

20 오른쪽 그림의 □ABCD 는 평행사변형이고, 점 M, N은 각각 $\overline{BC}$, $\overline{AD}$ 의 중점일 때, $\overline{BD}$의 길 이는?

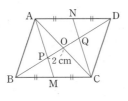

① 9 cm   ② 10 cm   ③ 12 cm
④ 15 cm   ⑤ 16 cm

21 다음 중 옳지 <u>않은</u> 것은?

① 닮은 두 입체도형의 대응하는 면에서 대응각 의 크기의 비는 닮음비와 같다.
② 닮은 두 입체도형에서 대응하는 모서리의 길 이의 비는 닮음비와 같다.
③ 닮은 두 입체도형에서 대응하는 면은 닮은 도 형이다.
④ 닮은 두 입체도형의 겉넓이의 비는 닮음비의 제곱과 같다.
⑤ 닮은 두 입체도형의 부피의 비는 닮음비의 세 제곱과 같다.

22 오른쪽 그림에서 $\overline{AB} : \overline{BC} : \overline{CD}$ =3 : 2 : 1 이고, $\overline{BB'} /\!/ \overline{CC'} /\!/ \overline{DD'}$ 일 때, △ABB′, △ACC′, △ADD′의 넓이의 비는?

① 1 : 2 : 3   ② 1 : 4 : 9
③ 3 : 2 : 1   ④ 9 : 16 : 17
⑤ 9 : 25 : 36

23 다음 그림에서 △DEF는 한 지점 A에서 강 건너 지점 C까지의 거리를 측정하기 위해 △ABC를 축소하여 그린 것이다. 이때 두 지점 A와 C 사이 의 거리를 구하시오.

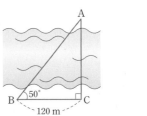

24 오른쪽 그림과 같이 작은 원은 큰 원의 중심 O를 지나고 큰 원에 내접하고 있다. 작은 원 의 넓이가 12 cm²일 때, 어두 운 부분의 넓이를 구하시오.

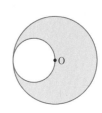

25 넓이가 50 cm²인 그림을 80 % 축소 복사할 때, 복사되어 나온 그림의 넓이를 구하시오.

26 실제 거리가 800 m인 두 지점 사이의 거리가 어떤 지도에서 4 cm로 그려진다고 한다. 이 지도 위에 가로의 길이가 2 cm, 세로의 길이가 6 cm인 직사각형 모양의 땅의 실제 넓이는?

① 0.48 km²   ② 4.8 km²   ③ 480 km²

④ 4800 km²   ⑤ 48000 km²

27 두 직육면체 A, B는 닮음비가 2 : 3인 닮은 도형이다. 직육면체 A의 부피가 120 cm³일 때, 직육면체 B의 부피를 구하시오.

28 큰 쇠구슬을 녹여서 작은 쇠구슬 여러 개를 만들려고 한다. 작은 쇠구슬의 반지름의 길이는 큰 쇠구슬의 반지름의 길이의 $\frac{1}{3}$이다. 큰 쇠구슬 1개를 녹여서 만든 모든 작은 쇠구슬의 겉넓이의 합은 처음 큰 쇠구슬의 겉넓이의 몇 배가 되는지 구하시오. (단, 쇠구슬은 구 모양이다.)

29 오른쪽 그림과 같이 원뿔을 밑면에 평행한 두 평면으로 잘라 원뿔 1개와 원뿔대 2개를 만들었다. $\overline{OA} = \overline{AB} = \overline{BC}$일 때, 세 입체도형 P, Q, R의 부피의 비는?

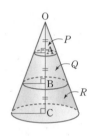

① 1 : 3 : 4   ② 1 : 4 : 8

③ 1 : 7 : 19   ④ 1 : 7 : 20

⑤ 1 : 8 : 27

30 오른쪽 그림과 같이 높이가 30 cm인 원뿔 모양의 그릇에 높이가 18 cm가 되도록 물을 부었을 때, 물의 부피는 그릇의 부피의 몇 배인가?

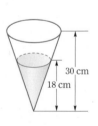

① $\frac{27}{125}$배   ② $\frac{8}{27}$배   ③ $\frac{7}{23}$배

④ $\frac{9}{25}$배   ⑤ $\frac{98}{125}$배

IV 피타고라스 정리

1. 피타고라스 정리

1 피타고라스 정리

1 피타고라스 정리

직각삼각형 ABC에서 직각을 끼고 있는 두 변의 길이를 각각 a, b라 하고, 빗변의 길이를 c라 할 때,

$$a^2 + b^2 = c^2$$

이 성립한다.

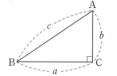

+ 직각삼각형에서 빗변의 길이의 제곱은 나머지 두 변의 길이의 제곱의 합과 같다.

주의
변의 길이 a, b, c는 항상 양수이다.

개념+ 직각삼각형에서 두 변의 길이를 알면 피타고라스 정리를 이용하여 나머지 한 변의 길이를 구할 수 있다.
 ① $c^2 = a^2 + b^2$ ② $a^2 = c^2 - b^2$ ③ $b^2 = c^2 - a^2$

2 직각삼각형이 되는 조건

세 변의 길이가 a, b, c인 삼각형에서 $a^2 + b^2 = c^2$의 관계가 성립하면 이 삼각형은 빗변의 길이가 c인 직각삼각형이다.

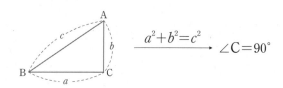

+ 세 변의 길이가 주어진 삼각형이 직각삼각형인지 알아보려면 가장 긴 변의 길이의 제곱과 나머지 두 변의 길이의 제곱의 합이 같은지 알아본다.

개념+ 피타고라스의 수
$a^2 + b^2 = c^2$을 만족하는 세 자연수 a, b, c를 피타고라스의 수라 한다.
세 변의 길이가 피타고라스의 수인 삼각형은 직각삼각형이고 그 수는 다음과 같다.
예 $(3, 4, 5)$, $(5, 12, 13)$, $(6, 8, 10)$, $(8, 15, 17)$, $(7, 24, 25)$, …

3 피타고라스 정리의 설명

(1) 유클리드의 설명

오른쪽 그림과 같이 직각삼각형 ABC의 각 변을 한 변으로 하는 정사각형 ACDE, AFGB, BHIC를 만들면 □AFGB = □ACDE + □BHIC임을 이용하여 $\overline{AB}^2 = \overline{AC}^2 + \overline{BC}^2$을 설명할 수 있다.

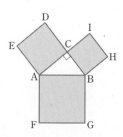

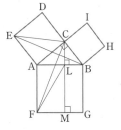

개념+ 오른쪽 그림과 같이 직각삼각형 ABC의 각 변을 한 변으로 하는 정사각형 ACDE, AFGB, BHIC를 그리고, 꼭짓점 C에서 $\overline{AB}$에 내린 수선의 발을 L, 그 연장선과 $\overline{FG}$가 만나는 점을 M이라 하면

$\triangle EAC = \triangle EAB$ ($\because \overline{AE} /\!/ \overline{BD}$)

$\triangle EAB \equiv \triangle CAF$ (SAS 합동)

$\triangle CAF = \triangle LAF$ ($\because \overline{AF} /\!/ \overline{CM}$)

이므로 $\triangle EAC = \triangle LAF$

이때 $\triangle EAC = \dfrac{1}{2}\square ACDE$, $\triangle LAF = \dfrac{1}{2}\square AFML$이므로

$\square ACDE = \square AFML$

같은 방법으로 $\square BHIC = \square LMGB$

따라서 $\square AFGB = \square ACDE + \square BHIC$이므로

$\overline{AB}^2 = \overline{AC}^2 + \overline{BC}^2$

- $\triangle CDE = \triangle EAC$
$= \triangle EAB = \triangle CAF$
$= \triangle LAF = \triangle LFM$
- $\triangle CHI = \triangle CBH$
$= \triangle ABH = \triangle GBC$
$= \triangle GBL = \triangle LMG$

(2) 피타고라스의 설명

오른쪽 그림과 같이 직각삼각형 ABC에서 두 변 AC, BC를 각각 연장하여 한 변의 길이가 $a+b$인 정사각형 CDEF를 만들면

$\triangle ABC \equiv \triangle GAD \equiv \triangle HGE \equiv \triangle BHF$ (SAS 합동)

이므로 $\square ABHG$는 한 변의 길이가 c인 정사각형이다.

이때 $\square CDEF = \triangle ABC \times 4 + \square ABHG$이다.

$\therefore c^2 = a^2 + b^2$

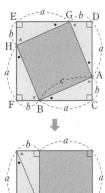

- $\square ABHG$가 정사각형이 되는 이유
(ⅰ) 네 변의 길이가 모두 c로 같다.
(ⅱ) $\angle ABC = \cdot$,
$\angle BAC = \times$라 하면
$\cdot + \times = 90°$
$\therefore \angle ABH$
$= 180° - (\cdot + \times)$
$= 90°$
마찬가지 방법으로
$\angle BHG = \angle HGA$
$= \angle GAB = 90°$
즉 $\square ABHG$의 네 내각의 크기는 모두 $90°$로 같다.

(3) 바스카라의 설명

오른쪽 그림과 같이 직각삼각형 ABC와 합동인 삼각형 3개를 맞추어 정사각형 ABDE를 만들면 $\square CFGH$는 한 변의 길이가 $a-b$인 정사각형이다.

이때 $\square ABDE = \triangle ABC \times 4 + \square CFGH$이다.

$\therefore c^2 = a^2 + b^2$

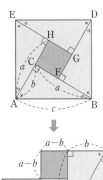

- $\square CFGH$가 정사각형이 되는 이유
(ⅰ) 네 내각의 크기가 모두 $90°$로 같다.
(ⅱ) $\overline{CF} = \overline{FG} = \overline{GH} = \overline{HC}$
$= a-b$
로 네 변의 길이가 모두 같다.

4 피타고라스 정리의 이용

(1) 두 대각선이 직교하는 사각형의 성질

□ABCD에서 두 대각선이 직교할 때,
$$\overline{AB}^2 + \overline{CD}^2 = \overline{AD}^2 + \overline{BC}^2$$

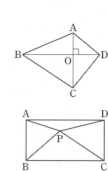

(2) 피타고라스 정리를 이용한 직사각형의 성질

직사각형 ABCD의 내부에 임의의 점 P가 있을 때,
$$\overline{AP}^2 + \overline{CP}^2 = \overline{BP}^2 + \overline{DP}^2$$

(3) 피타고라스 정리를 이용한 직각삼각형의 성질

∠A=90°인 직각삼각형 ABC에서 두 점 D, E가 각각 $\overline{AB}$, $\overline{AC}$ 위에 있을 때,
$$\overline{DE}^2 + \overline{BC}^2 = \overline{BE}^2 + \overline{CD}^2$$

5 피타고라스 정리의 연속적인 이용

(1) 펼쳐진 도형에서 피타고라스 정리의 연속적인 이용

$\overline{BC} = \overline{BA_1} = \overline{A_1A_2} = \overline{A_2A_3} = \overline{A_3A_4} = \cdots$ 이고
$\overline{BC} = a$일 때,
$$\overline{A_1C}^2 = 2a^2,\ \overline{A_2C}^2 = 3a^2,\ \overline{A_3C}^2 = 4a^2,\ \overline{A_4C}^2 = 5a^2,\ \cdots$$

(2) 겹쳐진 도형에서 피타고라스 정리의 연속적인 이용

$\overline{OB_1} = \overline{OA_2}$, $\overline{OB_2} = \overline{OA_3}$, $\cdots$이고
$\overline{OP} = \overline{OA_1} = a$일 때,
$$\overline{OA_2}^2 = 2a^2,\ \overline{OA_3}^2 = 3a^2,\ \cdots$$

6 반원에서 피타고라스 정리의 이용(히포크라테스의 달꼴)

(1) 세 반원과 직각삼각형 사이의 관계

오른쪽 그림과 같이 ∠A=90°인 직각삼각형 ABC의 세 변을 각각 지름으로 하는 반원의 넓이를 P, Q, R라 할 때,
$$P + Q = R$$

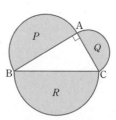

(2) 히포크라테스의 원의 넓이

오른쪽 그림과 같이 ∠A=90°인 직각삼각형 ABC의 세 변을 각각 지름으로 하는 반원에서
$$(\text{어두운 부분의 넓이}) = \triangle ABC = \frac{1}{2}bc$$

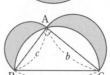

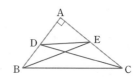

$$\overline{AB}^2 + \overline{CD}^2$$
$$= (a^2 + b^2) + (c^2 + d^2)$$
$$= (a^2 + d^2) + (b^2 + c^2)$$
$$= \overline{AD}^2 + \overline{BC}^2$$

(2) 다음 그림과 같이 △PAB를 △P'DC로 평행이동하면

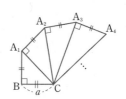

□PCP'D에서
$$a^2 + c^2 = b^2 + d^2$$
$$\therefore\ \overline{AP}^2 + \overline{CP}^2 = \overline{BP}^2 + \overline{DP}^2$$

(3) △ADE와 △ABC에서
$$\overline{DE}^2 + \overline{BC}^2$$
$$= \overline{AD}^2 + \overline{AE}^2 + \overline{AB}^2 + \overline{AC}^2$$
$$= \overline{AB}^2 + \overline{AE}^2 + \overline{AD}^2 + \overline{AC}^2$$
$$= \overline{BE}^2 + \overline{CD}^2$$

$\overline{AB} = c$, $\overline{BC} = a$, $\overline{CA} = b$라 하면
$$P + Q$$
$$= \frac{1}{2}\pi\left(\frac{c}{2}\right)^2 + \frac{1}{2}\pi\left(\frac{b}{2}\right)^2$$
$$= \frac{1}{8}\pi(b^2 + c^2)$$
$$R = \frac{1}{2}\pi\left(\frac{a}{2}\right)^2 = \frac{1}{8}\pi a^2$$
△ABC는 직각삼각형이므로
$$b^2 + c^2 = a^2$$
$$\therefore\ P + Q = R$$

$\overline{AB}$, $\overline{AC}$, $\overline{BC}$를 각각 지름으로 하는 반원의 넓이를 P, Q, R라 하면 $P + Q = R$이므로
$$(\text{어두운 부분의 넓이})$$
$$= P + Q + \triangle ABC - R$$
$$= R + \triangle ABC - R$$
$$= \triangle ABC$$

7 직각삼각형에서 피타고라스 정리의 이용

직각삼각형의 닮음을 이용한 성질

$\triangle ABC$에서 $\angle A = 90°$, $\overline{AH} \perp \overline{BC}$일 때, 다음이 성립한다.

(1) $c^2 = ax$
(2) $b^2 = ay$
(3) $h^2 = xy$
(4) $ah = bc$

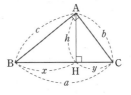
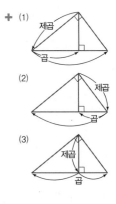

8 삼각형의 변의 길이와 각의 크기 사이의 관계

(1) 삼각형의 각의 크기에 대한 변의 길이

$\triangle ABC$에서 $\overline{BC} = a$, $\overline{CA} = b$, $\overline{AB} = c$일 때

① $\angle C < 90°$이면 $c^2 < a^2 + b^2$
② $\angle C = 90°$이면 $c^2 = a^2 + b^2$
③ $\angle C > 90°$이면 $c^2 > a^2 + b^2$

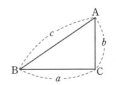

+ 삼각형에서 각의 크기가 작아지면 대변의 길이는 짧아지고, 각의 크기가 커지면 대변의 길이는 길어진다.

(2) 삼각형의 변의 길이에 대한 각의 크기

$\triangle ABC$에서 $\overline{BC} = a$, $\overline{CA} = b$, $\overline{AB} = c$ (c는 가장 긴 변의 길이)일 때

① $c^2 < a^2 + b^2$이면 $\angle C < 90°$ ➡ 예각삼각형
② $c^2 = a^2 + b^2$이면 $\angle C = 90°$ ➡ 직각삼각형
③ $c^2 > a^2 + b^2$이면 $\angle C > 90°$ ➡ 둔각삼각형

개념+ 삼각형의 결정조건
(나머지 두 변의 길이의 차) < (한 변의 길이) < (나머지 두 변의 길이의 합)

주의
c가 가장 긴 변의 길이라는 조건이 없을 경우에는 $c^2 < a^2 + b^2$이 성립한다고 해서 반드시 예각삼각형인 것은 아니다.

9 직사각형과 정사각형의 대각선의 길이

(1) 직사각형의 대각선의 길이

가로, 세로의 길이가 각각 a, b인 직사각형의 대각선의 길이를 l이라 하면

$$l^2 = a^2 + b^2$$

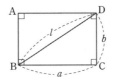

+ 직각삼각형 BCD에서 피타고라스 정리를 이용하면
(1) $l^2 = a^2 + b^2$
(2) $l^2 = a^2 + a^2 = 2a^2$

(2) 정사각형의 대각선의 길이

한 변의 길이가 a인 정사각형의 대각선의 길이를 l이라 하면

$$l^2 = 2a^2$$

개념+ 직사각형 ABCD의 꼭짓점 A에서 대각선 BD에 내린 수선의 발을 H라 하면
① $a^2 = xl$
② $b^2 = yl$
③ $h^2 = xy$
④ $ab = hl$

10 좌표평면 위의 두 점 사이의 거리

(1) 원점 O와 점 $P(x_1, y_2)$ 사이의 거리, 즉 $\overline{OP}$에 대하여
$$\overline{OP}^2 = x_1^2 + y_1^2$$

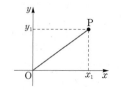

(2) 두 점 $P(x_1, y_1)$, $Q(x_2, y_2)$ 사이의 거리, 즉 $\overline{PQ}$에 대하여
$$\overline{PQ}^2 = (x_2 - x_1)^2 + (y_2 - y_1)^2$$

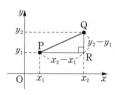

> ✛ • 두 점 사이의 거리는 두 점을 이은 선분을 빗변으로 하는 직각삼각형에서 피타고라스 정리를 이용하여 구한다.
> • $(x_2 - x_1)^2 = (x_1 - x_2)^2$
> $(y_2 - y_1)^2 = (y_1 - y_2)^2$
> $\therefore \overline{PQ}^2$
> $= (x_2 - x_1)^2 + (y_2 - y_1)^2$
> $= (x_1 - x_2)^2 + (y_1 - y_2)^2$

11 도형에서의 최단 거리

(1) 평면도형에서 꺾인 선분의 최단 거리

두 점 A, B에 대하여 점 P가 직선 l 위의 한 점일 때,
$\overline{AP} + \overline{BP}$의 최솟값을 구하는 방법은 다음과 같다.

➡ 점 B를 직선 l에 대하여 대칭이동시킨 점을 B′이라 하면
$$\overline{AP} + \overline{BP} = \overline{AP} + \overline{B'P} \geq \overline{AB'}$$
따라서 $\overline{AP} + \overline{BP}$의 최솟값은 $\overline{AB'}$의 길이와 같다.

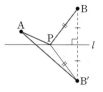

(2) 입체도형에서의 최단 거리

입체도형의 겉면 위의 한 점에서 겉면을 따라 다른 한 점에 이르는 최단 거리는 전개도에서 두 점을 잇는 선분의 길이와 같다.

✛ 입체도형에서의 최단 거리는 전개도를 그려 피타고라스 정리를 이용한다.

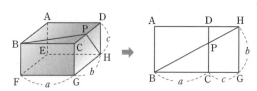

즉 직육면체의 꼭짓점 B에서 겉면을 따라 $\overline{CD}$ 위의 점 P를 지나 점 H에 이르는 최단 거리는 전개도의 $\overline{BH}$의 길이와 같다.

➡ $\overline{BH}^2 = \overline{BG}^2 + \overline{HG}^2 = (a+c)^2 + b^2$

개념✛ 원기둥의 전개도에서 최단 거리

주제별 실력다지기

1 직각삼각형의 변의 길이

01 다음 그림과 같은 세 직각삼각형에서 $x^2+y^2+z^2$의 값을 구하시오.

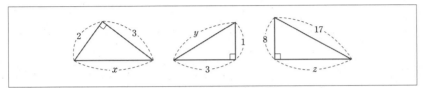

최상위
Q&A 005

동양의 피타고라스 정리?
중국의 천문 수학책인 '주비산경'에는 구고현의 정리가 등장한다. 약 3000여 년 전 진자에 의해 발견되어 진자 정리라고도 하는데 피타고라스 정리보다도 500년이나 앞선 것이다.
주비산경에 보면 '구를 3, 고를 4라 하면 현은 5가 된다.'는 글이 있다. 구고현은 직각삼각형의 세 변을 부르는 명칭인데, 구는 직각을 이루는 두 변 중 짧은 변, 즉 밑변을 뜻하고 고는 직각을 이루는 두 변 중 긴 변, 높이를 뜻하며 현은 빗변을 뜻한다. 피타고라스 정리와 마찬가지로 3 : 4 : 5의 비율을 가진 직각 삼각형을 말한다.

02 다음 그림의 두 직각삼각형에서 $x+y$의 값은?

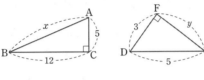

① 14   ② 15   ③ 16
④ 17   ⑤ 18

03 오른쪽 그림에서 x의 값은?

① 8   ② 10
③ 11   ④ 13
⑤ 17

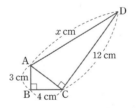

04 오른쪽 그림과 같은 □ABCD에서 $\overline{\text{AB}}^2$의 값은?

① 4   ② 5
③ 6   ④ 7
⑤ 8

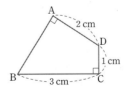

적절한 보조선을 그어 직각삼각형을 만든 후, 피타고라스 정리를 이용한다.

05 오른쪽 그림에서 $\angle ABC = \angle BCD = 90°$이고 $\overline{AB} = 5\,cm$, $\overline{BC} = 12\,cm$, $\overline{CD} = 4\,cm$일 때, $\overline{AD}$의 길이를 구하시오.

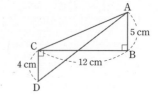

적절한 보조선을 그어 $\overline{AD}$를 빗변으로 하는 직각삼각형을 만든다.

06 오른쪽 그림과 같이 $\angle C = 90°$인 직각삼각형 ABC에서 $y^2 = x^2 + 4x + 4$일 때, x의 값은?

① 4   ② 5   ③ 6

④ 7   ⑤ 8

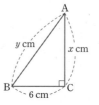

07 길이가 $16\,m$인 철조망으로 오른쪽 그림과 같이 벽면을 이용하여 직각삼각형 ABC 모양의 닭장을 만들려고 한다. $\overline{BC} = 8\,m$일 때, 벽면의 C지점에서 A지점까지의 거리를 구하시오. (단, 벽에는 철조망을 치지 않는다.)

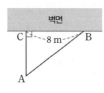

$\overline{AB} + \overline{AC} = 16\,m$

2 직각삼각형이 되기 위한 조건

08 세 변의 길이가 다음 **보기**와 같은 삼각형 중에서 직각삼각형인 것의 개수를 구하시오.

보기
ㄱ. 2, 3, 4 ㄴ. 4, 5, 6 ㄷ. 5, 12, 13
ㄹ. 9, 12, 15 ㅁ. 8, 15, 17 ㅂ. 7, 24, 25

가장 긴 변을 알 때, 직각삼각형이 되려면 가장 긴 변의 길이의 제곱은 나머지 두 변의 길이의 제곱의 합과 같아야 한다.

09 세 변의 길이가 5 cm, 12 cm, 13 cm인 삼각형의 넓이를 구하시오.

10 오른쪽 그림과 같은 △ABC에서 $y^2=x^2+8x+16$일 때, ∠B$=90°$가 되도록 하는 x의 값은?

① 6   ② 7   ③ 8
④ 10   ⑤ 12

11 길이가 각각 4 cm, 6 cm인 두 선분이 있다. 다음 **보기**의 값이 나머지 한 선분의 제곱의 값이라 할 때, 이 선분을 추가하여 만든 삼각형이 직각삼각형이 될 수 있는 것을 모두 고른 것은?

┌─────────────── 보기 ───────────────┐
ㄱ. 20   ㄴ. 25   ㄷ. 52   ㄹ. 81
└──────────────────────────────────┘

① ㄱ, ㄴ   ② ㄱ, ㄷ   ③ ㄴ, ㄷ
④ ㄴ, ㄹ   ⑤ ㄷ, ㄹ

> 가장 긴 변을 알 수 없을 때, 가장 긴 변의 길이가 될 수 있는 경우를 각각 따져본다.

12 세 변의 길이가 3 cm, 5 cm, x cm인 삼각형이 직각삼각형이 되도록 하는 x^2의 값을 모두 고르면? (정답 2개)

① 8   ② 9   ③ 16
④ 29   ⑤ 34

13 다음은 오른쪽 그림과 같이 ∠C=90°인 직각삼각형 ABC의 각 변을 한 변으로 하는 정사각형을 그려 피타고라스 정리를 설명하는 과정이다. ①~⑤에 들어갈 것으로 옳지 <u>않은</u> 것은?

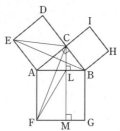

△EAB와 △CAF에서
$\overline{EA}=\overline{CA}$, $\overline{AB}=\overline{AF}$, ∠EAB= ①
∴ △EAB≡△CAF (② 합동)
또 $\overline{AE}/\!/\overline{DB}$, $\overline{AF}/\!/\overline{CM}$이므로
△EAC=△EAB=△CAF= ③
이때 △EAC=$\frac{1}{2}$□ACDE,

③ =$\frac{1}{2}$□AFML이므로

□ACDE=□AFML
같은 방법으로 □BHIC= ④
따라서 □AFGB=□ACDE+ ⑤ 이므로
$\overline{AB}^2=\overline{AC}^2+\overline{BC}^2$

① ∠CAF   ② SAS   ③ △BAF

④ □LMGB   ⑤ □BHIC

유클리드의 설명

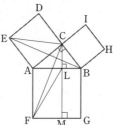

□AFGB
=□ACDE+□BHIC
∴ $\overline{AB}^2=\overline{AC}^2+\overline{BC}^2$

14 오른쪽 그림은 ∠A=90°인 직각삼각형 ABC의 세 변을 각각 한 변으로 하는 정사각형을 그린 것이다. 다음 **보기** 중 옳지 <u>않은</u> 것을 모두 고르시오.

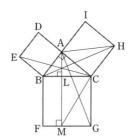

─ 보기 ─

ㄱ. △BCH=△GCA

ㄴ. □ACHI=□LMGC

ㄷ. △ABH=△GCA

ㄹ. △AIH=△CGM

ㅁ. △BCE=$\frac{1}{2}$□BFML

ㅂ. △ABC=$\frac{1}{2}$□ACHI

15 오른쪽 그림은 ∠A=90°인 직각삼각형 ABC에서 $\overline{AB}$, $\overline{AC}$를 각각 한 변으로 하는 정사각형을 그린 것이다. $\overline{BC}$=14 cm일 때, □ADEB와 □ACFG 의 넓이의 합을 구하시오.

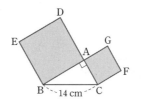

16 오른쪽 그림은 ∠A=90°인 직각삼각형 ABC의 세 변을 각각 한 변으로 하는 정사각형을 그린 것이다. $\overline{AC}$=5 cm, $\overline{BC}$=13 cm일 때, △LFM의 넓이를 구하시오.

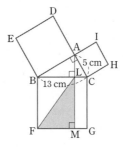

17 오른쪽 그림은 ∠A=90°인 직각삼각형 ABC의 각 변 을 한 변으로 하는 정사각형을 그린 것이다. $\overline{AC}$=4 cm 이고, △ABF의 넓이가 24 cm²일 때, □BFGC의 넓 이는?

① 48 cm²　　　② 52 cm²　　　③ 64 cm²
④ 68 cm²　　　⑤ 72 cm²

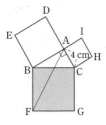

$$\triangle ABF = \triangle EBC = \triangle EBA$$
$$= \frac{1}{2}\square EBAD$$

18 오른쪽 그림은 ∠A=90°인 직각삼각형 ABC에서 $\overline{BC}$를 한 변으로 하는 정사각형을 그린 것이다. $\overline{AB}$=6 cm, $\overline{AC}$=8 cm일 때, 어두운 부분의 넓이를 구하시오.

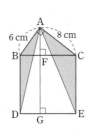

19 오른쪽 그림은 직각삼각형 ABC의 각 변을 한 변으로 하는 정사각형에서 $\overline{EF}$, $\overline{HI}$를 각각 빗변으로 하는 직각삼각형 DEF, GHI를 그린 다음 다시 이 삼각형들의 각 변을 한 변으로 하는 정사각형을 그린 것이다. $\overline{AB}=2\,cm$, $\overline{AC}=4\,cm$일 때, 어두운 부분의 넓이를 구하시오.

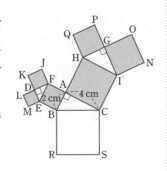

△DEF와 △GHI에서 유클리드의 설명을 이용하여 각 정사각형의 넓이 사이의 관계를 이해한다.

20 다음은 오른쪽 그림과 같이 직각삼각형 ABC에서 두 변 AC, BC를 각각 연장하여 한 변의 길이가 $a+b$인 정사각형 CDEF를 그려 피타고라스 정리를 설명하는 과정이다. (가)~(라)에 알맞은 것을 써넣으시오.
(단, $(a+b)^2 = a^2 + 2ab + b^2$으로 계산한다.)

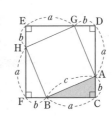

□AGHB는 네 변의 길이가 모두 c로 같고, 네 내각의 크기가 모두 90°로 같으므로 정사각형이다.

> △ABC≡△GAD≡△HGE≡△BHF (SAS 합동)이므로
> (가) 는 한 변의 길이가 c인 정사각형이다.
> 이때 (나) =△ABC×4+□AGHB이므로
> $(a+b)^2 =$ (다) $\times 4 +$ (라)
> ∴ $a^2 + b^2 = c^2$

21 오른쪽 그림과 같은 정사각형 ABCD에서 $\overline{AH}=\overline{BE}=\overline{CF}=\overline{DG}=3\,cm$이고 □EFGH의 넓이가 $25\,cm^2$일 때, 정사각형 ABCD의 한 변의 길이는?

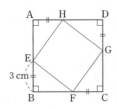

① 6 cm ② 7 cm
③ 8 cm ④ 9 cm
⑤ 10 cm

22 오른쪽 그림은 직각삼각형 ABC와 합동인 삼각형 3개를 이용하여 정사각형 BCDE를 만든 것이다. $\overline{AB}=5$ cm, $\overline{BC}=13$ cm일 때, 다음 물음에 답하시오.

(1) □AFGH는 어떤 사각형인지 말하시오.
(2) □AFGH의 넓이를 구하시오.

바스카라의 설명
4개의 직각삼각형이 합동이므로 □AFGH는 네 변의 길이가 모두 같고, 네 내각의 크기는 모두 90°이다.

23 오른쪽 그림은 직각삼각형 ABC와 합동인 삼각형 3개를 이용하여 정사각형 ABDE를 만든 것이다. 다음 중 옳지 않은 것은?

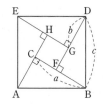

① $a^2+b^2=c^2$
② $\overline{CF}=a-b$
③ □CFGH와 △ABC의 넓이는 항상 같다.
④ □CFGH는 정사각형이다.
⑤ □ABDE=□CFGH+△ABC×4

24 오른쪽 그림에서 두 직각삼각형 ABC와 CDE는 합동이고 세 점 B, C, D는 일직선 위에 있다. $\overline{AB}=6$ cm, $\overline{DE}=8$ cm일 때, 다음을 구하시오.

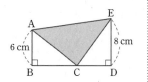

(1) ∠ACE의 크기
(2) △ACE의 넓이

△ABC≡△CDE이므로 $\overline{AC}=\overline{CE}$이고 ∠ACB+∠ECD =∠ACB+∠CAB

25 오른쪽 그림에서 두 직각삼각형 ABC와 CDE는 합동이고, 세 점 B, C, D는 일직선 위에 있다. $\overline{BC}=4$ cm 이고 △ACE의 넓이가 $\dfrac{25}{2}$ cm²일 때, 사다리꼴 ABDE의 넓이는?

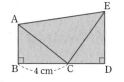

$\overline{AC}=\overline{CE}$이므로 △ACE의 넓이를 이용하여 $\overline{AC}$의 길이를 구한다.

① 7 cm²
② 14 cm²
③ $\dfrac{49}{2}$ cm²
④ 42 cm²
⑤ 49 cm²

26 오른쪽 그림에서 $\overline{AB}=5$, $\overline{CD}=7$일 때, $\overline{AD}^2+\overline{BC}^2$의 값은?

① 12   ② 35

③ 37   ④ 72

⑤ 74

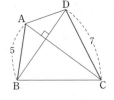

□ABCD에서 두 대각선이 직교할 때

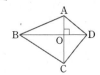

$\overline{AB}^2+\overline{CD}^2=\overline{AD}^2+\overline{BC}^2$

27 오른쪽 그림의 □ABCD에서 $\overline{AC}\perp\overline{BD}$일 때, x^2-y^2의 값은?

① -74 ② -24

③ 0   ④ 24

⑤ 74

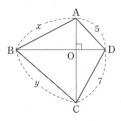

28 오른쪽 그림과 같은 □ABCD에서 $\overline{AC}\perp\overline{BD}$일 때, $\overline{CD}^2$의 값은?

① 61   ② 63

③ 65   ④ 67

⑤ 69

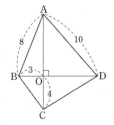

△BOC에서 피타고라스 정리를 이용하여 $\overline{BC}$의 길이를 먼저 구한다.

29 오른쪽 그림에서 x의 값을 구하시오.

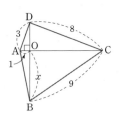

30 오른쪽 그림과 같은 □ABCD에서 $\overline{BC}=8$, $\overline{OC}=6$, $\overline{OD}=5$일 때, $\overline{AB}^2-\overline{AD}^2$의 값을 구하시오.

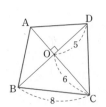

5 직사각형에서 피타고라스 정리

31 오른쪽 그림과 같이 직사각형 ABCD의 내부에 한 점 P가 있다. $\overline{PB}=9$, $\overline{PD}=3$, $\overline{PC}^2=54$일 때, $\overline{PA}$의 길이는?

① 4 ② 6 ③ 8
④ 10 ⑤ 12

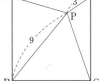

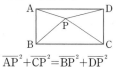

직사각형 ABCD의 내부에 임의 점 P가 있을 때

$\overline{AP}^2+\overline{CP}^2=\overline{BP}^2+\overline{DP}^2$

32 오른쪽 그림과 같이 직사각형 ABCD의 내부에 한 점 P가 있다. $\overline{AP}=6\,\text{cm}$, $\overline{PD}=2\,\text{cm}$일 때, x^2-y^2의 값은?

① 28 ② 30 ③ 32
④ 34 ⑤ 36

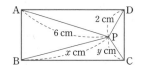

33 오른쪽 그림과 같이 직사각형 ABCD의 내부에 임의의 한 점 P를 잡았더니 ∠DPC=90°가 되었다. 이때 $\overline{PA}^2$의 값은?

① 24 ② 34 ③ 40
④ 42 ⑤ 56

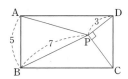

6 직각삼각형에서 피타고라스 정리의 활용

34 오른쪽 그림과 같은 직각삼각형 ABC에서 $\overline{BC}=8$, $\overline{CD}=7$, $\overline{BE}=5$일 때, $\overline{DE}^2$의 값은?

① 8 ② 10 ③ 12
④ 15 ⑤ 17

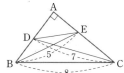

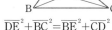

∠A=90°인 직각삼각형 ABC에서 두 점 D, E가 각각 $\overline{AB}$, $\overline{AC}$ 위에 있을 때

$\overline{DE}^2+\overline{BC}^2=\overline{BE}^2+\overline{CD}^2$

35 오른쪽 그림과 같은 직각삼각형 ABC에서 $\overline{DE}=4$, $\overline{BE}=6$, $\overline{CD}=8$일 때, $\overline{BC}^2$의 값은?

① 28 ② 84 ③ 100
④ 144 ⑤ 156

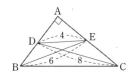

36 오른쪽 그림과 같이 ∠A=90°인 직각삼각형 ABC 에서 점 D와 점 E는 각각 $\overline{AB}$, $\overline{AC}$의 중점이다. $\overline{BC}$=8일 때, $\overline{BE}^2+\overline{CD}^2$의 값을 구하시오.

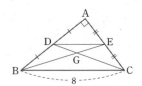

37 오른쪽 그림과 같이 ∠C=90°인 직각삼각형 ABC에서 $\overline{CE}$=3, $\overline{CD}$=4, $\overline{AD}$=9일 때, $\overline{AB}^2-\overline{BE}^2$의 값을 구하시오.

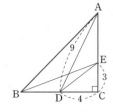

38 오른쪽 그림과 같이 ∠A=90°인 △ABC에서 $\overline{AD}$=3, $\overline{AE}$=4이고, △BDE의 넓이가 10일 때, $\overline{BC}^2-\overline{CD}^2$의 값을 구하시오.

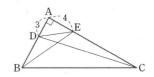

△BDE
$=\frac{1}{2}×($밑변의 길이$)×($높이$)$
$=\frac{1}{2}×\overline{BD}×\overline{AE}$

---

7 연속으로 이용하는 피타고라스 정리

39 오른쪽 그림에서 $\overline{AB}=\overline{BC}=\overline{CD}=\overline{DE}=\overline{EF}=\overline{FG}$=1일 때, $\overline{AG}^2$의 값을 구하시오.

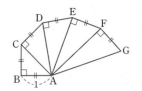

펼쳐진 도형에서 연속적인 이용
피타고라스 정리를 이용하여 $\overline{AC}$, $\overline{AD}$, $\overline{AE}$, $\overline{AF}$, $\overline{AG}$의 길이를 차례로 구한다.

40 오른쪽 그림에서 $\overline{AB}=\overline{BC}=\overline{CD}=\overline{DE}=\overline{EF}=\overline{FG}=\overline{GH}$이고 $\overline{AH}^2$=63일 때, $\overline{AB}$의 길이를 구하시오.

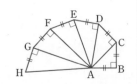

$\overline{AB}$의 길이를 미지수로 놓고 $\overline{AC}$, $\overline{AD}$, …, $\overline{AH}$의 길이를 차례로 구한다.

41 오른쪽 그림에서 $\overline{AB}=2$, $\overline{BC}=3$, $\overline{CD}=4$, $\overline{DE}=5$ 일 때, $\overline{AE}^2$의 값은?

① 41   ② 48   ③ 50

④ 51   ⑤ 54

42 오른쪽 그림에서 □ABCD는 한 변의 길이가 2인 정사각형이고 $\overline{AC}=\overline{AF}$, $\overline{AE}=\overline{AG}$일 때, $\overline{AG}^2$의 값을 구하시오.

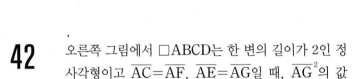

겹쳐진 도형에서 연속적인 이용
$\overline{AC}=\overline{AF}$, $\overline{AE}=\overline{AG}$이므로 피타고라스 정리를 이용하여 $\overline{AC}$, $\overline{AE}$의 길이를 차례로 구한다.

43 오른쪽 그림과 같은 좌표평면에서 원점 O로부터 거리가 2인 점을 모두 고르면? (정답 2개)

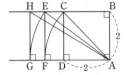

① 점 C′   ② 점 C

③ 점 D′   ④ 점 D

⑤ 점 E

44 오른쪽 그림에서 □OAA′P는 정사각형이고, $\overline{OA'}=\overline{OB}$, $\overline{OB'}=\overline{OC}$, $\overline{OC'}=\overline{OD}$이다. $\overline{OD'}^2=10$ 일 때, □OAA′P의 넓이는?

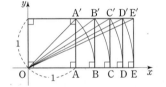

$\overline{OA}$의 길이를 미지수로 놓고 $\overline{OA'}$, $\overline{OB'}$, $\overline{OC'}$, $\overline{OD'}$의 길이를 차례로 구한다.

① 1   ② 2

③ 3   ④ 4

⑤ 5

45 오른쪽 그림과 같은 △ABC에서 $\overline{AD} \perp \overline{BC}$이고, $\overline{AB}=9$, $\overline{AC}=10$, $\overline{DC}=6$일 때, $\overline{BD}^2$의 값은?

① 17 ② 18

③ 19 ④ 20

⑤ 25

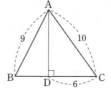

$c^2 = a^2 - b^2 = x^2 - y^2$

46 오른쪽 그림과 같이 △ABC의 꼭짓점 C에서 $\overline{AB}$에 내린 수선의 발을 H라 할 때, $\overline{AH}=4$, $\overline{AC}=6$이고, $\overline{BH}^2=5$ 이다. 이때 $\overline{BC}$의 길이를 구하시오.

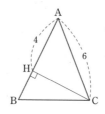

47 오른쪽 그림과 같은 직각삼각형 ABC에서 $\overline{AD}^2=90$ 일 때, $\overline{BD}$의 길이는?

① 6 ② 7

③ 8 ④ 9

⑤ 10

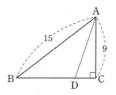

48 오른쪽 그림에서 점 O가 직각삼각형 ABC의 외심일 때, $\overline{AC}$의 길이를 구하시오.

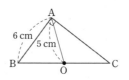

직각삼각형 ABC에서 점 O는 외심이고 점 G는 무게중심일 때

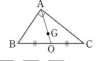

(i) $\overline{AO}=\overline{BO}=\overline{CO}$
(ii) $\overline{AG}:\overline{GO}=2:1$

49 오른쪽 그림과 같은 직각삼각형 ABC에서 점 G는 무게중심이다. $\overline{AB}=12\,cm$, $\overline{AC}=16\,cm$일 때, $\overline{AG}$의 길이는?

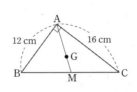

① $\dfrac{8}{3}\,cm$ ② $\dfrac{10}{3}\,cm$ ③ $6\,cm$

④ $\dfrac{20}{3}\,cm$ ⑤ $10\,cm$

50 오른쪽 그림과 같이 $\angle ACB = \angle ADE = 90°$이고 $\overline{AB} = 15 \text{ cm}$, $\overline{BC} = 9 \text{ cm}$, $\overline{EC} = 2 \text{ cm}$일 때, $\overline{AD}$의 길이는?

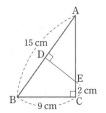

① 5 cm　　② 6 cm　　③ 8 cm

④ 9 cm　　⑤ 10 cm

51 오른쪽 그림과 같이 $\angle B = 90°$인 직각삼각형 ABC에서 $\overline{AD}$가 $\angle A$의 이등분선이고 $\overline{AB} = 6$, $\overline{AC} = 10$일 때, $\overline{AD}^2$의 값을 구하시오.

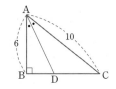

$\overline{AD}$가 $\angle A$의 이등분선일 때

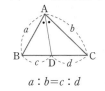

$a : b = c : d$

52 오른쪽 그림과 같이 $\overline{AB} = \overline{AC}$인 직각이등변삼각형 ABC의 꼭짓점 A를 지나는 임의의 반직선을 긋고 두 점 B, C에서 이 반직선에 내린 수선의 발을 각각 P, Q라 하자. $\overline{BP} = 8$, $\overline{CQ} = 6$일 때, $\overline{BQ}^2$의 값을 구하시오.

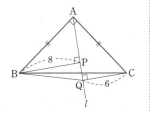

$\triangle ABP \equiv \triangle CAQ$임을 이용하여 $\overline{PQ}$의 길이를 구한다.

9 반원에서 피타고라스 정리의 활용

53 오른쪽 그림과 같이 $\angle A = 90°$이고, $\overline{BC} = 8 \text{ cm}$인 직각삼각형 ABC에서 $\overline{AB}$, $\overline{AC}$를 지름으로 하는 반원을 그려 그 넓이를 각각 P, Q라 할 때, $P + Q$의 값을 구하시오.

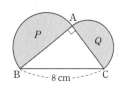

세 반원과 직각삼각형

$P + Q = R$

54 오른쪽 그림과 같이 직각삼각형 ABC의 세 변을 지름으로 하는 반원을 그렸다. $\overline{AB}$, $\overline{BC}$를 지름으로 하는 반원의 넓이가 각각 6π cm², 24π cm²일 때, $\overline{AC}$의 길이는?

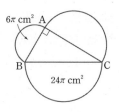

① 9 cm   ② 10 cm   ③ 11 cm

④ 12 cm   ⑤ 13 cm

55 오른쪽 그림과 같이 $\angle A=90°$이고 $\overline{AC}=4$ cm인 직각삼각형 ABC의 세 변을 각각 지름으로 하는 반원을 그렸다. $\overline{BC}$를 지름으로 하는 반원의 넓이가 32π cm²일 때, 반원 P의 넓이는?

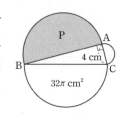

① 25π cm²   ② 28π cm²   ③ 29π cm²

④ 30π cm²   ⑤ 31π cm²

56 오른쪽 그림은 $\angle A=90°$인 직각삼각형 ABC의 세 변을 각각 지름으로 하는 반원을 그린 것이다.
$\overline{AC}=6$ cm, $\overline{BC}=10$ cm일 때, 어두운 부분의 넓이를 구하시오.

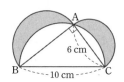

히포크라테스의 원의 넓이

(어두운 부분의 넓이)$=\triangle ABC$

57 오른쪽 그림은 $\angle A=90°$인 직각삼각형 ABC의 세 변을 각각 지름으로 하는 반원을 그린 것이다. 어두운 부분의 넓이의 합, 즉 $S_1+S_2=7\pi$ cm²일 때, 빗금친 부분의 넓이는?

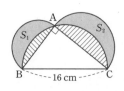

① 7π cm²   ② 11π cm²   ③ 18π cm²

④ 25π cm²   ⑤ 29π cm²

58 오른쪽 그림은 원에 내접하는 직사각형 ABCD의 각 변을 지름으로 하는 반원과 대각선 BD를 지름으로 하는 원을 그린 것이다. $\overline{AB}=6\,cm$, $\overline{BD}=10\,cm$일 때, 어두운 부분의 넓이는?

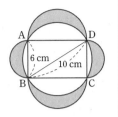

두 직각삼각형 ABD, BCD와 넓이가 같은 부분을 찾는다.

① $12\,cm^2$ ② $24\,cm^2$ ③ $36\,cm^2$

④ $48\,cm^2$ ⑤ $60\,cm^2$

10 직각삼각형의 닮음을 이용한 성질

59 오른쪽 그림과 같은 직각삼각형 ABC의 꼭짓점 A에서 변 BC에 내린 수선의 발을 H라 할 때, 다음 **보기** 중 옳지 <u>않은</u> 것을 모두 고르시오.

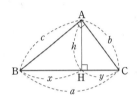

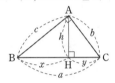

△ABC에서 ∠A=90°, $\overline{AH}\perp\overline{BC}$일 때

(1) $c^2=ax$ (2) $b^2=ay$
(3) $h^2=xy$ (4) $ah=bc$
(5) $a^2=b^2+c^2$

┌─────────── 보기 ───────────┐
ㄱ. $a^2=b^2+c^2$ ㄴ. $b^2=ax$
ㄷ. $c^2=ay$ ㄹ. $h^2=xy$
ㅁ. $bc=ah$ ㅂ. $h^2=x^2+y^2$
└────────────────────────────┘

60 오른쪽 그림과 같은 직각삼각형 ABC에서 $\overline{AD}\perp\overline{BC}$이고 $\overline{BD}=3\,cm$, $\overline{CD}=2\,cm$일 때, $(xy)^2$의 값은?

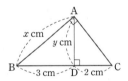

① 15   ② 50   ③ 90

④ 108   ⑤ 162

61 오른쪽 그림과 같은 직각삼각형 ABC에서 $\overline{AH}\perp\overline{BC}$이다. $\overline{AB}:\overline{AC}=3:4$이고 $\overline{AH}=6$일 때, $\overline{BC}$의 길이를 구하시오.

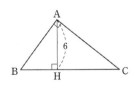

$\overline{AB}=3a$, $\overline{AC}=4a$라 놓고 $\overline{BC}$의 길이를 a로 나타낸다.

62 오른쪽 그림과 같이 좌표평면 위에 세 점 O, A, B가 있다. $\overline{OA}=4$, $\overline{AB}=3$이고 점 B의 좌표가 B(5, 0)일 때, 점 A의 좌표를 구하시오.

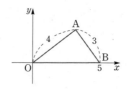

△AOB가 어떤 삼각형인지 파악한 후, 점 A에서 $\overline{OB}$에 수선의 발을 내려 각 선분의 길이를 구한다.

63 오른쪽 그림과 같은 직각삼각형 ABC에서 점 M은 $\overline{AC}$의 중점이고, $\overline{BH}\perp\overline{AC}$이다. $\overline{AB}=6$ cm, $\overline{AC}=10$ cm일 때, △BMH의 넓이는?

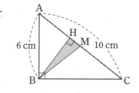

① $\dfrac{84}{25}$ cm²   ② $\dfrac{42}{5}$ cm²   ③ $\dfrac{216}{25}$ cm²

④ $\dfrac{84}{5}$ cm²   ⑤ $\dfrac{216}{5}$ cm²

---

11 삼각형의 변의 길이와 각의 크기 사이의 관계

64 오른쪽 그림과 같은 △ABC에서 ∠A>90°일 때, 다음 중 옳은 것을 모두 고르면? (정답 2개)

① $a^2=b^2+c^2$ ② $a^2<b^2+c^2$
③ $a^2>b^2+c^2$ ④ $b^2<a^2+c^2$
⑤ $c^2>a^2+b^2$

65 오른쪽 그림과 같은 △ABC에 대하여 다음 중 옳지 않은 것을 모두 고르면? (정답 2개)

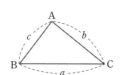

① ∠A>90°이면 $a^2<b^2+c^2$이다.
② ∠B=90°이면 $b^2=a^2+c^2$이다.
③ ∠C<90°이면 $c^2<a^2+b^2$이다.
④ $b^2>a^2+c^2$이면 둔각삼각형이다.
⑤ $c^2<a^2+b^2$이면 예각삼각형이다.

66 세 변의 길이가 각각 다음과 같은 삼각형에서 그 모양이 바르게 연결되지 않은 것은?

① 2 cm, 3 cm, 4 cm ➡ 둔각삼각형

② 3 cm, 4 cm, 5 cm ➡ 직각삼각형

③ 5 cm, 12 cm, 13 cm ➡ 직각삼각형

④ 7 cm, 9 cm, 11 cm ➡ 둔각삼각형

⑤ 8 cm, 9 cm, 10 cm ➡ 예각삼각형

> 세 변의 길이가 주어진 삼각형의 모양을 알기 위해서는 가장 긴 변의 길이의 제곱과 나머지 두 변의 길이의 제곱의 합의 대소를 비교한다.

67 $\triangle ABC$에서 $\overline{AB}=3$ cm, $\overline{BC}=x$ cm, $\overline{CA}=5$ cm일 때, 다음 중 옳지 않은 것은?

① $x=4$이면 $\angle B=90°$이다.

② $x=5$이면 $\angle A<90°$이다.

③ $x=6$이면 $\angle A>90°$이다.

④ $x=2.5$이면 $\triangle ABC$는 예각삼각형이다.

⑤ $x=7$이면 $\triangle ABC$는 둔각삼각형이다.

68 오른쪽 그림과 같은 삼각형 ABC에 대하여 다음 중 옳지 않은 것은?

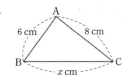

① $x=3$이면 둔각삼각형이다.

② $x^2=28$이면 직각삼각형이다.

③ $x=6$이면 둔각삼각형이다.

④ $8<x<10$이면 예각삼각형이다.

⑤ $10<x<14$이면 둔각삼각형이다.

69 길이가 2 cm, 3 cm, 4 cm, 5 cm인 선분 중에서 세 개를 골라 삼각형을 만들 때, 만들 수 있는 둔각삼각형의 개수를 구하시오.

> 세 선분을 골랐을 때, 삼각형이 만들어지지 않는 경우를 주의한다.

70 오른쪽 그림과 같이 두 직사각형 ABCD와 CEFG가 점 C에서 만난다. 이때 $\overline{AC}+\overline{CF}$의 길이는?

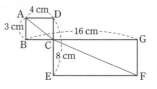

① 15 cm   ② 16 cm

③ 17 cm   ④ 18 cm   ⑤ 19 cm

71 A중학교의 운동장은 가로의 길이가 80 m, 세로의 길이가 60 m인 직사각형 모양이다. 이 운동장에서 최대 몇 m까지 직선 달리기를 할 수 있는가?

① 100 m   ② 110 m   ③ 120 m

④ 130 m   ⑤ 140 m

직사각형 모양의 운동장에서 가장 긴 선분은 대각선이다.

72 오른쪽 그림의 직사각형 ABCD에서 가로의 길이와 세로의 길이의 비가 8 : 15이고 $\overline{AC}=34$ cm일 때, 이 직사각형의 둘레의 길이는?

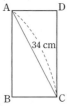

① 46 cm   ② 69 cm

③ 92 cm   ④ 115 cm

⑤ 138 cm

73 오른쪽 그림은 크기가 같은 정사각형 3개를 겹치지 않게 나란히 붙여 놓은 것이다. $\overline{AP}=2$일 때, $\overline{AQ}^2$의 값을 구하시오.

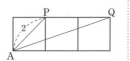

먼저 한 정사각형의 한 변의 길이를 구한다.

74 오른쪽 그림과 같은 직사각형 ABCD에서 $\overline{AB}=6$ cm, $\overline{AD}=8$ cm일 때, $\overline{PQ}$의 길이는?

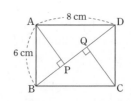

① 2.8 cm   ② 3 cm   ③ 3.2 cm

④ 3.6 cm   ⑤ 4 cm

△ABD에서 직각삼각형의 닮음을 이용해 $\overline{BP}$의 길이를 구한다.

75 오른쪽 그림과 같이 $\overline{AB}=3\,cm$, $\overline{AD}=4\,cm$인 직사각형 ABCD의 꼭짓점 A, C에서 대각선 BD에 내린 수선의 발을 각각 E, F라 할 때, □AECF의 넓이를 구하시오.

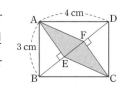

76 오른쪽 그림과 같이 대각선의 길이가 8 cm인 정사각형에 내접하는 원의 넓이는?

① $4\pi\,cm^2$ ② $6\pi\,cm^2$ ③ $8\pi\,cm^2$
④ $10\pi\,cm^2$ ⑤ $12\pi\,cm^2$

정사각형의 한 변의 길이는 원의 지름의 길이와 같다.

77 오른쪽 그림과 같은 나무인 원의 단면이 넓이가 $25\pi\,cm^2$이고, 이 나무를 정사각형으로 잘라 한옥의 기둥으로 쓰려고 한다. 버려지는 부분이 최소가 되도록 할 때, 이 기둥의 단면인 정사각형의 넓이는?

① $25\,cm^2$ ② $30\,cm^2$ ③ $40\,cm^2$
④ $45\,cm^2$ ⑤ $50\,cm^2$

78 오른쪽 그림과 같이 지름의 길이가 10 cm인 반원 O에 내접하는 정사각형 ABCD가 있다. 이 정사각형의 넓이는?

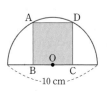

① $15\,cm^2$ ② $20\,cm^2$ ③ $25\,cm^2$
④ $30\,cm^2$ ⑤ $35\,cm^2$

[79~80] 오른쪽 그림과 같이 $\overline{AB}=\overline{AC}=13$ cm이고, $\overline{BC}=10$ cm 인 이등변삼각형 ABC가 있다. 점 A에서 $\overline{BC}$에 내린 수선의 발을 H 라 할 때, 다음 물음에 답하시오.

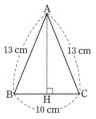

79 $\overline{AH}$의 길이는?

① 10 cm   ② 11 cm

③ 12 cm   ④ 13 cm   ⑤ 14 cm

80 △ABC의 넓이는?

① 30 cm²   ② 40 cm²   ③ 45 cm²

④ 50 cm²   ⑤ 60 cm²

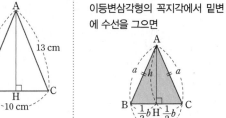

이등변삼각형의 꼭지각에서 밑변에 수선을 그으면

$\overline{BH}=\dfrac{1}{2}b$이므로 △ABH에서 피타고라스 정리에 의해

$$h^2=a^2-\left(\dfrac{1}{2}b\right)^2$$

81 오른쪽 그림과 같은 이등변삼각형 ABC의 꼭짓점 A에 서 $\overline{BC}$에 내린 수선의 발을 H라 할 때, $\overline{AH}$의 길이를 구하시오.

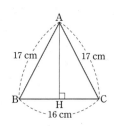

82 오른쪽 그림과 같이 $\overline{AB}=\overline{AC}$인 이등변삼각형에서 $\overline{AB}=10$ cm, $\overline{BC}=12$ cm일 때, △ABC의 넓이를 구 하시오.

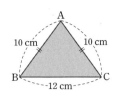

83 오른쪽 그림과 같이 $\overline{AB}=\overline{AC}$인 이등변삼 각형 ABC의 한 변 BC 위에 임의의 한 점 P를 잡았다. 점 P에서 $\overline{AB}$, $\overline{AC}$에 내린 수 선의 발을 각각 Q, R라 할 때, $\overline{PQ}+\overline{PR}$의 길이를 구하시오.

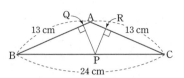

$\overline{AP}$를 그으면 △ABC=△ABP+△ACP

14 좌표평면 위의 두 점 사이의 거리

84 두 점 (a, b), $(a-3, b+4)$ 사이의 거리를 구하시오.

두 점 사이의 거리
두 점 $P(x_1, y_1)$, $Q(x_2, y_2)$ 사이의 거리
$\Rightarrow \overline{PQ}^2=(x_2-x_1)^2+(y_2-y_1)^2$

85 다음 **보기**에서 두 점 사이의 거리가 가장 짧은 것과 가장 긴 것을 차례로 쓰시오.

┌─ 보기 ─┐

ㄱ. $O(0, 0)$, $A(-2, 3)$　　ㄴ. $B(-3, 4)$, $C(1, 2)$

ㄷ. $D(2, 5)$, $E(-1, 0)$　　ㄹ. $F(5, 3)$, $G(2, -3)$

86 좌표평면 위의 두 점 $A(-7, -3)$, $B(x, 2)$에서 $\overline{AB}=13$일 때, 모든 x의 값의 합은?

① -14　　　　② -10　　　　③ -8

④ 10　　　　⑤ 14

$x^2=a^2 (a>0)$일 때,
$x=a$ 또는 $x=-a$임에 주의한다.

87 좌표평면 위의 세 점 $A(-3, 1)$, $B(0, -1)$, $C(2, 2)$를 꼭짓점으로 하는 △ABC에 대하여 다음 **보기**에서 옳은 것을 모두 고르시오.

┌─ 보기 ─┐

ㄱ. $\overline{AB}=\overline{BC}$　　ㄴ. $\overline{AC}=\overline{BC}$　　ㄷ. $\overline{AB}=\overline{AC}$

ㄹ. 둔각삼각형　　ㅁ. 예각삼각형　　ㅂ. 직각삼각형

세 점을 꼭짓점으로 하는 삼각형의 모양
두 점 사이의 거리를 각각 구하여 세 변의 길이를 구한 후, 삼각형이 어떤 모양인지 결정한다.

88 좌표평면 위의 세 점 A(0, −3), B(1, −1), C(−2, 4)를 꼭짓점으로 하는 △ABC에 대하여 다음 중 옳은 것을 모두 고르면? (정답 2개)

① $\overline{AB}=5$ ② $\overline{BC}^2=34$ ③ 예각삼각형

④ 직각삼각형 ⑤ 둔각삼각형

89 좌표평면 위의 세 점 A(2, −2), B(−1, −3), C(−2, 0)을 꼭짓점으로 하는 △ABC는 어떤 삼각형인지 그 모양을 말하고, 넓이를 차례로 구하시오.

15 사다리꼴에서 피타고라스 정리의 활용

90 오른쪽 그림과 같은 사다리꼴 ABCD에서 $\overline{AB}=10\,\text{cm}$, $\overline{AD}=2\,\text{cm}$, $\overline{CD}=6\,\text{cm}$일 때, □ABCD의 넓이는?

① $28\,\text{cm}^2$ ② $30\,\text{cm}^2$ ③ $36\,\text{cm}^2$

④ $40\,\text{cm}^2$ ⑤ $44\,\text{cm}^2$

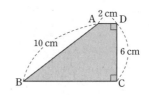

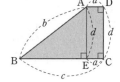

점 A에서 $\overline{BC}$에 수선을 내리면

직각삼각형 ABE에서
$b^2=(c-a)^2+d^2$

91 오른쪽 그림과 같은 사다리꼴 ABCD에서 $\overline{AB}+\overline{BD}$의 길이는?

① 24 cm ② 25 cm ③ 27 cm

④ 28 cm ⑤ 30 cm

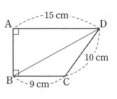

92 오른쪽 그림과 같은 등변사다리꼴 ABCD에서 $\overline{AB}=13\,cm$, $\overline{AD}=2\,cm$, $\overline{BC}=12\,cm$일 때, □ABCD의 넓이를 구하시오.

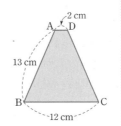

두 점 A, D에서 $\overline{BC}$에 수선을 각각 그어 직각삼각형에서 피타고라스 정리를 이용해 □ABCD의 높이를 구한다.

93 오른쪽 그림과 같은 등변사다리꼴 ABCD에서 $\overline{BD}^2$의 값을 구하시오.

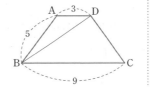

16 접은 도형

94 오른쪽 그림과 같은 직사각형 모양의 종이를 점 D가 $\overline{BC}$ 위의 점 E에 오도록 접었을 때, △AEF의 넓이는?

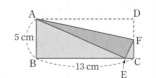

① $\dfrac{13}{5}\,cm^2$ ② $13\,cm^2$ ③ $15\,cm^2$

④ $\dfrac{169}{10}\,cm^2$ ⑤ $\dfrac{169}{5}\,cm^2$

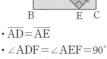

- $\overline{AD}=\overline{AE}$
- $\angle ADF=\angle AEF=90°$
- $\overline{DF}=\overline{EF}=x$라 하면 $\overline{CF}=\overline{AB}-x$

95 오른쪽 그림과 같이 $\overline{AB}=8$인 직사각형 모양의 종이를 점 D가 $\overline{BC}$ 위의 점 E에 오도록 접었다. $\overline{CE}=4$일 때, $\overline{AF}^2$의 값을 구하시오.

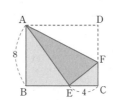

96 오른쪽 그림과 같이 좌표평면 위에 두 점 A(1, 7), B(7, 1)가 있다. x축 위의 임의의 점 P에 대하여 $\overline{AP}+\overline{BP}$의 최솟값을 구하시오.

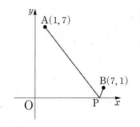

꺾인 선분인 $\overline{AP}+\overline{BP}$의 최솟값 구하기

점 B를 직선 l에 대하여 대칭이동한 점을 B'이라 하면 $\overline{AP}+\overline{BP}$의 최솟값은 $\overline{AB'}$의 길이와 같다. 즉 $\overline{AP}+\overline{BP}=\overline{AP}+\overline{B'P}\geq\overline{AB'}$

97 오른쪽 그림에서 $\overline{CA}\perp\overline{AB}$, $\overline{DB}\perp\overline{AB}$이고 점 P는 $\overline{AB}$ 위를 움직인다. $\overline{CA}=3$ cm, $\overline{AB}=12$ cm, $\overline{BD}=2$ cm일 때, $\overline{CP}+\overline{PD}$의 최솟값을 구하시오.

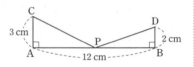

98 오른쪽 그림과 같은 직사각형 ABCD에서 $\overline{BC}$ 위의 한 점 P에서 출발하여 $\overline{CD}$, $\overline{AB}$ 위의 두 점 Q, R를 차례로 한 번씩 거쳐 $\overline{AD}$ 위의 점 S에 도달했을 때, $\overline{PQ}+\overline{QR}+\overline{RS}$의 최솟값을 구하시오.

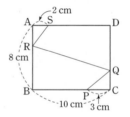

99 오른쪽 그림과 같은 직육면체의 꼭짓점 A에서 출발하여 모서리 DC를 지나 꼭짓점 G에 이르는 최단 거리는?

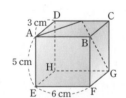

① 8 cm   ② 9 cm

③ 10 cm   ④ 11 cm   ⑤ 12 cm

100 오른쪽 그림과 같은 직육면체의 꼭짓점 A에서 출발하여 겉면을 따라 모서리 BC, FG, EH 위의 세 점 P, Q, R를 지나 꼭짓점 D에 이르는 최단 거리를 구하시오.

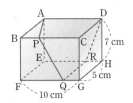

101 오른쪽 그림과 같이 밑면의 반지름의 길이가 4 cm이고 높이가 6π cm인 원기둥이 있다. 점 A에서 옆면을 따라 점 B까지 실을 팽팽하게 감을 때, 이 실의 길이의 최솟값을 구하시오.

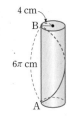

원기둥의 전개도에서 최단 거리

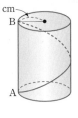

102 오른쪽 그림과 같이 밑면의 반지름의 길이가 2 cm인 원기둥의 점 A에서 원기둥의 옆면을 따라 점 B에 이르는 최단 거리가 5π cm일 때, 이 원기둥의 높이는?

① 3π cm   ② 4π cm   ③ 5π cm

④ 6π cm   ⑤ 7π cm

103 오른쪽 그림과 같이 밑면의 반지름의 길이가 3 cm이고 높이가 5π cm인 원기둥이 있다. 점 A에서 옆면을 따라서 두 바퀴를 돌아 점 B에 이르는 최단 거리를 구하시오.

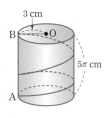

104 오른쪽 그림과 같은 원뿔대에서 $\overline{AB}=8\,cm$, 윗면의 반지름의 길이는 $2\,cm$, 밑면의 반지름의 길이는 $4\,cm$이다. 점 M이 모선 AB의 중점일 때, 점 B를 출발하여 원뿔대의 옆면을 따라 점 M에 이르는 최단 거리를 구하시오.

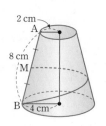

주어진 원뿔대로 원뿔을 만든 후, 그 전개도에서 부채꼴의 중심각의 크기를 생각한다.

19 입체도형에서 단면의 넓이와 접하는 도형

105 오른쪽 그림과 같이 반지름의 길이가 $10\,cm$인 구를 중심으로부터 $5\,cm$만큼 떨어진 지점에서 평면으로 자를 때 생기는 단면의 넓이를 구하시오.

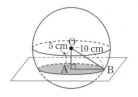

106 오른쪽 그림과 같이 반지름의 길이의 $\frac{1}{2}$인 지점을 지나는 평면에 의해 잘려서 생긴 단면의 넓이가 $12\pi\,cm^2$일 때, 이 구의 부피를 구하시오.

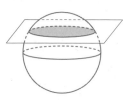

(반지름의 길이가 r인 구의 부피)
$=\dfrac{4}{3}\pi r^3$

107 오른쪽 그림과 같이 반지름의 길이가 $5\,cm$인 구에 원뿔이 내접해 있다. 원뿔의 높이가 $9\,cm$일 때, 이 원뿔의 부피는?

① $9\pi\,cm^3$　　　② $18\pi\,cm^3$

③ $27\pi\,cm^3$　　　④ $48\pi\,cm^3$

⑤ $81\pi\,cm^3$

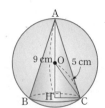

단원 종합 문제

01 오른쪽 그림은 ∠C=90° 인 직각삼각형 ABC에서 각 변을 한 변으로 하는 정사각형을 그린 것이다. 다음 중 △CDE와 넓이가 같지 <u>않은</u> 것을 모두 고르면? (정답 2개)

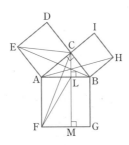

① △EAB   ② △BCE   ③ △CAF

④ △FML   ⑤ △ABH

02 오른쪽 그림은 ∠C=90°인 직각삼각형 ABC와 합동인 3개의 삼각형을 모아 정사각형 CDEF를 만든 것이다. $\overline{AC}=3\,\text{cm}$, $\overline{BC}=5\,\text{cm}$일 때, □AGHB의 넓이는?

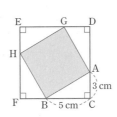

① $16\,\text{cm}^2$ ② $28\,\text{cm}^2$ ③ $34\,\text{cm}^2$

④ $36\,\text{cm}^2$ ⑤ $48\,\text{cm}^2$

03 오른쪽 그림과 같이 직사각형 ABCD의 내부에 한 점 P가 있을 때, x^2+y^2의 값은?

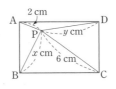

① 40   ② 50   ③ 52

④ 54   ⑤ 56

04 오른쪽 그림과 같은 직각삼각형 ABC에서 $\overline{DE}^2$의 값을 구하시오.

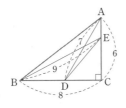

05 오른쪽 그림에서 $\overline{AB}=\overline{BC}=\overline{CD}=\overline{DE}=1$일 때, $\overline{AE}$의 길이는?

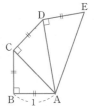

① 1   ② $\dfrac{3}{2}$

③ 2   ④ $\dfrac{5}{2}$

⑤ 3

06 오른쪽 그림과 같은 이등변삼각형 ABC의 꼭짓점 A에서 $\overline{BC}$에 내린 수선의 발을 H라 할 때, $\overline{AH}$를 한 변으로 하는 정사각형의 넓이를 구하시오.

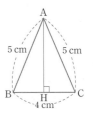

07 두 점 A(7, −1), B(−5, a) 사이의 거리가 13일 때, a의 값은? (단, $a<0$)

① −6   ② −5   ③ −4

④ −3   ⑤ −2

08 세 점 A(2, 1), B(0, −5), C(−4, −1)을 꼭짓점으로 하는 △ABC는 어떤 삼각형인가?

① 정삼각형

② 둔각삼각형

③ ∠A=90°인 직각삼각형

④ $\overline{AB}=\overline{AC}$인 이등변삼각형

⑤ ∠B=90°이고 $\overline{AB}=\overline{BC}$인 직각이등변삼각형

09 오른쪽 그림과 같은 직각삼각형 ABC에서 $\overline{CH}\perp\overline{AB}$이고 $\overline{AB}=13$ cm, $\overline{AC}=12$ cm일 때, $\overline{CH}$의 길이를 구하시오.

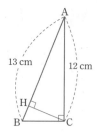

10 $\triangle ABC$에서 $\angle A$, $\angle B$, $\angle C$의 대변의 길이를 각각 a, b, c라 할 때, 다음 **보기** 중 옳은 것의 개수는?

┌──────── 보기 ────────┐
ㄱ. $\angle A>90°$이면 $a^2>b^2+c^2$
ㄴ. $\angle B<90°$이면 $b^2>a^2+c^2$
ㄷ. $\angle B=90°$이면 $b^2=a^2+c^2$
ㄹ. $\angle C>90°$이면 $a^2<b^2+c^2$
ㅁ. $\angle C<90°$이면 $c^2<a^2+b^2$
└──────────────────────┘

① 1개   ② 2개   ③ 3개
④ 4개   ⑤ 5개

11 $\triangle ABC$에서 $\overline{AB}=6$ cm, $\overline{BC}=8$ cm, $\overline{CA}=11$ cm일 때, 다음 중 $\triangle ABC$에 대한 설명으로 옳은 것은?

① $\angle A<90°$인 예각삼각형이다.
② $\angle A>90°$인 둔각삼각형이다.
③ $\angle B<90°$인 예각삼각형이다.
④ $\angle B>90°$인 둔각삼각형이다.
⑤ $\angle C>90°$인 둔각삼각형이다.

12 오른쪽 그림과 같은 직사각형 모양의 종이 ABCD를 $\overline{DE}$를 접는 선으로 하여 꼭짓점 A가 $\overline{BC}$ 위의 점 F에 오도록 접었다. $\overline{AB}=8$ cm, $\overline{AD}=10$ cm일 때, $\overline{EF}$의 길이를 구하시오.

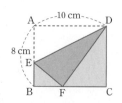

13 오른쪽 그림과 같이 $\angle A=90°$인 직각삼각형 ABC에서 세 변을 지름으로 하는 반원을 그렸다. 이때 어두운 부분의 넓이는?

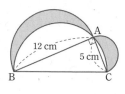

① 30 cm²   ② 48 cm²   ③ 60 cm²
④ 72π cm²   ⑤ 169π cm²

14 오른쪽 그림과 같이 두 정사각형 ABCD, CEFG를 세 점 B, C, E가 일직선이 되도록 겹치지 않게 붙여 놓았다. 두 정사각형의 넓이가 각각 4 cm², 36 cm²일 때, $\overline{BF}$의 길이는?

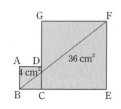

① 7 cm   ② 8 cm   ③ 9 cm
④ 10 cm   ⑤ 11 cm

15 오른쪽 그림과 같이 밑면의 모양이 정사각형인 건물 (가), (나)를 철거하고 그 자리에 도로를 만들고 건물 (다)를 새로 지으려고 한다. 건물 (다)의 밑면의 모양은 건물 (가), (나)의 꼭짓점 A, B를 지나면서 도로에 인접하고 선분 AB를 한 변으로 하는 정사각형이다. 건물 (가), (나)의 밑면의 넓이가 각각 2500 m², 900 m²일 때, 건물 (다)의 밑면의 넓이를 구하시오.

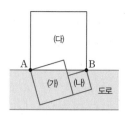

V 확률

1 경우의 수

1 경우의 수

(1) **사건** : 동일한 조건에서 여러 번 반복한 실험이나 관찰을 통해 얻을 수 있는 결과

(2) **경우의 수** : 어떤 사건이 일어나는 가짓수

✛ 동전을 던진다. ➡ 시행
  앞면이 나온다. ➡ 사건

2 사건 A 또는 사건 B가 일어나는 경우의 수 (합의 법칙)

두 사건 A, B가 동시에 일어나지 않을 때, 사건 A가 일어나는 경우의 수가 m, 사건 B가 일어나는 경우의 수가 n이면

  (사건 A 또는 사건 B가 일어나는 경우의 수)$=m+n$

예 1에서 10까지의 자연수가 각각 적힌 10장의 카드에서 한 장을 뽑을 때,
  2의 배수가 나오는 경우의 수 : 5
  7의 배수가 나오는 경우의 수 : 1
  ➡ 2의 배수 또는 7의 배수가 나오는 경우의 수 : 5+1=6

> **주의**
> 두 사건이 동시에 일어나지 않을 때, '~ 또는', '~이거나'와 같은 표현이 나오면 합의 법칙을 이용하여 경우의 수를 구한다.

3 두 사건 A와 B가 동시에 일어나는 경우의 수 (곱의 법칙)

두 사건 A, B가 동시에 일어날 때, 사건 A가 일어나는 경우의 수가 m이고, 그 각각의 경우에 대하여 사건 B가 일어나는 경우의 수가 n이면

  (두 사건 A, B가 동시에 일어나는 경우의 수)$=m \times n$

예 동전 한 개와 주사위 한 개를 동시에 던질 때,
  동전 한 개를 던질 때 일어나는 경우의 수 : 2
  주사위 한 개를 던질 때 일어나는 경우의 수 : 6
  ➡ 동전 한 개와 주사위 한 개를 동시에 던질 때 일어나는 경우의 수 : 2×6=12

> **주의**
> 두 사건이 동시에 일어날 때, '동시에', '~이고', '~와' 같은 표현이 나오면 곱의 법칙을 이용하여 경우의 수를 구한다.

4 정수 또는 홀수, 짝수를 만드는 경우의 수

(1) 서로 다른 숫자가 각각 적힌 n장의 카드에서 3장을 뽑아 세 자리의 정수를 만드는 경우의 수

  ① 0이 포함되지 않는 경우 ➡ $n \times (n-1) \times (n-2)$

  ② 0이 포함된 경우 ➡ $(n-1) \times (n-1) \times (n-2)$

(2) **홀수, 짝수가 되는 경우의 수**

  일의 자리의 숫자가 홀수, 짝수인 경우를 각각 따져 본다.

예 1에서 5까지의 자연수가 각각 적힌 5장의 카드에서 3장을 뽑아 세 자리의 정수를 만드는 경우
  (1) 정수의 개수 ➡ 5×4×3=60
  (2) 짝수의 개수 ➡ □□2인 경우 : 4×3=12, □□4인 경우 : 4×3=12
    ∴ 12+12=24

> **주의**
> 0이 포함된 경우 0은 맨 앞자리에 올 수 없다.
> $(n-1) \times (n-1) \times (n-2)$
> n가지에서   앞자리에서 사용한 수를
> 0을 제외   제외하고 0을 포함

5 한 줄로 세우는 경우의 수

(1) n명을 한 줄로 세우는 경우의 수 ➡ $\underbrace{n\times(n-1)\times(n-2)\times\cdots\times2\times1}_{n\text{개}}$

(2) n명 중 2명을 뽑아 한 줄로 세우는 경우의 수 ➡ $\underbrace{n\times(n-1)}_{2\text{개}}$

(3) n명 중 r명을 뽑아 한 줄로 세우는 경우의 수

➡ $\underbrace{n\times(n-1)\times(n-2)\times\cdots\times(n-r+1)}_{r\text{개}}$ (단, $n\geq r$)

@ A, B, C, D 네 사람이 있을 때,
(1) 한 줄로 세우는 경우의 수 ➡ $4\times3\times2\times1=24$
(2) 2명을 뽑아 한 줄로 세우는 경우의 수 ➡ $4\times3=12$

주의
n명 중 2명을 뽑아 한 줄로 세울 때,

$n\times(n-1)$
├─ 이미 뽑은 1명을 제외하고 남은 $(n-1)$명 중에서 1명을 뽑는 경우의 수
└─ n명 중에서 1명을 뽑는 경우의 수

6 특별한 경우의 한 줄로 세우는 경우의 수

(1) 이웃하여 한 줄로 세우는 경우의 수

(이웃하는 것을 하나로 묶어서 한 줄로 세우는 경우의 수)

×(한 묶음 속에서 자리를 바꾸는 경우의 수)

(2) 특정한 자리를 고정하고 한 줄로 세우는 경우의 수

특정한 대상을 이미 뽑았다고 생각하고 나머지 대상을 조건에 맞게 나열한다.

@ (1) A, B, C, D, E 5명을 일렬로 세울 때, A, B가 이웃하는 경우의 수
➡ (A, B를 한 명으로 생각하여 한 줄로 세우는 경우의 수)×(A, B가 자리를 바꾸는 경우의 수)
∴ $(4\times3\times2\times1)\times(2\times1)=48$
(2) A, B, C, D, E 5명을 일렬로 세울 때, E가 가운데에 서는 경우의 수
➡ E의 자리는 정해졌으므로 A, B, C, D 4명을 한 줄로 세우는 경우의 수와 같다.
∴ $4\times3\times2\times1=24$

✚ 경우의 수를 구하는 것은 일어날 가능성이 몇 가지인지를 구하는 것이므로 미리 정해진 조건에 대해서는 경우의 수를 생각할 필요가 없다.

7 대표를 뽑는 경우의 수

(1) 뽑는 순서와 관계가 있는 경우의 수
① n명 중 자격이 다른 2명을 뽑는 경우의 수 ➡ $n\times(n-1)$
② n명 중 자격이 다른 3명을 뽑는 경우의 수 ➡ $n\times(n-1)\times(n-2)$

(2) 뽑는 순서와 관계가 없는 경우의 수
① n명 중 자격이 같은 2명을 뽑는 경우의 수 ➡ $\dfrac{n\times(n-1)}{2\times1}$
② n명 중 자격이 같은 3명을 뽑는 경우의 수 ➡ $\dfrac{n\times(n-1)\times(n-2)}{3\times2\times1}$

✚ 뽑는 순서와 관계가 없을 때의 경우의 수는 뽑는 순서와 관계가 있을 때의 경우로 계산하고 중복되는 개수만큼 나누어 준다.
예를 들어 A, B, C, D 4명 중 2명의 대표를 뽑는 경우에는
(A, B)와 (B, A)가 같은 것이 되기 때문에 4명 중 자격이 다른 2명을 뽑는 경우의 수를 2로 나누어 준다.
➡ $\dfrac{4\times(4-1)}{2}$

8 선분 또는 삼각형의 개수

한 직선 위에 있지 않은 서로 다른 n개의 점들이 있을 때,

(1) 두 점을 이어서 만들 수 있는 선분의 개수 ➡ $\dfrac{n\times(n-1)}{2\times1}$

(2) 세 점을 이어서 만들 수 있는 삼각형의 개수 ➡ $\dfrac{n\times(n-1)\times(n-2)}{3\times2\times1}$

주제별 실력다지기

01 현정이는 문구점에서 펜을 사려고 한다. 빨간색 펜이 3종류, 파란색 펜이 5종류, 검정색 펜이 2종류 있을 때, 이 중에서 현정이가 1자루의 펜을 사는 경우의 수를 구하시오.

02 1부터 20까지의 자연수가 각각 적힌 20장의 카드가 있다. 이 중에서 한 장의 카드를 뽑을 때, 4의 배수 또는 9의 배수가 적힌 카드가 나오는 경우의 수는?

① 4   ② 5   ③ 6
④ 7   ⑤ 8

'또는'이 쓰인 두 사건은 각각의 경우의 수를 구하여 더한다.

03 1부터 15까지의 자연수가 각각 적힌 15장의 카드가 있다. 이 중에서 한 장의 카드를 뽑을 때, 3의 배수 또는 4의 배수가 적힌 카드가 나오는 경우의 수는?

① 7   ② 8   ③ 10
④ 12   ⑤ 15

두 사건이 동시에 일어나는 경우의 수를 구하여 빼준다.

04 서로 다른 동전 3개와 주사위 2개를 동시에 던질 때, 일어나는 모든 경우의 수를 구하시오.

'그리고'가 쓰인 두 사건은 각각의 경우의 수를 구하여 곱한다.

05 a의 값은 1, 3, 5이고 b의 값은 2, 4, 5, 7일 때, 만들 수 있는 순서쌍 (a, b)는 모두 몇 개인가?

① 10개   ② 12개   ③ 18개
④ 20개   ⑤ 24개

06 1부터 10까지의 자연수가 각각 적힌 10장의 카드에서 두 장의 카드를 뽑을 때, 한 장은 3의 배수, 다른 한 장은 4의 배수가 적힌 카드가 나오는 경우의 수는?

① 3   ② 5   ③ 6
④ 8   ⑤ 9

07 서로 다른 두 개의 동전과 한 개의 주사위를 동시에 던질 때, 동전은 앞면과 뒷면이 각각 한 개씩 나오고, 주사위는 홀수의 눈이 나오는 경우의 수는?

① 3   ② 5   ③ 6
④ 12   ⑤ 24

08 다음 그림과 같이 5개의 전구를 켜고 끄는 것으로 신호를 만들려고 한다. 만들 수 있는 신호는 모두 몇 가지인가? (단, 전구가 모두 꺼진 경우는 신호로 생각하지 않는다.)

① 16가지   ② 25가지   ③ 28가지
④ 31가지   ⑤ 32가지

09 빨강, 노랑, 초록, 파랑, 검정의 5가지 색연필이 있다. 이 중 4가지 색연필을 골라 오른쪽 그림의 A, B, C, D에 서로 다른 색을 칠하려고 할 때, 색칠할 수 있는 방법은 모두 몇 가지인지 구하시오.

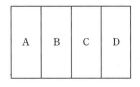

10 오른쪽 그림의 A, B, C 세 부분에 빨강, 파랑, 노랑의 3가지 색을 칠하려고 한다. 같은 색을 여러 번 써도 좋으나 이웃하는 부분은 서로 다른 색을 칠하는 방법의 수는?

A에 칠한 색은 C에도 칠할 수 있다.

① 3   ② 6   ③ 12
④ 18   ⑤ 27

11 오른쪽 그림의 A, B, C, D 네 부분에 빨강, 노랑, 초록, 파랑의 4가지 색을 칠하려고 한다. 같은 색을 여러 번 써도 좋으나 이웃하는 부분은 서로 다른 색을 칠하는 방법의 수를 구하시오.

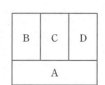

다른 부분과 가장 많이 인접해 있는 부분부터 경우의 수를 생각한다.

12 오른쪽 그림의 가, 나, 다, 라, 마의 각 부분에 빨강, 파랑, 노랑, 초록, 주황의 5가지 색을 칠하려고 한다. 같은 색을 여러 번 써도 좋으나 이웃하는 부분은 서로 다른 색을 칠하는 경우의 수는?

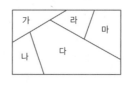

① 80   ② 90   ③ 180

④ 270   ⑤ 540

---

3 합의 법칙, 곱의 법칙을 사용하는 사건의 경우의 수

13 오른쪽 그림과 같은 길이 있을 때, A에서 출발하여 B까지 가는 모든 방법의 수를 구하시오. (단, 동일한 지점은 한 번만 지난다.)

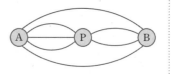

A에서 B까지 가는 방법은 'A → B'와 'A → P → B'의 2가지이다.

14 오른쪽 그림과 같은 길이 있을 때, A에서 C까지 갈 수 있는 모든 방법의 수를 구하시오.
(단, 동일한 지점은 한 번만 지난다.)

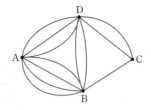

15 두 개의 주사위 A, B를 동시에 던져서 A 주사위에서 나온 눈의 수를 a, B 주사위에서 나온 눈의 수를 b라 할 때, $a+b$가 짝수인 경우의 수는?

① 6   ② 9   ③ 12

④ 18   ⑤ 24

두 수의 합이 짝수인 경우는 '두 수 모두 짝수' 또는 '두 수 모두 홀수'의 2가지이다.

16 a, b, c, d의 문자를 사전식으로 $abcd$부터 $dcba$까지 배열할 때, $cadb$는 몇 번째에 오는 문자인지 구하시오.

a로 시작하는 단어, b로 시작하는 단어의 개수를 차례로 센 후 c로 시작하는 단어의 개수를 구한다.

4 가능한 모든 경우를 직접 세어야 하는 사건의 경우의 수

17 서로 다른 두 개의 주사위를 동시에 던질 때, 나온 두 눈의 수의 합이 6이 되는 경우의 수는?

① 3　　　　　　　② 4　　　　　　　③ 5
④ 6　　　　　　　⑤ 7

서로 다른 주사위 2개를 던질 때 두 눈의 수의 합 또는 차, 곱이 주어진 경우의 수는 공식만으로는 안되고 직접 세어야 할 때가 많다.

18 한 개의 동전과 서로 다른 두 개의 주사위를 동시에 던질 때, 동전은 앞면 또는 뒷면이 나오고 두 주사위의 눈의 수의 합이 8이 되는 경우의 수는?

① 5　　　　　　　② 7　　　　　　　③ 8
④ 10　　　　　　　⑤ 12

19 주사위 한 개를 두 번 던져서 처음에 나온 눈의 수를 a, 나중에 나온 눈의 수를 b라 할 때, 서로 다른 두 직선 $y=ax+1$과 $y=2x+b$의 교점의 x좌표가 1이 되는 경우의 수를 구하시오.

20 서로 다른 3개의 바구니에 1부터 5까지의 숫자가 각각 적힌 공이 5개씩 들어 있다. 3개의 바구니에서 공을 하나씩 꺼냈을 때, 공에 적힌 수의 합이 13 이상이 되는 경우의 수를 구하시오.

21 세 사람이 가위바위보를 할 때, 승패가 결정되는 경우의 수는?

① 6　　　　　　　② 9　　　　　　　③ 18

④ 27　　　　　　　⑤ 81

22 길이가 2 cm, 3 cm, 5 cm, 6 cm인 4개의 선분이 있다. 이 중에서 3개를 택하여 삼각형을 만들 수 있는 경우의 수는?

① 1　　　　　　　② 2　　　　　　　③ 3

④ 4　　　　　　　⑤ 5

23 x의 값이 a, b, c이고 y의 값이 1, 2, 3인 함수 $y=f(x)$에 대하여 $f(a)+f(b)+f(c)=5$가 되는 경우의 수는?

① 2　　　　　　　② 4　　　　　　　③ 6

④ 8　　　　　　　⑤ 10

24 x의 값이 1, 2, 3이고 y의 값이 1, 2, 3, 4, 5, 6인 함수 $y=f(x)$에 대하여 $x_1<x_2$이면 $f(x_1)<f(x_2)$인 함수의 개수를 구하시오.

x의 값이 커질 때 y의 값도 커지도록 대응시킨다.

25 0에서 9까지의 숫자를 이용하여 1로 시작되는 세 자리의 자연수를 만들 때, 오른쪽 **보기**와 같이 두 개의 숫자가 같은 세 자리의 자연수는 모두 몇 개인지 구하시오.

┌─── 보기 ───┐
　121, 113, 177, …
└──────────┘

두 개의 숫자가 같은 경우를
(i) 같은 숫자가 1인 경우
(ii) 같은 숫자가 1이 아닌 경우
로 나누어 생각한다.

26 주사위 한 개를 두 번 던져서 나온 눈의 수를 차례로 a, b라 할 때, $\dfrac{10a+b}{75}$ 를 유한소수로 나타낼 수 있는 경우의 수를 구하시오.

유한소수로 나타내려면 기약분수의 분모의 소인수가 2나 5뿐이어야 한다.

27 문섭, 강식, 기훈, 승우 네 사람은 점심을 먹기 위해 중국집에 갔다. 문섭이와 강식이는 자장면을, 기훈이와 승우는 짬뽕을 주문했다. 웨이터가 4명 앞에 음식을 마음대로 놓았을 때, 자신이 주문한 음식을 받는 사람이 2명인 경우의 수를 구하시오.

주문한 음식을 받는 사람을 먼저 정해놓은 후 문제의 뜻에 맞는 경우를 구한다.

28 시험장에 4명의 수험생의 이름이 각각 적혀 있는 4개의 의자가 있다. 4명의 수험생이 임의로 앉을 때, 모두 자신의 자리가 아닌 의자에 앉게 되는 경우의 수를 구하시오.

5 금액을 지불하는 경우의 수

29 500원짜리, 100원짜리, 50원짜리 동전이 각각 3개씩 있다. 이때 각각의 동전을 적어도 1개 이상 사용하여 돈을 지불하는 방법의 수를 구하시오.

'돈을 지불하는 방법의 수'를 구하는 유형과 '정해진 금액을 지불하는 방법의 수'를 구하는 유형의 풀이법을 각각 익힌다.

30 500원짜리 동전 2개와 100원짜리 동전 3개를 사용하여 지불할 수 있는 금액은 모두 몇 가지인가? (단, 지불하는 금액이 0원인 경우는 제외한다.)

① 5가지 ② 6가지 ③ 9가지
④ 11가지 ⑤ 15가지

31 보람이가 편의점에서 700원짜리 음료수를 사고 돈을 지불하려고 한다. 100원짜리 동전 8개, 50원짜리 동전 5개, 10원짜리 동전 5개를 가지고 있을 때, 지불할 수 있는 모든 경우의 수는?

① 6   ② 7   ③ 8
④ 9   ⑤ 10

표를 이용하여 700원이 되도록 하는 동전의 개수를 구한다.

6 숫자를 배열하는 경우의 수 – 0이 포함되지 않는 경우

32 1, 2, 3, 4, 5의 숫자가 각각 적힌 5장의 카드에서 4장을 뽑아 만들 수 있는 네 자리의 정수는 모두 몇 개인가?

$$\boxed{1}\ \boxed{2}\ \boxed{3}\ \boxed{4}\ \boxed{5}$$

① 5개   ② 20개   ③ 24개
④ 60개   ⑤ 120개

33 1, 2, 3, 4의 4개의 숫자를 사용하여 만들 수 있는 두 자리의 정수 중 짝수는 모두 몇 개인가? (단, 같은 숫자는 중복하여 사용하지 않는다.)

① 2개   ② 4개   ③ 6개
④ 8개   ⑤ 10개

34 1부터 5까지의 숫자가 각각 적힌 5장의 카드에서 3장을 뽑아 세 자리의 정수를 만들 때, 350보다 작은 수는 모두 몇 개인가?

① 20개   ② 24개   ③ 30개
④ 33개   ⑤ 36개

35 서로 다른 두 개의 주사위를 동시에 던져서 나온 눈의 수를 각각 십의 자리의 숫자, 일의 자리의 숫자로 하여 두 자리의 정수를 만들 때, 20번째로 작은 수를 구하시오.

7 숫자를 배열하는 경우의 수 – 0이 포함된 경우

36 0부터 5까지의 숫자가 각각 적힌 6장의 카드에서 3장을 뽑아 만들 수 있는 세 자리의 정수는 모두 몇 개인가?

① 80개　　　　② 90개　　　　③ 100개
④ 110개　　　　⑤ 120개

세 자리의 정수를 만들 때 숫자 '0'은 맨 앞자리, 즉 백의 자리에 올 수 없다.

37 0, 2, 5, 6의 숫자가 각각 적힌 4장의 카드에서 2장을 뽑아 두 자리의 정수를 만들 때, 짝수는 모두 몇 개인지 구하시오.

38 0, 1, 2, 3, 4, 5의 6개의 숫자를 사용하여 두 자리의 정수를 만들 때, 43 이하인 정수는 모두 몇 개인가? (단, 같은 숫자는 중복하여 사용하지 않는다.)

① 17개　　　　② 18개　　　　③ 19개
④ 20개　　　　⑤ 21개

39 0, 1, 2, 3, 4의 숫자가 각각 적힌 5장의 카드에서 3장을 뽑아 세 자리의 정수를 만들 때, 3의 배수는 모두 몇 개인지 구하시오.

각 자리의 숫자의 합이 3의 배수가 되어야 한다.

8 사람을 배열하는 경우의 수 – 이웃 또는 이웃하지 않게 서는 경우

40 남학생 2명과 여학생 3명을 한 줄로 세울 때, 여학생은 여학생끼리, 남학생은 남학생끼리 이웃하여 서는 경우의 수를 구하시오.

이웃하는 학생들을 하나로 묶어서 일렬로 세우는 경우의 수와 묶음 안에서 자리를 바꾸는 경우의 수를 곱한다.

41 서로 다른 곰 인형 4개와 강아지 인형 2개를 한 줄로 세울 때, 강아지 인형끼리 이웃하게 세우는 경우의 수는?

① 60   ② 120   ③ 240

④ 360   ⑤ 720

42 할아버지, 할머니, 부모님과 2명의 자녀를 한 줄로 세워서 사진을 찍으려고 한다. 할아버지와 할머니, 아버지와 어머니가 각각 이웃하여 서는 경우의 수는?

① 24   ② 48   ③ 96

④ 120   ⑤ 240

43 보라, 민주, 은빛, 정원 4명을 한 줄로 세우려고 한다. 이때 민주와 은빛이가 이웃하지 않게 서는 경우의 수를 구하시오.

> 이웃하지 않는 사람 이외의 사람들을 한자리씩 띄워 배열한 후 그 사이사이에 이웃하지 않는 사람들을 배열한다.

44 1, 2, 3, 4, 5의 5개의 숫자를 일렬로 나열하여 다섯 자리의 정수를 만들 때, 각 자리의 숫자 중 짝수가 이웃하지 않게 배열된 정수의 개수를 구하시오. (단, 같은 숫자는 중복하여 사용하지 않는다.)

9 사람을 배열하는 경우의 수 – 특정 대상의 자리를 고정하는 경우

45 희영, 선영, 나연, 현정, 은정 5명 중에서 3명을 뽑아 한 줄로 세울 때, 현정이가 가운데에 서는 경우의 수는?

① 4   ② 6   ③ 12

④ 14   ⑤ 24

> 특정 대상을 지정된 자리에 고정시킨 후 남은 사람들을 한 줄로 세운다.

46 무지개 색깔의 7장의 CD를 한 줄로 나열할 때, 빨간색 CD를 맨 앞에, 보라색 CD를 맨 뒤에 나열하는 경우의 수는?

① 120 ② 240 ③ 720
④ 1440 ⑤ 5040

47 영어 단어 KOREA에서 사용된 5개의 알파벳을 일렬로 나열할 때, K 또는 E가 맨 뒤에 오는 경우의 수는? (단, 같은 문자는 중복하여 사용하지 않는다.)

① 3 ② 6 ③ 12
④ 24 ⑤ 48

48 A, B, C, D 4명이 한 줄로 설 때, A가 B보다 앞에 서는 경우의 수를 구하시오.

먼저 A의 위치를 정한 후 B, C, D를 세우는 경우의 수를 구한다.

10 최단 거리로 가는 경우의 수

49 오른쪽 그림과 같은 길을 A에서 C를 거쳐 B까지 가려고 한다. 최단 거리로 가는 방법의 수는?

① 15 ② 30 ③ 45
④ 60 ⑤ 90

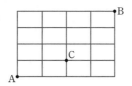

50 오른쪽 그림과 같은 길이 있다. 나연이가 집에서 서점을 들러 현정이네 집까지 가려고 한다. 이때 최단 거리로 가는 방법의 수는?

① 9 ② 12 ③ 18
④ 27 ⑤ 35

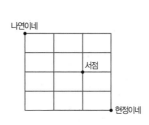

51 오른쪽 그림과 같은 길이 있다. 선균이가 집에서 학원을 가는데 PC방을 지나지 않고 가려고 한다. 이때 최단 거리로 가는 방법의 수를 구하시오.

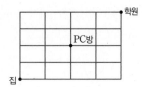

---

11 순서를 생각하지 않고 선택하는 경우의 수

52 4개의 윷짝을 던져서 윷놀이를 할 때, 개가 나오는 경우의 수는?

① 2   ② 4   ③ 6
④ 10   ⑤ 12

서로 다른 n개 중 순서를 생각하지 않고 2개를 뽑는 경우의 수는 서로 다른 n개 중 자격이 같은 2개를 뽑는 경우의 수와 같다.

➡ $\dfrac{n \times (n-1)}{2 \times 1}$

53 5개의 축구팀이 서로 한 번씩만 시합을 한다고 할 때, 모두 몇 번의 시합을 해야 하는가?

① 10번   ② 20번   ③ 40번
④ 60번   ⑤ 120번

54 7명의 사람 모두가 한 사람도 빠짐없이 악수를 한 번씩만 할 때, 악수는 모두 몇 번 하게 되는지 구하시오.

55 어느 중학교 졸업생들이 동창회를 하였는데 참석한 사람 모두가 한 사람도 빠짐없이 악수를 하였더니 총 45번을 하게 되었다. 이때 동창회에 참석한 인원은 모두 몇 명인가?

① 8명   ② 9명   ③ 10명
④ 11명   ⑤ 12명

56 서로 다른 5개의 축구공 중에서 3개를 뽑는 방법의 수를 구하시오.

서로 다른 n개 중 자격이 같은 3개를 뽑는 경우의 수
$$\Rightarrow \frac{n \times (n-1) \times (n-2)}{3 \times 2 \times 1}$$

12 자격이 다른 대표를 뽑는 경우의 수

57 A 중학교 청소년 단체에서 임원을 선출하는데 7명이 후보로 올라왔다. 이 중에서 대표, 부대표, 총무를 각각 1명씩 선출하는 방법의 수는?

① 90　　　　② 130　　　　③ 170
④ 190　　　　⑤ 210

순서를 생각하며 일렬로 나열하는 경우와 같다.

58 남자 3명, 여자 2명 중에서 전교 회장과 부회장을 각각 한 명씩 뽑으려고 한다. 이때 남녀 각각 한 명씩 뽑는 경우의 수는?

① 5　　　　② 6　　　　③ 10
④ 12　　　　⑤ 24

59 상범, 현정, 나연, 지영, 은정 5명의 후보 중에서 회장, 부회장, 총무를 각각 1명씩 뽑을 때, 현정이가 반드시 뽑히는 경우의 수는?

① 6　　　　② 10　　　　③ 12
④ 24　　　　⑤ 36

60 성이 김씨, 박씨, 이씨인 회원이 각각 4명, 3명, 3명이 있다. 이 중에서 대표와 부대표를 각각 1명씩 뽑을 때, 뽑힌 사람의 성이 같을 경우의 수를 구하시오.

13 자격이 같은 대표를 뽑는 경우의 수

61 A, B, C, D 4명의 후보 중에서 대의원 3명을 뽑는 경우의 수는?

① 2 ② 3 ③ 4
④ 8 ⑤ 12

서로 다른 n개 중 자격이 같은 3개를 뽑는 경우의 수
➡ $\frac{n\times(n-1)\times(n-2)}{3\times2\times1}$

62 농구공 6개, 축구공 3개가 담긴 자루에서 2개의 공을 꺼냈을 때, 같은 종류의 공이 나오는 경우의 수를 구하시오.

63 회원이 남학생 5명, 여학생 4명인 모임에서 남학생 2명과 여학생 2명을 대표로 뽑는 경우의 수는?

① 8 ② 10 ③ 15
④ 30 ⑤ 60

64 남학생 A, B, C, D, E 5명과 여학생 F, G 2명이 있다. 이 중에서 3명의 대표를 뽑을 때, 여학생이 반드시 한 명만 뽑히는 경우의 수는?

① 10 ② 15 ③ 20
④ 25 ⑤ 30

65 남학생 3명, 여학생 2명 중에서 대표 2명을 뽑을 때, 여학생이 적어도 한 명 뽑히는 경우의 수를 구하시오.

(여학생이 적어도 한 명 뽑히는 경우의 수)
=(모든 경우의 수)
−(여학생이 한 명도 뽑히지 않는 경우의 수)

14 도형에서의 경우의 수

66 오른쪽 그림과 같이 원 위에 있는 6개의 점으로 만들 수 있는 선분의 개수를 a, 삼각형의 개수를 b라 할 때, $a+b$의 값을 구하시오.

한 직선 위에 있지 않은 n개의 점 중에서
① 두 점을 이어서 만들 수 있는 선분의 개수
$$\Rightarrow \frac{n \times (n-1)}{2 \times 1}$$
② 세 점을 이어서 만들 수 있는 삼각형의 개수
$$\Rightarrow \frac{n \times (n-1) \times (n-2)}{3 \times 2 \times 1}$$

67 원 위에 서로 다른 5개의 점이 있다. 이 중에서 2개의 점을 연결하여 만들 수 있는 서로 다른 반직선의 개수를 구하시오.

68 오른쪽 그림과 같이 두 직선 l, m 위에 9개의 점이 있다. 이 중에서 3개의 점을 연결하여 만들 수 있는 삼각형은 모두 몇 개인지 구하시오.

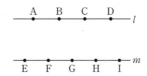

69 오른쪽 그림과 같이 삼각형 ABC의 변 위에 6개의 점이 있다. 이 중에서 3개의 점을 연결하여 만들 수 있는 삼각형의 개수를 구하시오.

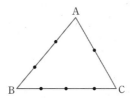

70 오른쪽 그림에서 선분을 따라 만들 수 있는 직사각형은 모두 몇 개인지 구하시오.

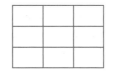

71 오른쪽 그림과 같이 $a/\!/b/\!/c/\!/d$, $l/\!/m/\!/n$인 7개의 직선 a, b, c, d, l, m, n이 있다. 이 직선들로 만들 수 있는 평행사변형은 모두 몇 개인지 구하시오.

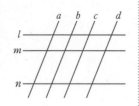

72 오른쪽 그림은 직사각형을 12개의 정사각형으로 나눈 것이다. 이 도형의 선분을 따라 만들 수 있는 직사각형의 개수를 a, 정사각형의 개수를 b라 할 때, $a+b$의 값을 구하시오.

---

15 조편성에서의 경우의 수

73 축구공, 농구공, 배구공, 야구공이 각각 한 개씩 있다. 이 4개의 공을 선영이와 은정이에게 각각 2개씩 나누어 주는 방법의 수를 구하시오.

뽑는 순서와 관계가 없을 때의 경우의 수와 같으므로 뽑는 순서와 관계가 있을 때의 경우로 계산하고 중복되는 개수만큼 나누어 준다.

74 귤 7개를 흰색, 노란색 바구니에 나누어 담으려고 한다. 두 바구니 모두 적어도 1개의 귤을 담으려고 할 때, 담을 수 있는 방법은 모두 몇 가지인가?

① 3가지   ② 4가지   ③ 5가지
④ 6가지   ⑤ 7가지

75 모양과 크기가 같은 6개의 구슬을 서로 다른 바구니 A, B, C에 나누어 담는 방법의 수는? (단, 각 바구니에 적어도 한 개 이상의 구슬을 담아야 한다.)

① 8   ② 10   ③ 20
④ 25   ⑤ 30

2 확률

1 확률의 뜻

하나의 사건이 일어날 수 있는 가능성을 수로 나타낸 것을 사건 A가 일어날 확률이라
한다. 사건 A가 일어날 확률을 p라 하면

$$p = \frac{(\text{사건 } A\text{가 일어나는 경우의 수})}{(\text{일어날 수 있는 모든 경우의 수})}$$

✚ 확률(p)는 probability의
첫 글자이다.

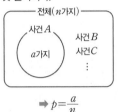

$$\Rightarrow p = \frac{a}{n}$$

2 확률의 성질

(1) 어떤 사건이 일어날 확률을 p라 하면 $0 \le p \le 1$이다.

(2) 반드시 일어나는 사건의 확률은 1이다.

　　⟨예⟩ 주머니 속에 빨간 공 5개가 있을 때, 빨간 공이 나올 확률은 1이다.

(3) 절대로 일어나지 않는 사건의 확률은 0이다.

　　⟨예⟩ 주머니 속에 빨간 공 5개가 있을 때, 검은 공이 나올 확률은 0이다.

3 여사건의 확률

(1) **여사건** : 사건 A가 일어나지 않을 사건을 A의 여사건이라 한다.

(2) 사건 A가 일어날 확률을 p, 사건 A가 일어나지 않을 확률을 q라 하면

　　$q = 1 - p$, 즉 $p + q = 1$

　　⟨예⟩ 내일 제주도에 눈이 내릴 확률이 $\frac{1}{4}$이면 눈이 내리지 않을 확률은 $1 - \frac{1}{4} = \frac{3}{4}$이다.

주의
다음 조건이 있을 때 여사건의
확률을 이용하면 편리하다.
① 적어도 한 개(＝한 개 이상)
② ~가 아닐 확률, ~하지 않을
　확률
③ ~ 이상, ~ 이하일 확률

4 사건 A 또는 사건 B가 일어날 확률(확률의 덧셈)

동시에 일어나지 않는 두 사건 A, B에 대하여 사건 A가 일어날 확률을 p, 사건 B가
일어날 확률을 q라 하면

　　(사건 A 또는 사건 B가 일어날 확률)$= p + q$

⟨예⟩ 서로 다른 두 개의 주사위를 동시에 던질 때,

　　나온 두 눈의 수의 합이 5일 확률은 $\frac{4}{36} = \frac{1}{9}$, 나온 두 눈의 수의 합이 8일 확률은 $\frac{5}{36}$

　　➡ 나온 두 눈의 수의 합이 5 또는 8일 확률 : $\frac{1}{9} + \frac{5}{36} = \frac{9}{36} = \frac{1}{4}$

주의
두 사건이 동시에 일어나지 않을
때, '또는', '~이거나'와 같은 표
현이 있으면 확률의 덧셈을 이용
한다.

5 사건 A와 사건 B가 동시에 일어날 확률(확률의 곱셈)

서로 영향을 끼치지 않는 두 사건 A, B에 대하여 사건 A가 일어날 확률을 p, 사건 B가 일어날 확률을 q라 하면

(사건 A와 사건 B가 동시에 일어날 확률)$=p \times q$

예 두 개의 주사위 A, B를 동시에 던질 때,

주사위 A에서 짝수의 눈이 나올 확률은 $\dfrac{3}{6}=\dfrac{1}{2}$, 주사위 B에서 3의 배수의 눈이 나올 확률은

$\dfrac{2}{6}=\dfrac{1}{3}$

➡ 주사위 A에서는 짝수, 주사위 B에서는 3의 배수의 눈이 나올 확률 : $\dfrac{1}{2} \times \dfrac{1}{3} = \dfrac{1}{6}$

주의
두 사건이 서로 영향을 끼치지 않을 때 '동시에', '그리고', '~이고', '~와'와 같은 표현이 있으면 확률의 곱셈을 이용한다.

6 연속하여 뽑는 경우의 확률

(1) **뽑은 것을 다시 넣고 뽑는 경우**

주머니에서 공을 꺼낼 때, 꺼낸 것을 다시 집어 넣으면 전체 경우의 수는 같다.

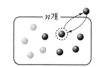

(2) **뽑은 것을 다시 넣지 않고 뽑는 경우**

주머니에서 공을 꺼낼 때, 꺼낸 것을 다시 집어 넣지 않으면 전체 경우의 수가 달라진다.

예 검은 바둑돌 3개, 흰 바둑돌 5개가 들어 있는 주머니에서 바둑돌 두 개를 연속해서 꺼낼 때, 두 개 모두 흰 바둑돌일 확률은

(1) 처음 꺼낸 바둑돌을 다시 넣는 경우 : $\dfrac{5}{8} \times \dfrac{5}{8} = \dfrac{25}{64}$

(2) 처음 꺼낸 바둑돌을 다시 넣지 않는 경우 : $\dfrac{5}{8} \times \dfrac{4}{7} = \dfrac{5}{14}$

주의
전체 개수의 변화에 주의한다.
(1) 뽑은 것을 다시 넣는 경우
➡ 전체 개수는 같다.
(2) 뽑은 것을 다시 넣지 않는 경우 ➡ 전체 개수가 다르다.

7 도형에서의 확률

모든 경우의 수는 도형 전체의 넓이로, 어떤 사건이 일어날 수 있는 경우의 수는 도형에서 해당하는 부분의 넓이로 생각한다.

(도형에서의 확률) $= \dfrac{(\text{해당하는 부분의 넓이})}{(\text{도형 전체의 넓이})}$

예 오른쪽 그림과 같은 원판에 화살을 한 발 쏘았을 때 어두운 부분을 맞힐 확률은 원판에서 어두운 부분이 차지하는 비율인 $\dfrac{1}{4}$과 같다.

✛ 도형에서의 확률은 해당하는 넓이가 도형 전체의 넓이에서 차지하는 비율로 생각한다.

주제별 실력다지기

01 사건 A가 일어날 확률을 p라 할 때, 다음 중 옳지 <u>않은</u> 것을 모두 고르면?

(정답 2개)

① $p = \dfrac{(\text{사건 } A\text{가 일어나는 경우의 수})}{(\text{일어날 수 있는 모든 경우의 수})}$

② 절대로 일어나지 않는 사건의 확률은 0이다.

③ 사건 A가 일어나지 않을 확률은 $1-p$이다.

④ $0 \le p < 1$

⑤ 일어날 가능성이 매우 크다면 그 확률은 1보다 크다.

02 주머니 속에 흰 공 3개, 파란 공 2개, 검은 공 5개가 들어 있다. 이 중에서 공 한 개를 꺼낼 때, 파란 공이 나올 확률은?

① $\dfrac{1}{5}$ ② $\dfrac{3}{10}$ ③ $\dfrac{1}{3}$

④ $\dfrac{1}{2}$ ⑤ $\dfrac{7}{10}$

03 1, 2, 3, 4, 5의 숫자가 각각 적힌 5장의 카드에서 2장을 뽑아 두 자리의 정수를 만들 때, 짝수일 확률은?

① $\dfrac{1}{4}$ ② $\dfrac{2}{5}$ ③ $\dfrac{1}{2}$

④ $\dfrac{3}{5}$ ⑤ $\dfrac{3}{4}$

> 짝수가 되기 위해서는 일의 자리의 숫자가 2 또는 4이어야 한다.

04 아버지, 어머니를 포함한 5명의 가족이 일렬로 설 때, 부모님이 양 끝에 서게 될 확률은?

① $\dfrac{1}{10}$ ② $\dfrac{1}{8}$ ③ $\dfrac{1}{5}$

④ $\dfrac{3}{10}$ ⑤ $\dfrac{2}{3}$

05 A, B, C 세 사람이 가위바위보를 할 때, 비길 확률은?

① $\dfrac{1}{9}$ ② $\dfrac{2}{9}$ ③ $\dfrac{1}{3}$

④ $\dfrac{1}{2}$ ⑤ $\dfrac{2}{3}$

06 A, B, C, D 4명 중에서 3명의 대표를 뽑을 때, A가 반드시 뽑힐 확률을 구하시오.

07 오른쪽 그림과 같은 원판에서 $\overset{\frown}{AB} : \overset{\frown}{BC} : \overset{\frown}{CA} = 1 : 2 : 3$ 이다. 화살을 한 발 쏘았을 때, 어두운 부분을 맞힐 확률을 구하시오. (단, 화살은 원판을 벗어나지 않고, 경계선 위에 꽂히는 경우도 없다.)

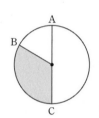

(도형에서의 확률)
$= \dfrac{\text{(해당하는 부분의 넓이)}}{\text{(도형 전체의 넓이)}}$

08 오른쪽 그림과 같은 원 모양의 과녁에 화살을 쏘아 맞힌 부분의 수만큼 점수를 얻는다고 할 때, 화살을 한 발 쏘아 5점을 얻을 확률은? (단, 화살은 원판을 벗어나지 않고, 경계선 위에 꽂히는 경우도 없다.)

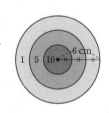

① $\dfrac{1}{9}$ ② $\dfrac{2}{9}$ ③ $\dfrac{1}{3}$

④ $\dfrac{4}{9}$ ⑤ $\dfrac{2}{3}$

09 다음 조건을 만족하는 빨간 구슬과 파란 구슬이 들어 있는 주머니가 있다. 이 주머니 속에 들어 있는 빨간 구슬과 파란 구슬은 각각 몇 개인지 구하시오.

빨간 구슬과 파란 구슬의 개수를 각각 미지수 x, y로 놓는다.

> (가) 빨간 구슬을 1개 꺼내면 남은 구슬의 $\dfrac{1}{8}$이 빨간 구슬이다.
>
> (나) 파란 구슬을 5개 꺼내면 남은 구슬의 $\dfrac{1}{6}$이 빨간 구슬이다.

2 확률의 덧셈

10 주머니 속에서 한 개의 공을 꺼낼 때, 흰 공이 나올 확률은 $\frac{1}{3}$, 붉은 공이 나올 확률은 $\frac{2}{5}$, 푸른 공이 나올 확률은 $\frac{4}{15}$이다. 주머니에서 한 개의 공을 꺼낼 때, 흰 공 또는 붉은 공이 나올 확률은?

① $\frac{1}{12}$ ② $\frac{2}{15}$ ③ $\frac{7}{12}$

④ $\frac{13}{20}$ ⑤ $\frac{11}{15}$

두 사건이 '또는', '~이거나'로 연결되어 있을 때, 구하는 확률은 두 사건의 확률을 각각 구하여 더한다.

11 서로 다른 두 개의 주사위를 동시에 던질 때, 나온 두 눈의 수의 합이 4이거나 곱이 6이 될 확률은?

① $\frac{5}{36}$ ② $\frac{7}{36}$ ③ $\frac{1}{4}$

④ $\frac{1}{3}$ ⑤ $\frac{1}{2}$

12 0, 1, 2, 3, 4의 숫자가 각각 적힌 5장의 카드가 있다. 이 중에서 두 장을 뽑아 두 자리의 정수를 만들 때, 25 미만이거나 35 이상인 수가 될 확률은?

① $\frac{1}{4}$ ② $\frac{5}{16}$ ③ $\frac{3}{8}$

④ $\frac{7}{16}$ ⑤ $\frac{3}{4}$

13 한 개의 주사위를 두 번 던져서 첫 번째 나온 눈의 수를 a, 두 번째 나온 눈의 수를 b라 할 때, $\frac{a}{b}$가 무한소수로 나타내어질 확률을 구하시오.

기약분수의 분모에 2나 5 이외의 소인수가 있으면 무한소수로 나타내어진다.

14 동전 1개와 주사위 1개를 동시에 던질 때, 동전은 앞면, 주사위는 짝수의 눈이 나올 확률을 구하시오.

두 사건이 '그리고'의 의미를 뜻하는 말로 연결되어 있을 때, 구하는 확률은 두 사건의 확률을 각각 구하여 곱한다.

15 ○, × 퀴즈 4문제의 답을 임의로 썼을 때, 4문제를 모두 틀릴 확률은?

① $\dfrac{1}{4}$ ② $\dfrac{1}{8}$ ③ $\dfrac{1}{16}$

④ $\dfrac{1}{24}$ ⑤ $\dfrac{1}{64}$

16 현정이와 가족들이 함께 윷놀이를 하고 있다. 현정이가 윷을 두 번 던질 때, 첫 번째는 도가 나오고, 두 번째는 개가 나올 확률은?

① $\dfrac{3}{32}$ ② $\dfrac{5}{16}$ ③ $\dfrac{3}{8}$

④ $\dfrac{5}{8}$ ⑤ $\dfrac{3}{4}$

최상위
Q&A 006

모 아니면 도?
윷놀이에서 모가 나오면 말판에서 5칸을 움직이고, 도가 나오면 1칸을 움직인다. 이 말은 윷놀이에서 모가 나오면 행운이고 도가 나오면 가장 불운을 뜻한다. 그러므로 '모 아니면 도'라는 말은 어떤 상황의 결과가 가장 좋거나 가장 나쁘거나 둘 중 하나라는 이야기이다. 윷놀이에서 윷이 나올 확률은 다음과 같다.

	도	개	걸	윷	모
확률	$\dfrac{1}{4}$	$\dfrac{3}{8}$	$\dfrac{1}{4}$	$\dfrac{1}{16}$	$\dfrac{1}{16}$

따라서 모가 나올 확률$\left(\dfrac{1}{16}\right)$보다 도가 나올 확률$\left(\dfrac{1}{4}\right)$이 훨씬 크기 때문에 '모 아니면 도'는 최악의 실패를 할 수 있지만 한 번 큰 성공을 노려보겠다는 뜻이다.

17 오른쪽 그림과 같이 각각 4등분, 6등분 되어 있는 두 원판에 숫자가 적혀 있다. 이 두 원판을 회전시킨 후 멈추었을 때, 두 바늘이 모두 3이 적힌 부분을 가리킬 확률은? (단, 바늘이 경계선을 가리키는 경우는 없다.)

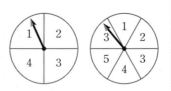

① $\dfrac{1}{36}$ ② $\dfrac{1}{24}$ ③ $\dfrac{1}{12}$

④ $\dfrac{1}{8}$ ⑤ $\dfrac{1}{2}$

18 오른쪽 그림과 같이 6등분 되어 있는 원판에 −1, 0, 1의 숫자가 각각 적혀 있다. 이 원판에 화살을 두 발 쏘았을 때, 맞힌 부분에 적힌 숫자의 합이 0이 될 확률을 구하시오. (단, 화살은 원판을 벗어나지 않고, 경계선 위에 꽂히는 경우도 없다.)

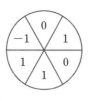

19 어느 야구 선수의 타율이 4할이라고 한다. 이 선수가 두 번 타석에 설 때, 안타를 한 개만 칠 확률은?

① $\dfrac{1}{25}$ ② $\dfrac{4}{25}$ ③ $\dfrac{1}{5}$

④ $\dfrac{9}{25}$ ⑤ $\dfrac{12}{25}$

> '안타를 한 개만 칠 확률'은 '첫 번째 치고 두 번째 못칠 확률' 또는 '첫 번째 못치고 두 번째 칠 확률' 이므로 확률의 곱셈과 덧셈을 모두 사용해야 한다.

---

4 추출할 때의 확률 – 뽑은 것을 다시 넣을 때

20 10개의 제비 중에 당첨 제비가 3개 들어 있는 주머니에서 한 개를 뽑아 확인하고 다시 넣어 잘 섞은 다음 다시 한 개를 뽑을 때, 두 번 모두 당첨되지 않을 확률은?

① $\dfrac{3}{50}$ ② $\dfrac{9}{100}$ ③ $\dfrac{7}{50}$

④ $\dfrac{7}{15}$ ⑤ $\dfrac{49}{100}$

> 뽑은 것을 다시 넣으므로 첫 번째 사건과 두 번째 사건의 모든 경우의 수는 같다.

21 주머니 속에 1에서 20까지의 자연수가 각각 적힌 20개의 구슬이 들어 있다. 이 주머니에서 먼저 한 개를 꺼내 확인한 후 집어 넣고 다시 한 개를 꺼낼 때, 처음에는 홀수, 두 번째에는 20의 약수가 나올 확률을 구하시오.

22 10개의 제비 중에 당첨 제비가 3개 들어 있는 주머니에서 민서, 호승이가 차례로 제비를 1개씩 뽑을 때, 한 사람만 당첨될 확률은?

(단, 뽑은 제비는 다시 넣는다.)

① $\dfrac{11}{100}$ ② $\dfrac{21}{100}$ ③ $\dfrac{7}{30}$

④ $\dfrac{2}{5}$ ⑤ $\dfrac{21}{50}$

23 A, B 두 개의 주머니가 있다. A 주머니에는 흰 공 2개와 빨간 공 4개, B 주머니에는 흰 공 6개와 빨간 공 3개가 들어 있다. A 주머니에서 공 한 개를 꺼내 확인한 다음 꺼낸 공을 B 주머니에 넣고, B 주머니에서 다시 공 한 개를 꺼낼 때, 꺼낸 공이 빨간 공일 확률을 구하시오.

---

5 추출할 때의 확률 – 뽑은 것을 다시 넣지 않을 때

24 주머니 속에 파란 구슬 5개, 빨간 구슬 7개가 들어 있다. 이 주머니에서 구슬을 차례로 한 개씩 두 번 꺼낼 때, 두 번 모두 파란 구슬이 나올 확률은?

(단, 한 번 꺼낸 구슬은 다시 넣지 않는다.)

① $\dfrac{2}{15}$ ② $\dfrac{5}{36}$ ③ $\dfrac{5}{33}$

④ $\dfrac{25}{144}$ ⑤ $\dfrac{3}{10}$

뽑은 것을 다시 넣지 않으므로 첫 번째 사건과 두 번째 사건 각각의 분모가 되는 전체 경우의 수는 다르다.

25 지영이와 선영이가 복불복 게임을 하는데 6개의 컵 중 4개는 콜라, 2개는 간장이 들어 있다. 이 중에서 지영이와 선영이가 차례로 하나씩 선택하여 마셨을 때, 지영이는 간장을, 선영이는 콜라를 마실 확률을 구하시오.

선영이는 4개의 콜라와 1개의 간장 중에서 하나를 선택하게 된다.

26 남학생 3명, 여학생 5명 중에서 반장 1명, 부반장 1명을 뽑을 때, 둘 다 여학생이 뽑힐 확률은?

① $\dfrac{1}{4}$ ② $\dfrac{1}{3}$ ③ $\dfrac{5}{14}$

④ $\dfrac{2}{5}$ ⑤ $\dfrac{5}{8}$

27 바구니 속에 흰 바둑돌 2개, 검은 바둑돌 3개가 들어 있다. 이 바구니에서 두 개의 바둑돌을 동시에 꺼낼 때, 두 개 모두 같은 색의 바둑돌일 확률은?

① $\dfrac{1}{4}$ ② $\dfrac{13}{50}$ ③ $\dfrac{4}{15}$

④ $\dfrac{17}{50}$ ⑤ $\dfrac{2}{5}$

동시에 여러 개를 뽑는 경우는 '뽑은 것을 다시 넣지 않는 추출'에 해당된다.

28 1에서 9까지의 숫자가 각각 적힌 9장의 카드가 있다. 이 중에서 3장을 뽑아 세 자리의 정수를 만들 때, 모든 자리의 수가 짝수일 확률을 구하시오.

29 오른쪽 그림과 같이 앞면에는 번호, 뒷면에는 그림이 그려진 카드 9장이 있다. 예를 들면 앞면이 1, 4, 7인 카드의 뒷면은 ◈이다. 앞면을 보고 한 번에 두 장의 카드를 골랐을 때, 고른 카드 뒷면의 그림이 같을 확률을 구하시오.

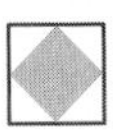

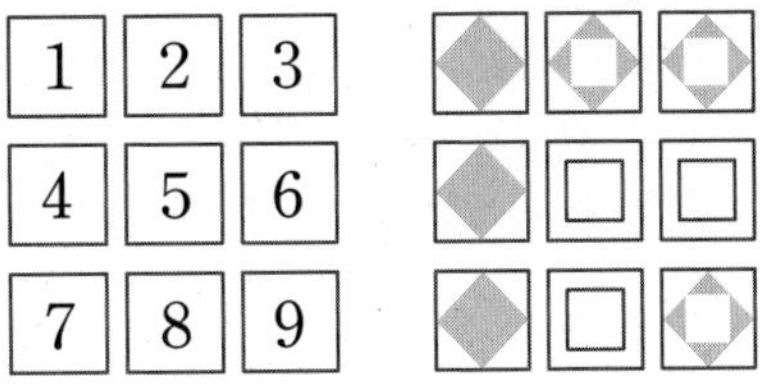

30 오지선다형 문제 3개의 답을 임의로 적었을 때, 적어도 한 문제는 맞힐 확률은? (단, 3문제 모두 정답은 1개씩이다.)

① $\dfrac{16}{125}$
② $\dfrac{21}{125}$
③ $\dfrac{2}{5}$
④ $\dfrac{61}{125}$
⑤ $\dfrac{64}{125}$

(적어도 하나는 A일 확률)
$=1-$(모두 A가 아닐 확률)

31 서로 다른 세 개의 동전을 동시에 던질 때, 적어도 한 면은 뒷면이 나올 확률은?

① $\dfrac{1}{8}$
② $\dfrac{1}{6}$
③ $\dfrac{3}{8}$
④ $\dfrac{5}{6}$
⑤ $\dfrac{7}{8}$

32 지나, 윤서, 민정 세 사람이 어느 중학교 방송반 면접을 통과할 확률은 각각 $\dfrac{2}{3}$, $\dfrac{3}{4}$, $\dfrac{2}{5}$이다. 이때 세 사람 중 적어도 한 사람은 통과할 확률을 구하시오.

33 오른쪽 그림과 같이 9개의 합동인 정삼각형으로 이루어진 표적에 화살을 두 발 쏘았을 때, 적어도 한 발은 어둡지 않은 부분을 맞힐 확률은? (단, 화살은 표적을 벗어나지 않고, 경계선 위에 꽂히는 경우도 없다.)

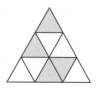

① $\dfrac{16}{81}$
② $\dfrac{2}{9}$
③ $\dfrac{29}{81}$
④ $\dfrac{2}{3}$
⑤ $\dfrac{65}{81}$

(도형에서의 확률)
$=\dfrac{(해당하는 부분의 넓이)}{(도형 전체의 넓이)}$

34 오른쪽 그림과 같이 8등분 되어 있는 원판에 1에서 8까지의 자연수가 각각 하나씩 적혀 있다. 이 원판을 돌리고 화살을 2발 쏘았을 때, 적어도 한 발은 6의 약수가 적힌 부분을 맞힐 확률을 구하시오. (단, 화살은 원판을 벗어나지 않고, 경계선 위에 꽂히는 경우도 없다.)

35 남학생 4명, 여학생 2명 중에서 회장, 부회장을 각각 1명씩 뽑을 때, 남학생이 적어도 1명 뽑힐 확률은?

① $\dfrac{1}{30}$ ② $\dfrac{11}{30}$ ③ $\dfrac{2}{3}$

④ $\dfrac{14}{15}$ ⑤ $\dfrac{29}{30}$

36 어떤 사격 선수가 총을 쏘아 10점인 과녁에 맞힐 확률은 $\dfrac{2}{3}$이다. 이 선수가 총 4발을 쏘아 적어도 2발 이상을 10점인 과녁에 맞힐 확률을 구하시오.

7 여사건을 이용하는 것이 유리한 경우의 확률

37 1에서 50까지의 수가 각각 적힌 50장의 카드에서 한 장을 뽑을 때, 3의 배수가 나오지 않을 확률을 구하시오.

38 나연이와 현정이는 일요일에 야생화 공원에서 만나기로 했다. 나연이가 약속 장소에 나가지 못할 확률이 $\frac{1}{4}$이고, 현정이가 약속 장소에 나갈 확률이 $\frac{2}{3}$일 때, 두 사람이 공원에서 만나지 못할 확률을 구하시오.

두 사람이 공원에서 만나지 못하는 경우는 적어도 한 사람이 약속 장소에 나가지 않는 경우이다.

39 명중률이 각각 $\frac{6}{7}$, $\frac{3}{4}$인 두 명의 양궁 선수가 탁자에 놓여 있는 한 개의 사과를 겨냥하여 동시에 활을 쏘았다. 이때 화살이 사과에 꽂힐 확률을 구하시오.

40 명중률이 각각 $\frac{1}{3}$, $\frac{3}{5}$, $\frac{1}{2}$인 세 포수가 동시에 한 마리의 새를 총으로 쏘았을 때, 새가 총에 맞을 확률은?

① $\frac{1}{10}$　　　　② $\frac{2}{15}$　　　　③ $\frac{11}{30}$
④ $\frac{13}{15}$　　　　⑤ $\frac{9}{10}$

41 두 사람이 가위바위보를 할 때, 승패가 결정될 확률을 구하시오.

42 두 개의 주사위 A, B를 동시에 던질 때, 나온 두 눈의 수의 곱이 짝수가 될 확률은?

① $\dfrac{1}{6}$ ② $\dfrac{1}{4}$ ③ $\dfrac{1}{2}$

④ $\dfrac{3}{4}$ ⑤ $\dfrac{5}{6}$

43 서로 다른 두 개의 주사위를 동시에 던질 때, 두 눈의 수의 합이 10 이하일 확률을 구하시오.

'10 이상일 확률' 또는 '3 이하일 확률'을 물었을 때에는 여사건을 이용하지 않는 것이 낫다.

44 세 개의 서로 다른 주사위를 동시에 던져서 나온 눈의 수를 차례로 x, y, z라 할 때, $(x-y)(y-z)(z-x)=0$이 성립할 확률을 구하시오.

$A \times B \times C = 0$이면
$A=0$ 또는 $B=0$ 또는 $C=0$이다.

8 처음 사건에 의해 다음 사건의 확률이 달라지는 경우의 확률

45 일기 예보에 따르면 눈이 온 다음 날 눈이 올 확률은 $\dfrac{1}{3}$, 눈이 오지 않은 다음날 눈이 올 확률은 $\dfrac{1}{5}$이다. 목요일에 눈이 왔다면 이틀 후인 토요일에도 눈이 올 확률은?

① $\dfrac{2}{135}$ ② $\dfrac{8}{45}$ ③ $\dfrac{11}{45}$

④ $\dfrac{29}{45}$ ⑤ $\dfrac{13}{15}$

최상위
Q&A 007
비가 올 확률은?
기상청에서 일기 상태의 시간에 따른 변화를 예측하여 미리 알리는 일을 일기예보라고 한다. 일기 예보에서 아주 익숙하게 듣는 '비가 올 가능성'이라는 말은 과거에 비슷한 기상 조건일 때와 비교한 확률로, 어느 정도 비가 올지를 나타내는 숫자이다. 예를 들면 오늘과 비슷한 날씨가 100번 있었는데 그 중 30번은 비가 왔다면 비올 확률이 30 %인 것이다. 그리고 이 말은 100번 중 70번, 즉 70 %는 비가 오지 않을 수 있다는 뜻이다.

46 나연이는 아침에 항상 밥 또는 토스트를 먹고 학교에 간다. 어느 날 아침에 밥을 먹었다면 다음 날 토스트를 먹을 확률은 $\frac{2}{3}$, 토스트를 먹었다면 다음 날 밥을 먹을 확률은 $\frac{3}{4}$이다. 나연이가 화요일 아침에 밥을 먹고 학교에 갔다면 그 주 금요일 아침에 토스트를 먹을 확률을 구하시오.

47 A 축구팀이 경기에서 이긴 후 다음 경기에서 이길 확률은 $\frac{1}{3}$, 경기에서 진 후 다음 경기에서 이길 확률은 $\frac{1}{4}$이다. A 축구팀이 첫 번째 경기에서 진 후 세 번째 경기에서는 이길 확률은? (단, 무승부는 없다.)

① $\frac{1}{16}$ ② $\frac{1}{4}$ ③ $\frac{13}{48}$
④ $\frac{11}{16}$ ⑤ $\frac{15}{16}$

48 송이는 버스나 지하철 중 어느 하나만 타고 회사에 출근한다. 버스를 탄 다음 날 지하철을 탈 확률은 $\frac{1}{3}$, 지하철을 탄 다음 날 버스를 탈 확률은 $\frac{1}{2}$이다. 월요일에 버스를 타고 출근하였다면 그 주 목요일에 지하철을 타고 출근할 확률을 구하시오.

B : 버스, S : 지하철

월	화	수	목
B	B	B	S
B	B	S	S
B	S	B	S
B	S	S	S

의 네 가지 경우의 확률을 구하여 더한다.

---

9 승패에 대한 확률

49 20개의 제품을 생산하였는데 그 중 2개가 불량품이었다고 한다. 이 불량품을 찾아내기 위해 제품을 하나씩 꺼내어 검사한다고 할 때, 세 번째에 검사가 끝날 확률은?

① $\frac{1}{5}$ ② $\frac{1}{95}$ ③ $\frac{1}{100}$
④ $\frac{1}{190}$ ⑤ $\frac{1}{200}$

50 주머니 속에 검은 바둑돌 4개와 흰 바둑돌 2개가 들어 있다. A, B, C 세 사람이 차례로 바둑돌을 하나씩 꺼냈을 때, 흰 바둑돌을 먼저 꺼낸 사람이 이기는 게임을 하였다. 이때 B가 이길 확률은? (단, 꺼낸 바둑돌은 다시 넣지 않는다.)

① $\frac{1}{3}$ ② $\frac{2}{5}$ ③ $\frac{7}{15}$

④ $\frac{8}{15}$ ⑤ $\frac{3}{5}$

51 A, B 두 사람이 게임을 하는데 A가 B를 이길 확률은 $\frac{3}{4}$이고, 첫 번째 게임은 A가 이겼다. 3게임 중 2게임을 먼저 이긴 사람이 승리한다고 할 때, A가 승리할 확률은? (단, 비기는 경우는 없다.)

① $\frac{1}{2}$ ② $\frac{2}{3}$ ③ $\frac{3}{4}$

④ $\frac{7}{8}$ ⑤ $\frac{15}{16}$

52 학교 팔씨름 대회에 현수와 준형이가 출전하였는데 5번의 시합에서 3번의 시합을 먼저 이기는 사람이 우승한다고 한다. 현재까지 2번의 시합을 모두 준형이가 이겼을 때, 준형이가 우승할 확률을 구하시오.
(단, 두 사람의 이길 확률은 같고, 비기는 경우는 없다.)

10 방정식, 부등식, 함수를 이용한 확률

53 네 면에 1, 2, 3, 4의 숫자가 각각 적힌 정사면체가 있다. 이 정사면체를 두 번 던져서 처음에 나온 밑면의 수를 a, 두 번째에 나온 밑면의 수를 b라 할 때, 방정식 $ax=b$의 해가 정수일 확률은?

① $\frac{1}{9}$ ② $\frac{1}{6}$ ③ $\frac{2}{9}$

④ $\frac{1}{3}$ ⑤ $\frac{1}{2}$

방정식, 부등식, 함수 조건을 만족하는 확률
① 모든 경우의 수를 구한다.
② 방정식, 부등식, 함수 조건을 만족하는 순서쌍 (x, y)를 구한다.
③ 구하는 확률은
$\frac{(②에서 구한 순서쌍의 개수)}{(모든 경우의 수)}$
이다.

54 한 개의 주사위를 두 번 던져서 처음에 나온 눈의 수를 x, 두 번째에 나온 눈의 수를 y라 할 때, $2x+y=7$이 될 확률은?

① $\dfrac{1}{18}$　　　② $\dfrac{1}{12}$　　　③ $\dfrac{5}{36}$

④ $\dfrac{1}{6}$　　　⑤ $\dfrac{7}{12}$

55 한 개의 주사위를 두 번 던져서 처음에 나온 눈의 수를 a, 두 번째에 나온 눈의 수를 b라 할 때, $a>b$일 확률을 구하시오.

56 1에서 10까지의 수가 각각 적힌 10장의 카드에서 한 장을 뽑아 나온 수를 x라 할 때, x가 부등식 $4x-2>7$을 만족할 확률은?

① $\dfrac{1}{10}$　　　② $\dfrac{1}{5}$　　　③ $\dfrac{2}{5}$

④ $\dfrac{4}{5}$　　　⑤ $\dfrac{9}{10}$

57 두 개의 주사위 A, B를 동시에 던져서 나온 눈의 수를 각각 a, b라 할 때, 두 직선 $y=2x-a$와 $y=-ax+b$의 교점의 x좌표가 1 또는 2가 될 확률을 구하시오.

58 두 개의 주사위 A, B를 동시에 던져서 나온 눈의 수를 각각 a, b라 할 때, 두 직선 $y=4x+1$과 $y=ax+b$가 한 점에서 만날 확률은?

① $\dfrac{1}{12}$ ② $\dfrac{1}{6}$ ③ $\dfrac{1}{2}$

④ $\dfrac{2}{3}$ ⑤ $\dfrac{5}{6}$

두 직선이 한 점에서 만나기 위해서는 두 직선의 기울기가 달라야 한다.

59 두 개의 주사위 A, B를 동시에 던져서 나온 눈의 수를 각각 a, b라 할 때, 두 직선 $y=3x+1$과 $y=ax+b$가 평행할 확률을 구하시오.

11 이동에 의해 점의 위치가 정해지는 확률

60 오른쪽 그림과 같이 정사각형의 한 꼭짓점 A에 점 P가 있다. 점 P는 주사위를 한 개 던져서 1의 눈이 나오면 점 B까지 움직이고, 2의 눈이 나오면 점 C까지 움직인다. 이와 같이 점 P가 주사위의 눈의 수만큼 화살표 방향으로 움직일 때, 주사위를 두 번 던진 후 점 P가 꼭짓점 D에 있을 확률은?

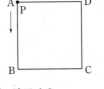

점 P가 주어진 규칙에 따라 움직일 때, 점 D에 있기 위해 가능한 모든 경우를 구한다.

① $\dfrac{1}{12}$ ② $\dfrac{7}{36}$ ③ $\dfrac{5}{18}$

④ $\dfrac{11}{36}$ ⑤ $\dfrac{7}{18}$

61 오른쪽 그림과 같이 한 변의 길이가 1인 정오각형의 꼭짓점 A에 점 P가 있다. 점 P는 주사위 1개를 던져서 나온 눈의 수만큼 화살표 방향으로 꼭짓점을 이동한다. 주사위를 두 번 던졌을 때, 점 P가 꼭짓점 D에 있을 확률을 구하시오.

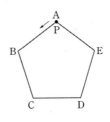

62 다음 그림과 같이 점 P는 수직선 위의 원점에 놓여 있다. 주사위 1개를 던져서 나온 눈의 수가 6의 약수이면 수직선을 따라 양의 방향으로 1만큼, 그 이외의 수가 나오면 음의 방향으로 1만큼 이동한다. 주사위를 4번 던져서 움직인 점 P가 2에 위치할 확률을 구하시오.

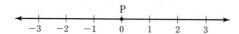

63 다음 그림과 같이 점 P가 수직선 위의 원점에 놓여 있다. 동전 1개를 던져서 앞면이 나오면 오른쪽으로 1만큼, 뒷면이 나오면 왼쪽으로 1만큼 이동한다. 동전 1개를 4번 던져서 이동한 점 P가 처음의 위치에 있을 확률은?

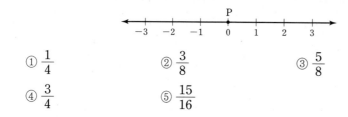

① $\dfrac{1}{4}$ ② $\dfrac{3}{8}$ ③ $\dfrac{5}{8}$

④ $\dfrac{3}{4}$ ⑤ $\dfrac{15}{16}$

64 한 개의 동전을 던져서 앞면이 나오면 두 계단 위로 올라가고, 뒷면이 나오면 한 계단 아래로 내려간다고 할 때, 동전 1개를 3번 던져서 처음보다 세 계단 위로 올라갈 확률을 구하시오.

+2와 −1을 중복 사용하여 선택한 3개의 수가 +3이 되는 경우를 구한다.

65 오른쪽 그림과 같은 계단의 처음 위치에 말이 놓여 있다. 주사위를 던져서 나온 눈의 수가 6의 약수이면 두 칸을 올라간 자리에 말을 놓고, 그 이외의 수가 나오면 한 칸을 올라간 자리에 말을 놓으려고 한다. 주사위를 네 번 던진 후 말이 (마)의 위치에 있을 확률을 구하시오.

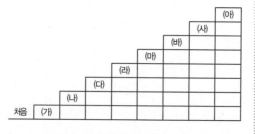

+2와 +1을 중복 사용하여 선택한 4개의 수가 +5가 되는 경우를 구한다.

단원 종합 문제

01 다음 중 옳지 않은 것은?

① 윷짝 4개를 동시에 던질 때, 개 또는 걸이 나오는 경우의 수는 10이다.

② A, B 두 사람이 가위바위보를 할 때, A가 지게 되는 경우의 수는 3이다.

③ 서로 다른 두 개의 주사위를 던질 때, 나온 두 눈의 수의 합이 4 또는 6이 되는 경우의 수는 8이다.

④ 7개의 제비 중 2개의 당첨 제비가 있다. 이 중에서 한 개를 뽑을 때 당첨이 되는 경우의 수는 2이다.

⑤ A, B, C 세 사람이 가위바위보를 할 때, A가 이기는 경우의 수는 6이다.

02 주머니 속에 1부터 20까지의 자연수가 각각 적힌 20개의 공이 들어 있다. 이 주머니에서 한 개의 공을 꺼낼 때, 소수가 적힌 공이 나오는 경우의 수는?

① 7   ② 8   ③ 9
④ 10   ⑤ 11

03 진아, 세인, 중선, 유진 4명이 이어달리기를 하려고 한다. 달리기 순서를 정하는 방법은 모두 몇 가지인지 구하시오.

04 오른쪽 그림과 같이 원 위에 서로 다른 5개의 점이 있다. 두 점을 연결하여 만들 수 있는 선분은 모두 몇 개인가?

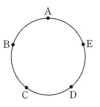

① 10개   ② 12개
③ 15개   ④ 20개
⑤ 60개

05 오른쪽 그림의 A, B, C 세 부분에 빨강, 파랑, 노랑, 검정, 보라의 5가지 색 중 서로 다른 3가지 색을 선택하여 칠하는 방법의 수는?

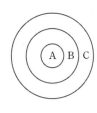

① 10   ② 12   ③ 15
④ 24   ⑤ 60

06 1, 2, 3, 4, 5의 5개의 숫자 중 3개를 골라 세 자리의 정수를 만들 때, 240보다 작은 정수는 모두 몇 개인가? (단, 같은 숫자는 중복하여 사용하지 않는다.)

① 10개   ② 18개   ③ 24개
④ 36개   ⑤ 45개

07 0, 1, 2, 3, 4의 숫자가 각각 적힌 5장의 카드에서 2장을 뽑아 만들 수 있는 두 자리의 정수는 모두 몇 개인가?

```
0 1 2 3 4
```

① 8개   ② 12개   ③ 16개

④ 20개   ⑤ 25개

08 부모님을 포함한 4명의 가족이 한 줄로 설 때, 아버지가 맨 앞에, 어머니가 맨 뒤에 서는 경우의 수를 구하시오.

09 두 사람이 한 팀인 A, B, C 세 팀을 한 줄로 세울 때, 같은 팀끼리 이웃하여 서는 경우의 수는?

① 6   ② 36   ③ 48

④ 60   ⑤ 120

10 A, B, C, D, E 5명이 한 줄로 설 때, A, C, E 3명이 이웃하여 서는 경우의 수는?

① 5   ② 20   ③ 36

④ 40   ⑤ 120

11 두 개의 주사위 A, B를 동시에 던져서 A 주사위에서 나온 눈의 수를 a, B 주사위에서 나온 눈의 수를 b라 할 때, $\dfrac{a}{b} < 1$이 성립하는 경우의 수는?

① 10   ② 12   ③ 15

④ 17   ⑤ 20

12 오른쪽 표는 생과일 쥬스 전문점의 메뉴표이다. 수현이와 호주는 갖고 있는 7000원에 딱 맞는 두 가지 메뉴를 시키려고 한다. 서로 다른 것을 마신다고 할 때, 주문할 수 있는 모든 경우의 수를 구하시오.

메뉴	가격
딸기	3500원
바나나	3000원
키위	3500원
오렌지	3000원
파인애플	3500원
딸기+바나나	4000원
키위+오렌지	4000원

13 A, B 두 개의 주머니가 있다. A 주머니에는 검은 구슬 2개, 흰 구슬 4개가 들어 있고, B 주머니에는 검은 구슬 3개, 흰 구슬 2개가 들어 있다. 각 주머니에서 구슬을 한 개씩 꺼낼 때, 다음 중 옳지 <u>않은</u> 것은?

① A 주머니에서 검은 구슬이 나올 확률은 $\dfrac{1}{3}$이다.

② B 주머니에서 흰 구슬이 나올 확률은 $\dfrac{2}{5}$이다.

③ 적어도 한 주머니에서 흰 구슬이 나올 확률은 $\dfrac{11}{15}$이다.

④ 두 주머니에서 서로 같은 색 구슬이 나올 확률은 $\dfrac{7}{15}$이다.

⑤ 두 주머니에서 서로 다른 색 구슬이 나올 확률은 $\dfrac{8}{15}$이다.

14 사건 A가 일어날 확률을 p, 일어나지 않을 확률을 q라 할 때, 다음 중 옳지 <u>않은</u> 것은?

① $p=1-q$ ② $0 \leq p \leq 1$

③ $0 \leq q \leq 1$ ④ $0 \leq p+q \leq 2$

⑤ $p=0$이면 사건 A는 절대로 일어나지 않는다.

15 검은 공 3개와 흰 공 2개가 들어 있는 주머니에서 두 개의 공을 차례로 꺼낼 때, 같은 색의 공이 나올 확률은? (단, 꺼낸 공은 다시 넣지 않는다.)

① $\dfrac{7}{25}$ ② $\dfrac{7}{20}$ ③ $\dfrac{9}{25}$

④ $\dfrac{2}{5}$ ⑤ $\dfrac{9}{20}$

16 주머니 속에 10개의 제비가 들어 있고, 이 중에서 당첨 제비는 4개이다. 이 주머니에서 차례로 한 개씩 두 번 뽑을 때, 적어도 한 번은 당첨될 확률을 구하시오. (단, 뽑은 제비는 다시 넣지 않는다.)

17 한 개의 주사위를 두 번 던져서 처음에 나온 눈의 수를 a, 두 번째에 나온 눈의 수를 b라 할 때, 직선 $2ax-3by-1=0$이 점 $(1, 1)$을 지날 확률은?

① $\dfrac{1}{18}$ ② $\dfrac{1}{12}$ ③ $\dfrac{1}{9}$

④ $\dfrac{5}{36}$ ⑤ $\dfrac{4}{9}$

18 오른쪽 그림과 같은 원 모양의 과녁에 화살을 한 발 쏘았을 때, C 부분을 맞힐 확률은? (단, 화살은 과녁을 벗어나지 않고, 경계선 위에 꽂히는 경우도 없다.)

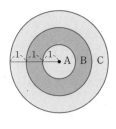

① $\dfrac{1}{9}$ ② $\dfrac{1}{3}$ ③ $\dfrac{4}{9}$

④ $\dfrac{1}{2}$ ⑤ $\dfrac{5}{9}$

19 A, B 두 사람이 각각 자신의 원판에 화살을 한 발 쏘아 큰 수를 맞힌 사람이 이기는 경기를 할 때, A가 이길 확률을 구하시오. (단, 화살은 원판을 벗어나지 않고, 경계선 위에 꽂히는 경우도 없다.)

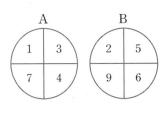

20 오른쪽 그림과 같이 한 변의 길이가 1인 정육각형의 꼭짓점 A에 점 P가 있다. 점 P는 주사위 1개를 던져서 나온 눈의 수만큼 화살표 방향으로 꼭짓점을 이동한다. 예를 들어 주사위를 던져서 5가 나왔다면 점 P는 'A → B → C → D → E → F'의 순서로 이동하여 꼭짓점 F에 놓이게 된다. 한 개의 주사위를 두 번 던졌을 때, 점 P가 꼭짓점 E에 놓일 확률은?

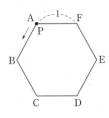

① $\dfrac{1}{36}$ ② $\dfrac{1}{18}$ ③ $\dfrac{1}{6}$

④ $\dfrac{1}{4}$ ⑤ $\dfrac{1}{2}$

수학은 개념이다!

디딤돌의 중학 수학 시리즈는
여러분의 수학 자신감을 높여 줍니다.

개념 이해
디딤돌수학 개념연산

다양한 이미지와 단계별 접근을 통해
개념이 쉽게 이해되는 교재

개념 적용
디딤돌수학 개념기본

개념 이해, 개념 적용, 개념 완성으로
개념에 강해질 수 있는 교재

개념 응용
최상위수학 라이트

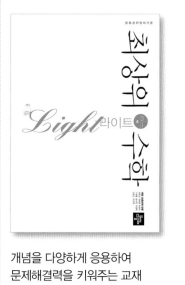

개념을 다양하게 응용하여
문제해결력을 키워주는 교재

개념 완성

디딤돌수학 개념연산과 개념기본은 동일한 학습 흐름으로 구성되어 있습니다.
연계 학습이 가능한 개념연산과 개념기본을 통해
중학 수학 개념을 완성할 수 있습니다.

최상위 수학

Light 라이트 중 2/2

정답과 풀이

최상위 수학

*Light*라이트 중 2/2

정답과 풀이

디딤돌

1 삼각형의 성질
주제별 실력다지기

01 (가) $\overline{AC}$ (나) $\overline{AD}$ (다) SAS (라) 90°				**02** ③	**03** ①	**04** 35°	**05** 80°
06 ③	**07** ④	**08** ②	**09** 81°	**10** ②	**11** ③	**12** 20°	**13** ①
14 64°	**15** ④	**16** ②	**17** ⑤	**18** 60°	**19** ②	**20** ③	**21** 25°
22 22.5°≤∠O<30°		**23** 8 cm	**24** ④, ⑤	**25** ②	**26** 90°	**27** 10 cm	**28** $\frac{55}{2}$ cm²
29 7 cm	**30** ②	**31** ④	**32** ③	**33** ④	**34** 6 cm	**35** ④	**36** 정삼각형
37 (가) ∠D (나) $\overline{DE}$ (다) ASA			**38** ㄱ, ㄴ, ㄷ, ㄹ		**39** RHA 합동, ASA 합동		**40** ③
41 ①, ⑤	**42** ⑤	**43** 12 cm	**44** 70°	**45** ②	**46** ④	**47** 55°	**48** 3 cm
49 ④	**50** ④	**51** 18 cm²	**52** $\frac{25}{2}$ cm²	**53** 4 cm	**54** ②	**55** ⑤	**56** 110°
57 ②	**58** ②	**59** 120°	**60** 70°	**61** ①	**62** ④	**63** 6 cm	**64** 36 cm
65 100°	**66** ⑤	**67** ②	**68** 6 cm	**69** ④	**70** ⑤	**71** ①, ④	**72** 125°
73 ②	**74** 52°	**75** 140°	**76** ⑤	**77** $\frac{75}{2}$ cm²	**78** ⑤	**79** ④	**80** ②
81 40 cm	**82** ③	**83** 26 cm²	**84** ②	**85** ③	**86** ③	**87** ③	**88** 8 cm
89 ④	**90** 34°	**91** 115°	**92** ②	**93** 135°	**94** ⑤	**95** 1 cm	**96** 24 cm²
97 3 : 2	**98** 3 : 2	**99** ②	**100** 32 cm²	**101** ③	**102** ②	**103** ①, ④	**104** ①

01 이등변삼각형 ABC에서 ∠A의 이등분선과 변 BC
가 만나는 점을 D라 하면
△ABD와 △ACD에서
$\overline{AB}=\boxed{\overline{AC}}$ ······ ㉠
∠BAD=∠CAD ······ ㉡
$\boxed{\overline{AD}}$ 는 공통 ······ ㉢
㉠, ㉡, ㉢에서
△ABD≡△ACD ($\boxed{\text{SAS}}$ 합동)
∴ $\overline{BD}=\overline{CD}$
또한, ∠ADB=∠ADC이고
∠ADB+∠ADC=180°이므로
∠ADB=∠ADC=$\boxed{90°}$이다.
∴ $\overline{AD}⊥\overline{BC}$

02 ①, ④, ⑤ △ABP≡△ACP
(SAS 합동)이므로
$\overline{BP}=\overline{CP}$
즉, △PBC는 이등변삼각형이다.
또한, ∠ABP=∠ACP
② 이등변삼각형의 꼭지각의 이등분선은 밑변을 수
직이등분한다.
③ $\overline{AP}=\overline{PD}$인지 알 수 없다.

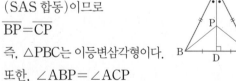

03 $\overline{AB}=\overline{AC}$이므로
∠C=∠B=2∠x+10°
△ABC의 세 내각의 크기의 합이 180°이므로
2×(2∠x+10°)+∠x=180°
5∠x=160° ∴ ∠x=32°

04 $\overline{AB}=\overline{AC}$이므로
∠C=∠B=55°
$\overline{AD}$는 밑변의 수직이등분선이
므로
△ADC에서
∠x=90°-55°=35°

05 $\overline{AB}=\overline{AC}$이므로
∠ABC=∠ACB
$=\frac{1}{2}×(180°-40°)$
$=70°$
△PBD≡△PCD이므로
∠PBD=∠PCD=40°
∴ ∠y=70°-40°=30°
∠x=20°+∠y=20°+30°=50°
∴ ∠x+∠y=50°+30°=80°

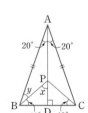

06 $\angle CDB = \angle CDA = 90°$이므로

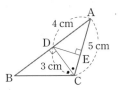

$$\triangle ADC = \frac{1}{2} \times \overline{AD} \times \overline{CD}$$
$$= \frac{1}{2} \times \overline{AC} \times \overline{DE}$$

$$\frac{1}{2} \times 4 \times 3 = \frac{1}{2} \times 5 \times \overline{DE}$$

$$\therefore \overline{DE} = \frac{12}{5}(cm)$$

07 $\triangle BAD \equiv \triangle BCD$이므로

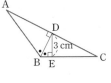

$$\triangle BAD = \triangle BCD = 12\ cm^2$$
$$\triangle BCD = \frac{1}{2} \times \overline{BC} \times \overline{DE}$$
$$= 12(cm^2)$$

$$\frac{1}{2} \times \overline{BC} \times 3 = 12 \qquad \therefore \overline{BC} = 8(cm)$$

$$\therefore \overline{AB} = \overline{BC} = 8\ cm$$

08 이등변삼각형의 꼭지각에서 밑변에

내린 수선은 밑변을 이등분하므로

$$\overline{AD} = \overline{BD} = 12\ cm$$

또 $\overline{CA} = \overline{CB}$이므로

$$\angle A = \angle B = 45°$$

$\triangle ADC$에서

$$\angle DCA = 180° - (90° + 45°) = 45°$$

$\angle A = \angle DCA$이므로 $\triangle ADC$는 이등변삼각형이다.

$$\therefore \overline{CD} = \overline{AD} = 12\ cm$$

09 $\angle B = \angle ACB = \frac{1}{2} \times (180° - 48°) = 66°$

$$\angle ACD = \angle BCD = \frac{1}{2} \times 66° = 33°$$

$\triangle ADC$에서 $\angle BDC = 48° + 33° = 81°$

10 $\angle BAE = \angle EAC = \angle a$라 하면

$\overline{EA} = \overline{EC}$이므로

$$\angle ECA = \angle EAC = \angle a$$

$\overline{AD} /\!/ \overline{BC}$이므로

$$\angle DAC = \angle BCA = \angle a \ (엇각)$$

즉 $\angle BAD = 3\angle a = 90°$이므로

$$\angle a = 30°$$

$$\therefore \angle AEB = 90° - 30° = 60°$$

11 $\overline{AD} /\!/ \overline{BC}$이므로

$$\angle DAC = \angle BCA = 55°(엇각)$$

$\overline{AB} = \overline{AC}$이므로

$$\angle ABC = \angle ACB = 55°$$

$$\therefore \angle EAD = \angle ABC = 55°(동위각)$$

12 $\overline{AB} = \overline{AC}$이므로

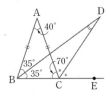

$$\angle ABC = \angle ACB$$
$$= \frac{1}{2} \times (180° - 40°)$$
$$= 70°$$

$$\therefore \angle ABD = \angle CBD = 35°$$

$$\angle ACE = 180° - 70° = 110°$$

$$\angle ACD = \angle ECD = \frac{1}{2} \times 110° = 55°$$

$\triangle BCD$에서

$$35° + (70° + 55°) + \angle BDC = 180°$$

$$\therefore \angle BDC = 20°$$

13 $\angle ABC = \angle ACB$

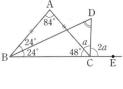

$$= \frac{1}{2} \times (180° - 20°) = 80°$$

이므로

$$\angle ACE = 180° - \angle ACB$$
$$= 180° - 80° = 100°$$

$\angle DBC = \angle BDC = \angle a$라 하면

$\triangle BCD$에서 $\angle DCE = 2\angle a$이므로

$$\angle ACD = \angle DCE = 2\angle a$$

$\angle ACE = 4\angle a = 100°$이므로 $\angle a = 25°$

$$\therefore \angle DBC = 25°$$

14 $\overline{AB} = \overline{AC}$이므로

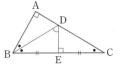

$$\angle ABC = \angle ACB$$
$$= \frac{1}{2} \times (180° - 84°)$$
$$= 48°$$

$$\angle ABD = \angle DBC = 24°$$

$$\angle ACE = 180° - 48° = 132°$$

$\angle ACD = \angle a$라 하면 $\angle DCE = 2\angle a$이므로

$$3\angle a = 132° \qquad \therefore \angle a = 44°$$

$\triangle BCD$에서

$$24° + (48° + 44°) + \angle BDC = 180°$$

$$\therefore \angle BDC = 64°$$

15 $\triangle DBE$와 $\triangle DCE$에서

$$\overline{BE} = \overline{CE},$$

$$\angle DEB = \angle DEC,$$

$\overline{DE}$는 공통이므로

$\triangle DBE \equiv \triangle DCE$ (SAS 합동)

$\therefore \angle DBE = \angle DCE$

$\triangle ABC$에서 $\angle C = \angle a$라 하면 $\angle ABC = 2\angle a$이므로

$\angle a + 2a = 90°$, $3\angle a = 90°$ $\therefore \angle a = 30°$

따라서 $\triangle DBE$에서 $\angle DBE = 30°$이므로

$\angle BDE = 90° - 30° = 60°$

16 $\overline{AB} = \overline{AC}$이므로

$\angle B = \angle C$

$\triangle BAE$와 $\triangle CAD$에서

$\overline{BA} = \overline{CA}$, $\overline{BE} = \overline{CD}$,

$\angle B = \angle C$이므로

$\triangle BAE \equiv \triangle CAD$ (SAS 합동)

$\therefore \overline{AE} = \overline{AD}$

$\triangle ADE$는 이등변삼각형이므로

$\angle ADE = \angle AED = \dfrac{1}{2} \times (180° - 48°) = 66°$

$\overline{BA} = \overline{BE}$이므로 $\angle BAE = \angle BEA = 66°$

$\therefore \angle BAD = \angle BAE - \angle DAE = 66° - 48° = 18°$

17 $\overline{AB} = \overline{AC}$이므로

$\angle B = \angle C$

$\qquad = \dfrac{1}{2} \times (180° - 54°)$

$\qquad = 63°$

$\triangle BED$와 $\triangle CFE$에서

$\overline{DB} = \overline{EC}$, $\overline{EB} = \overline{FC}$, $\angle B = \angle C$이므로

$\triangle BED \equiv \triangle CFE$ (SAS 합동)

$\therefore \angle BED = \angle CFE$, $\angle EDB = \angle FEC$

$\triangle EBD$에서

$\angle BED + \angle EDB = 180° - 63° = 117°$이므로

$\angle BED + \angle FEC = 117°$

$\therefore \angle DEF = 180° - (\angle BED + \angle FEC)$

$\qquad\qquad = 180° - 117° = 63°$

18 $\triangle CAE$와 $\triangle BCD$에서

$\overline{CA} = \overline{BC}$, $\angle A = \angle C = 60°$,

$\overline{AE} = \overline{CD}$이므로

$\triangle CAE \equiv \triangle BCD$ (SAS 합동)

즉 $\angle ACE = \angle CBD$이고

$\angle ACE + \angle BCE = 60°$이므로

$\angle CBD + \angle BCE = 60°$

따라서 $\triangle PBC$에서

$\angle DPC = \angle CBP + \angle BCP = 60°$

19 $\triangle ABD$에서 $\overline{AD} = \overline{BD}$이므로

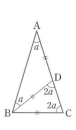

$\angle DAB = \angle DBA = \angle a$라 하면

$\angle BDC = \angle a + \angle a = 2\angle a$

$\overline{BC} = \overline{BD}$이므로

$\angle BCD = \angle BDC = 2\angle a$

$\angle ABC = \angle C = 2\angle a$이므로

$\triangle ABC$에서 $\angle a + 2\angle a + 2\angle a = 180°$

$5\angle a = 180°$ $\therefore \angle a = 36°$

$\therefore \angle A = 36°$

20 $\triangle ABC$에서 $\overline{AB} = \overline{AC}$이므로

$\angle B = \angle ACB = \angle a$라 하면

$\angle CAD = \angle a + \angle a = 2\angle a$

또 $\triangle CAD$에서 $\overline{CA} = \overline{CD}$이

므로 $\angle CDA = \angle CAD = 2\angle a$

$\triangle DBC$에서 $\angle DCE = \angle a + 2\angle a = 3\angle a$

$3\angle a = 120°$ $\therefore \angle a = 40°$

$\therefore \angle B = 40°$

21 $\triangle ABC$에서 $\overline{AB} = \overline{AC}$이므로

$\angle B = \angle ACB = \angle a$라 하면

$\angle CAD = \angle a + \angle a = 2\angle a$

$\overline{AC} = \overline{DC}$이므로

$\angle CDA = \angle CAD = 2\angle a$

$\overline{DC} = \overline{DE}$이므로 $\angle DCE = \angle DEC = 75°$

즉 $\triangle DBC$에서 $\angle DCE = \angle a + 2\angle a = 3\angle a$이므로

$3\angle a = 75°$ $\therefore \angle a = 25°$

$\therefore \angle B = 25°$

22 이등변삼각형이 되려면 두 밑각의 크기가 같으므로 한 밑각의 크기가 $90°$보다 작아야 한다.

이등변삼각형 $B_1A_2B_2$는 만들어지므로 $\angle B_1B_2A_2$의 크기는 $90°$보다 작아야 한다.

$\angle O = \angle x$라 하면

$\angle B_1B_2A_2 < 90°$에서

$3\angle x < 90°$ $\therefore \angle x < 30°$ ...... ㉠

또 $\triangle B_2A_2A_3$은 만들어지지 않으므로 $\angle B_2A_2A_3$의 크기는 $90°$보다 크거나 같아야 한다.

즉 $\angle B_2A_2A_3 \geq 90°$에서

$4\angle x \geq 90°$ $\quad\therefore \angle x \geq 22.5°$ $\quad\cdots\cdots$ ㉡

따라서 ㉠, ㉡에서 구하는 $\angle x$의 범위는

$22.5° \leq \angle x < 30°$

$\therefore 22.5° \leq \angle O < 30°$

23 $\overline{BC}$와 $\overline{AD}$의 교점을 G,

$\angle B = \angle a$라 하면

$\triangle ABC \equiv \triangle ADE$이므로

$\angle D = \angle B = \angle a$

$\overline{AD} = \overline{AB} = 8$ cm

$\overline{AB} /\!/ \overline{ED}$이므로

$\angle BAG = \angle GDF = \angle a$ (엇각)

$\angle GFD = \angle ABG = \angle a$ (엇각)

$\triangle GAB$, $\triangle GDF$는 이등변삼각형이므로

$\overline{AG} = \overline{BG}$, $\overline{GD} = \overline{GF}$

$\therefore \overline{BF} = \overline{BG} + \overline{GF} = \overline{AG} + \overline{GD}$

$\qquad = \overline{AD} = \overline{AB} = 8$ cm

24 $\angle B = \angle C$인 $\triangle ABC$에서

$\angle A$의 이등분선과 변 BC의 교점을 D라 하면

$\angle BAD = \boxed{\angle CAD}$ $\quad\cdots\cdots$ ㉠

$\angle BDA = \boxed{\angle CDA}$ ($\because \angle B = \angle C$) $\quad\cdots\cdots$ ㉡

$\boxed{\overline{AD}}$는 공통 $\quad\cdots\cdots$ ㉢

㉠, ㉡, ㉢에서

$\triangle ABD \boxed{\equiv} \triangle ACD$ ($\boxed{ASA}$ 합동)

$\therefore \overline{AB} = \overline{AC}$

25 $\angle B = \angle C$이므로 $\triangle ABC$는 이등변삼각형이다.

따라서 점 D는 $\overline{BC}$의 중점이므로

$\overline{BD} = \overline{DC} = \dfrac{1}{2} \times 20 = 10$ (cm)

26 $\angle A = \angle C$이므로 $\triangle ABC$는 이등변삼각형이다.

$\therefore \angle x = \angle BDC = \angle BDA = \dfrac{1}{2} \times 180° = 90°$

27 $\overline{AD} /\!/ \overline{EC}$이므로

$\angle BAD = \angle BEC$ (동위각),

$\angle DAC = \angle ECA$ (엇각)

즉 $\angle AEC = \angle ACE$이므로

$\triangle ACE$는 이등변삼각형이다.

$\therefore \overline{AE} = \overline{AC} = 10$ cm

28 $\overline{AD} /\!/ \overline{BC}$이므로

$\angle DAE = \angle BEA$ (엇각)

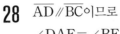

따라서 $\angle BEA = \angle BAE$

이므로 $\triangle ABE$는 이등변삼각형이다.

$\overline{BE} = \overline{AB} = 5$ cm

$\overline{AD} = \overline{BC} = 5 + 3 = 8$ (cm)

$\therefore \square AECD = \dfrac{1}{2} \times (3 + 8) \times 5$

$\qquad = \dfrac{55}{2}$ (cm²)

29 $\triangle ABC$에서

$\angle ABC = \angle C$

$\qquad = \dfrac{1}{2} \times (180° - 36°)$

$\qquad = 72°$

$\therefore \angle ABD = \angle CBD = 36°$

즉 $\angle A = \angle DBA$이므로 $\triangle DAB$는 이등변삼각형이다.

$\therefore \overline{AD} = \overline{BD}$

또 $\angle BDC = 36° + 36° = 72°$

즉 $\angle BDC = \angle BCD$이므로 $\triangle BCD$는 이등변삼각형이다.

$\therefore \overline{BD} = \overline{BC} = 7$ cm

$\therefore \overline{AD} = \overline{BD} = 7$ cm

30 $\angle CEF = \angle FEG$ (접은 각)

$\overline{AD} /\!/ \overline{BC}$이므로

$\angle FEC = \angle EFG$ (엇각)

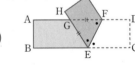

$\therefore \angle FEG = \angle EFG$

따라서 $\triangle GEF$는 $\overline{GE} = \overline{GF}$인 이등변삼각형이다.

② $\overline{EF} = \overline{FG}$인지 알 수 없다.

31 $\angle CEF = \angle FEG$

$\qquad = 46°$ (접은 각)

$\angle GFE = \angle CEF$

$\qquad = 46°$ (엇각)

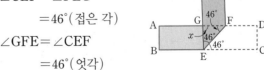

따라서 $\triangle GEF$는 이등변삼각형이므로

$\angle x = 180° - (\angle GEF + \angle GFE)$

$\qquad = 180° - (46° + 46°)$

$\qquad = 88°$

32 $\angle$FEC$=\angle a$라 하면

$\angle$GEF$=\angle$FEC

　　　$=\angle a$ (접은 각)

$\overline{AD}$∥$\overline{BC}$이므로

$\angle$GFE$=\angle$FEC

　　　$=\angle a$ (엇각)

$\triangle$GEF에서

$2\angle a=112°$　　$\therefore \angle a=56°$

$\therefore \angle$FEC$=56°$

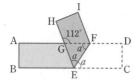

33 $\angle$EGF$=\angle$D'GF

　　　　$=55°$ (접은 각)

$\overline{AD'}$∥$\overline{BC'}$이므로

$\angle$EFG$=\angle$D'GF

　　　　$=55°$ (엇각)

따라서 $\triangle$EFG에서

$\angle$GEF$=180°-(\angle$EGF$+\angle$EFG$)$

　　　　$=180°-(55°+55°)$

　　　　$=70°$

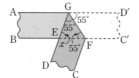

34 $\angle$EAC$=\angle$BAC (접은 각)

$\overline{DE}$∥$\overline{BC}$이므로

$\angle$EAC$=\angle$BCA (엇각)

따라서 $\triangle$ABC는 이등변삼

각형이므로

$\overline{BC}=\overline{BA}=6$ cm

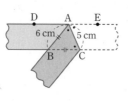

35 $\angle$A$=\angle x$라 하면

$\angle$DBE$=\angle$A$=\angle x$ (접은 각)

$\overline{AB}=\overline{AC}$에서

$\angle$C$=\angle$ABC$=\angle x+15°$

$\triangle$ABC에서

$\angle x+(\angle x+15°)\times 2=180°$

$3\angle x=150°$　　$\therefore \angle x=50°$

$\therefore \angle$DBE$=50°$

36 오른쪽 그림과 같이 점 C가 $\overline{AD}$

위에 오도록 접으므로

$\overline{BC}=\overline{BF}$, $\angle$CBE$=\angle$FBE

또 $\overline{BF}$를 접는 선으로 하여 점 A가

$\overline{BE}$ 위에 오면 $\angle$ABF$=\angle$FBE

즉 $\angle$CBE$=\angle$FBE$=\angle$ABF이고

$\angle$CBE$+\angle$FBE$+\angle$ABF$=90°$이므로

$\angle$CBE$=\angle$FBE$=\angle$ABF$=30°$

따라서 $\triangle$BCF는 $\overline{BC}=\overline{BF}$이고, $\angle$CBF$=60°$이

므로 정삼각형이다.

37 $\triangle$ABC와 $\triangle$DEF에서

$\angle$B$=\angle$E　　　　　　 …… ㉠

$\angle$A$=90°-\angle$B$=90°-\angle$E

　　$=\boxed{\angle \text{D}}$　　　　 …… ㉡

$\overline{AB}=\boxed{\overline{\text{DE}}}$　　　　　 …… ㉢

따라서 ㉠, ㉡, ㉢에 의하여

$\triangle$ABC≡$\triangle$DEF ($\boxed{\text{ASA}}$ 합동)

38 ㄱ, ㄷ. ASA 합동

ㄴ. SAS 합동

ㄹ. RHS 합동

따라서 합동이 되기 위한 조건은 ㄱ, ㄴ, ㄷ, ㄹ이다.

39 $\triangle$BDE와 $\triangle$CDF에서

(i) $\angle$B$=\angle$C, $\angle$BED$=\angle$CFD$=90°$, $\overline{BD}=\overline{CD}$

　　$\therefore \triangle$BDE≡$\triangle$CDF (RHA 합동)

(ii) $\angle$B$=\angle$C, $\angle$BED$=\angle$CFD$=90°$이므로

$\angle$EDB$=\angle$FDC, $\overline{BD}=\overline{CD}$

　　$\therefore \triangle$BDE≡$\triangle$CDF (ASA 합동)

40 $\triangle$COP와 $\triangle$DOP에서

$\angle$COP$=\angle$DOP, $\angle$OCP$=\angle$ODP$=90°$

$\overline{OP}$는 공통이므로

$\triangle$COP≡$\triangle$DOP (RHA 합동)

$\therefore \overline{PC}=\overline{PD}$

41 $\triangle$AOP와 $\triangle$BOP에서

① $\angle$AOP$=\angle$BOP,

　$\angle$OAP$=\angle$OBP$=90°$

　$\overline{OP}$는 공통이므로

　$\triangle$AOP≡$\triangle$BOP (RHA 합동)

⑤ $\angle$AOP$=\angle$BOP, $\angle$OAP$=\angle$OBP$=90°$이므로

　$\angle$OPA$=\angle$OPB

　$\overline{OP}$는 공통이므로

　$\triangle$AOP≡$\triangle$BOP (ASA 합동)

42 $\triangle$DEC와 $\triangle$DEF에서

$\overline{DC}=\overline{DF}$, $\angle DCE=\angle DFE=90°$, $\overline{DE}$는 공통이 므로

$\triangle DEC\equiv\triangle DEF$ (RHS 합동)

$\therefore \overline{EC}=\overline{EF}$, $\angle CED=\angle FED$,

$\qquad \angle EDC=\angle EDF$

⑤ $\overline{BF}=\overline{DF}$인지 알 수 없다.

43 $\triangle ADE\equiv\triangle ACE$ (RHS 합동)이므로

$\overline{DE}=\overline{CE}$, $\overline{AD}=\overline{AC}=6\,cm$

$\therefore \overline{BD}=10-6=4(cm)$

따라서 $\triangle BED$의 둘레의 길이는

$\overline{BD}+\overline{BE}+\overline{DE}=\overline{BD}+\overline{BE}+\overline{EC}$

$\qquad\qquad\qquad\quad =\overline{BD}+\overline{BC}$

$\qquad\qquad\qquad\quad =4+8$

$\qquad\qquad\qquad\quad =12(cm)$

44 $\triangle BEC\equiv\triangle BED$ (RHS 합동)이므로

$\angle EBC=\angle EBD$

$\triangle ABC$에서 $\angle B=90°-50°=40°$이므로

$\angle EBC=\dfrac{1}{2}\angle B=\dfrac{1}{2}\times 40°=20°$

$\triangle EBC$에서 $\angle BEC=90°-20°=70°$

45 $\triangle ACE$와 $\triangle ADE$에서

$\overline{AC}=\overline{AD}$, $\overline{AE}$는 공통, $\angle C=\angle ADE=90°$이므로

$\triangle ACE\equiv\triangle ADE$ (RHS 합동)

$\therefore \overline{DE}=\overline{CE}=8\,cm$, $\overline{AD}=\overline{AC}=24\,cm$,

$\qquad \overline{BD}=30-24=6(cm)$

$\therefore \triangle BDE=\dfrac{1}{2}\times\overline{BD}\times\overline{DE}$

$\qquad\qquad\quad =\dfrac{1}{2}\times 6\times 8=24(cm^2)$

46 $\triangle OBD\equiv\triangle OBF$ (RHA 합동)이므로

$\angle DOB=\angle FOB$, $\overline{OD}=\overline{OF}$, $\overline{BD}=\overline{BF}$

$\triangle OCF\equiv\triangle OCE$ (RHA 합동)이므로

$\angle FOC=\angle EOC$, $\overline{OF}=\overline{OE}$, $\overline{CF}=\overline{CE}$

④ $\overline{BF}=\overline{FC}$인지 알 수 없다.

47 $\triangle OAE\equiv\triangle OAD$ (RHA 합동),

$\triangle OCD\equiv\triangle OCF$ (RHA 합동)

$\angle AOE=\angle AOD=\angle a$,

$\angle COD=\angle COF=\angle b$라 하면

$\square OEBF$에서

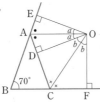

$\angle EOF=2(\angle a+\angle b)$

$\qquad\quad =360°-(90°+70°+90°)=110°$

$\therefore \angle a+\angle b=55°$

$\therefore \angle AOC=\angle a+\angle b=55°$

48 $\overline{AD}=x\,cm$라 하고 점 D 에서 $\overline{BC}$에 내린 수선의 발 을 E라 하면

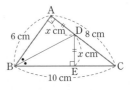

$\triangle ABD\equiv\triangle EBD$

$\qquad\qquad$ (RHA 합동)

$\overline{DE}=\overline{AD}=x\,cm$

$\triangle ABC=\triangle ABD+\triangle DBC$이므로

$\dfrac{1}{2}\times 6\times 8=\dfrac{1}{2}\times 6\times x+\dfrac{1}{2}\times 10\times x$

$8x=24$ $\qquad \therefore x=3$

$\therefore \overline{AD}=3\,cm$

49 점 D에서 $\overline{AB}$에 내린 수선의 발 을 E라 하면

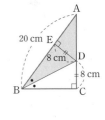

$\triangle BCD\equiv\triangle BED$ (RHA 합동) 이므로 $\overline{DE}=\overline{DC}=8\,cm$

$\therefore \triangle ABD=\dfrac{1}{2}\times\overline{AB}\times\overline{DE}$

$\qquad\qquad\quad =\dfrac{1}{2}\times 20\times 8=80(cm^2)$

50 $\triangle ABE$와 $\triangle ECD$에서

$\overline{AE}=\overline{ED}$, $\angle B=\angle C=90°$,

$\angle BAE+\angle BEA=90°$, $\angle BEA+\angle CED=90°$

이므로 $\angle BAE=\angle CED$

$\therefore \triangle ABE\equiv\triangle ECD$ (RHA 합동)

$\overline{EC}=\overline{AB}=6\,cm$, $\overline{BE}=\overline{CD}=3\,cm$이므로

$\overline{BC}=\overline{BE}+\overline{EC}=3+6=9(cm)$

51 $\triangle ABD$와 $\triangle CAE$에서

$\overline{BA}=\overline{AC}$,

$\angle BDA=\angle AEC=90°$

$\angle ABD+\angle BAD=90°$

$\angle BAD+\angle CAE=90°$이므로

$\angle ABD=\angle CAE$

$\therefore \triangle ABD\equiv\triangle CAE$ (RHA 합동)

즉 $\overline{AD}=\overline{CE}=2\,cm$, $\overline{AE}=\overline{BD}=4\,cm$이므로

$\square DBCE=\dfrac{1}{2}\times(4+2)\times 6=18(cm^2)$

52 $\triangle ABD \equiv \triangle CAE$
(RHA 합동)이므로
$\overline{AD}=\overline{CE}=4\,\text{cm}$,
$\overline{AE}=\overline{BD}=3\,\text{cm}$
즉 $\overline{DE}=4+3=7(\text{cm})$

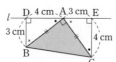

$\square DBCE=\dfrac{1}{2}\times(3+4)\times7=\dfrac{49}{2}(\text{cm}^2)$

$\triangle ABD=\triangle CAE=\dfrac{1}{2}\times3\times4=6(\text{cm}^2)$

$\therefore \triangle ABC=\square DBCE-(\triangle ABD+\triangle CAE)$
$=\dfrac{49}{2}-(6+6)=\dfrac{25}{2}(\text{cm}^2)$

53 $\triangle ABD$와 $\triangle CAE$에서
$\overline{AB}=\overline{CA}$
$\angle ADB=\angle CEA=90°$
$\angle BAD+\angle ABD=90°$
$\angle BAD+\angle CAE=90°$이
므로
$\angle ABD=\angle CAE$
$\therefore \triangle ABD\equiv\triangle CAE$ (RHA 합동)
$\overline{AE}=\overline{BD}=10\,\text{cm}$, $\overline{AD}=\overline{CE}=6\,\text{cm}$이므로
$\overline{DE}=\overline{AE}-\overline{AD}=10-6=4(\text{cm})$

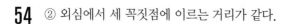

54 ② 외심에서 세 꼭짓점에 이르는 거리가 같다.

55 ① 외심은 세 변의 수직이등분선의 교점이므로
$\overline{BE}=\overline{CE}$

② 외심에서 세 꼭짓점에 이르는 거리가 같으므로
$\overline{OA}=\overline{OB}=\overline{OC}$

③ $\overline{OA}=\overline{OB}$이므로
$\angle OAB=\angle OBA$

④ 오른쪽 그림에서 $\angle OAB=\angle a$,
$\angle OAC=\angle b$라 하면
$\triangle OAB$, $\triangle OCA$가 이등변
삼각형이므로
$\angle BOC=2\angle a+2\angle b$
$=2(\angle a+\angle b)$
$=2\angle BAC$

⑤ $\triangle OFC\equiv\triangle OFA$, $\triangle OEC\equiv\triangle OEB$

56 $\angle BOC=2\angle A=2\times55°$
$=110°$

57 오른쪽 그림에서
$\angle y=2\angle A=2\times130°$
$=260°$
$\therefore \angle x=360°-260°=100°$

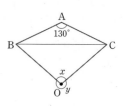

58 $\angle AOB : \angle BOC : \angle COA=3:4:5$이므로
$\angle BOC=\dfrac{4}{3+4+5}\times360°=120°$
$\therefore \angle BAC=\dfrac{1}{2}\angle BOC=\dfrac{1}{2}\times120°=60°$

59 $\angle x=2\angle A=2\times50°=100°$
오른쪽 그림과 같이 $\overline{OA}$를 그으면
$\triangle OAB$, $\triangle OCA$는 이등변삼각형
이므로
$\angle OAC=\angle OCA=30°$
$\angle y=\angle OAB=50°-30°=20°$
$\therefore \angle x+\angle y=100°+20°=120°$

60 $\angle OAB=\angle OBA=\angle a$라 하면
$\triangle ABC$에서
$\angle a+20°+25°=90°$이므로
$\angle a=45°$
$\therefore \angle A=45°+25°=70°$

다른 풀이 $\angle OBD=\angle OCD=20°$이므로
$\triangle OBC$에서
$\angle BOC=180°-(20°+20°)=140°$
$\angle BOC=2\angle A=140°$
$\therefore \angle A=70°$

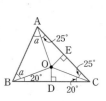

61 $\angle OAB+\angle OBC+\angle OCA=90°$이므로
$\angle x+30°+40°=90°$
$\therefore \angle x=20°$

62 점 O가 $\triangle ABC$의 외심이므로
$\angle AOC=2\angle B=2\times42°$
$=84°$
$\overline{OA}=\overline{OC}$이므로
$\angle OAC=\angle OCA=\dfrac{1}{2}\times(180°-84°)$
$=48°$
점 O′이 $\triangle AOC$의 외심이므로
$\angle x=2\angle OAC=2\times48°=96°$

63 점 O가 외심이므로
(외접원의 반지름의 길이)$=\overline{OA}=\overline{OB}=\overline{OC}$
$\triangle OBC$의 둘레의 길이가 19 cm이므로
$\overline{OB}+\overline{OC}+7=19(cm)$
$\overline{OB}+\overline{OC}=19-7=12(cm)$
$\therefore \overline{OB}=\overline{OC}=6\ cm$
따라서 $\triangle ABC$의 외접원의 반지름의 길이는 6 cm이다.

64 삼각형의 외심은 세 변의 수직이등분선의 교점이므로
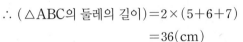
$\overline{FB}=\overline{AF}=5\ cm$
$\overline{BD}=\overline{DC}=6\ cm$
$\overline{EA}=\overline{CE}=7\ cm$
$\therefore (\triangle ABC$의 둘레의 길이$)=2\times(5+6+7)$
$\qquad\qquad\qquad\qquad =36(cm)$

65 $\angle BAD=90°\times\dfrac{4}{9}=40°$
$\overline{BD}=\overline{AD}$이므로 $\angle ABD=\angle BAD=40°$
$\therefore \angle BDA=180°-2\times40°=100°$

66 직각삼각형의 빗변의 중점은 외심이므로
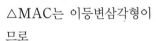
$\overline{MA}=\overline{MB}=\overline{MC}$
$\triangle MAC$는 이등변삼각형이므로
$\angle MAC=\angle C=36°$
$\triangle AHC$에서
$\angle CAH=90°-\angle MCA$
$\qquad\quad =90°-36°=54°$
$\therefore \angle HAM=\angle CAH-\angle MAC$
$\qquad\qquad =54°-36°=18°$

67 오른쪽 그림과 같이 직각삼각형의 외심은 빗변의 중점에 위치하므로
$(외접원의 반지름의 길이)$
$=\overline{OA}=\overline{OB}=\overline{OC}$
$=\dfrac{5}{2}\ cm$
$\therefore (외접원의 둘레의 길이)=2\pi\times\dfrac{5}{2}=5\pi(cm)$

68 $\triangle ABM$에서 $\angle B=60°$
$\overline{AB}=\overline{BM}$이므로
$\triangle ABM$은 정삼각형이다.

$\overline{BM}=\overline{MC}=\overline{AM}$이므로
점 M은 $\triangle ABC$의 외심이다.
따라서 $\overline{AM}$은 외접원의 반지름이므로
$\pi\times\overline{AM}^2=36\pi,\ \overline{AM}^2=36$
$\therefore \overline{AM}=6(cm)\ (\because \overline{AM}>0)$

69 ④ 내심에서 세 변에 이르는 거리는 같다.

70 오른쪽 그림의 $\triangle ABC$에서
$\angle A$와 $\angle B$의 이등분선의 교점을 I라 하고, 점 I에서 $\overline{AB},\ \overline{BC},\ \overline{CA}$에 내린 수선의 발을 각각 D, E, F라 하자.
$\triangle IAD\equiv\boxed{\triangle IAF}$ (RHA 합동)이므로
$\overline{ID}=\boxed{\overline{IF}}$
$\triangle IBD\equiv\boxed{\triangle IBE}$ (RHA 합동)이므로
$\overline{ID}=\boxed{\overline{IE}}$
$\triangle ICF$와 $\triangle ICE$에서
$\overline{IC}$는 공통, $\boxed{\overline{IF}}=\boxed{\overline{IE}}$,
$\angle IFC=\angle IEC=90°$이므로
$\triangle ICF\equiv\triangle ICE$ (RHS 합동)
$\therefore \angle ICF=\boxed{\angle ICE}$
따라서 점 I는 $\angle C$의 이등분선 위에 있으므로 $\triangle ABC$의 세 내각의 이등분선은 한 점 I에서 만난다.

71 점 I는 $\triangle ABC$의 내심이므로
① $\overline{AI}=\overline{BI}$인지 알 수 없다.
④ $\angle IBE=\angle IBD,\ \angle ICE=\angle ICF$

72 $\angle BIC=90°+\dfrac{1}{2}\angle A=90°+\dfrac{1}{2}\times70°=125°$

73 $\angle IAB=\angle IAC=\angle y$,
$\angle IBC=\angle IBA=24°$
$\angle ICB=\angle ICA=32°$이므로
$\angle y+24°+32°=90°$
$\therefore \angle y=34°$
$\angle BAC=2\times34°=68°$
또 $\angle BIC=90°+\dfrac{1}{2}\angle BAC$이므로

$\angle \text{BIC}=90°+\dfrac{1}{2}\times 68°=124°$ $\therefore \angle x=124°$

$\therefore \angle x+\angle y=124°+34°=158°$

74 $\angle \text{BAC}=2\angle x$,

$\angle \text{ABC}=2\angle y$라 하면

$\triangle \text{ABE}$에서

$2\angle x+\angle y+86°=180°$

$2\angle x+\angle y=94°$ $\cdots\cdots$ ㉠

$\triangle \text{ABD}$에서

$\angle x+2\angle y+82°=180°$, $\angle x+2\angle y=98°$ $\cdots\cdots$ ㉡

㉠, ㉡에서 $\angle x=30°$, $\angle y=34°$

$\triangle \text{ABC}$에서 $60°+68°+\angle \text{C}=180°$

$\therefore \angle \text{C}=52°$

75 점 I가 $\triangle \text{BCD}$의 내심이므로

$\angle \text{IBD}=\angle \text{IBC}=\dfrac{1}{2}\angle \text{DBC}$

$\qquad =\dfrac{1}{2}\times 42°=21°$

$\triangle \text{DCA}$에서 $\overline{\text{DA}}=\overline{\text{DC}}$이므로

$\angle \text{DAC}=\angle \text{DCA}$이고

$\angle \text{BDC}=\angle \text{DAC}+\angle \text{DCA}=76°$이므로

$\angle \text{DAC}=\dfrac{1}{2}\times 76°=38°$

점 I'이 $\triangle \text{DCA}$의 내심이므로

$\angle \text{I}'\text{AD}=\angle \text{I}'\text{AC}=\dfrac{1}{2}\angle \text{DAC}=\dfrac{1}{2}\times 38°=19°$

따라서 $\triangle \text{ABP}$에서

$\angle \text{IPI}'=\angle \text{APB}=180°-(21°+19°)=140°$

76 $\triangle \text{ABC}$의 내접원의 반지름의 길이를 r cm라 하면

$\triangle \text{ICA}=\dfrac{1}{2}\times r\times 12$

$\qquad =6r(\text{cm}^2)$

$\triangle \text{ABC}=\dfrac{1}{2}\times r\times (7+9+12)$

$\qquad =14r(\text{cm}^2)$

$\therefore \triangle \text{ABC}:\triangle \text{ICA}=14r:6r=7:3$

77 $\triangle \text{ABC}$의 내접원의 반지름의 길이를 r cm라 하면

$\triangle \text{ABC}=\dfrac{1}{2}\times 15\times 8$

$\qquad =\dfrac{1}{2}\times r\times (8+15+17)$

$\therefore r=3$

따라서 어두운 부분의 넓이는

$\triangle \text{ABC}-\triangle \text{IBC}=\left(\dfrac{1}{2}\times 15\times 8\right)-\left(\dfrac{1}{2}\times 15\times 3\right)$

$\qquad\qquad =\dfrac{75}{2}(\text{cm}^2)$

78 $\overline{\text{CE}}=\overline{\text{CF}}=x$ cm라 하면

$\overline{\text{AD}}=\overline{\text{AF}}=(13-x)$ cm,

$\overline{\text{BD}}=\overline{\text{BE}}=(12-x)$ cm

$\overline{\text{AB}}=\overline{\text{AD}}+\overline{\text{BD}}$이므로

$10=(13-x)+(12-x)$

$\therefore x=\dfrac{15}{2}$

$\therefore \overline{\text{CF}}=\dfrac{15}{2}$ cm

79 $\overline{\text{AD}}=\overline{\text{AF}}=5$ cm

$\overline{\text{BE}}=\overline{\text{BD}}=13-5=8(\text{cm})$

$\overline{\text{CF}}=\overline{\text{CE}}=9-5=4(\text{cm})$

$\therefore \overline{\text{BC}}=8+4=12(\text{cm})$

80 $\overline{\text{FC}}=\overline{\text{EC}}=3$ cm

$\overline{\text{BD}}=\overline{\text{BE}}=5$ cm

$\overline{\text{AF}}=\overline{\text{AD}}=9-5=4(\text{cm})$

$\overline{\text{AC}}=4+3=7(\text{cm})$

$\therefore \triangle \text{ABC}=\dfrac{1}{2}\times 2\times (9+8+7)$

$\qquad =24(\text{cm}^2)$

81 내접원의 반지름의 길이를 r cm라 하면

$\pi r^2=16\pi$, $r^2=16$

$\therefore r=4\ (\because r>0)$

또 $\triangle \text{ABC}$의 세 변의 길이를 각각 a cm, b cm, c cm라 하면

$\triangle \text{ABC}=\dfrac{1}{2}r(a+b+c)$이므로

$80=\dfrac{1}{2}\times 4\times (a+b+c)$

$\therefore a+b+c=40$

따라서 $\triangle \text{ABC}$의 둘레의 길이는 40 cm이다.

82 내접원의 반지름의 길이를 r cm라 하면

$\triangle \text{ABC}=\dfrac{1}{2}\times \overline{\text{BC}}\times \overline{\text{AC}}=\dfrac{1}{2}r(\overline{\text{AB}}+\overline{\text{BC}}+\overline{\text{CA}})$

이므로

$$\frac{1}{2} \times 12 \times 5 = \frac{1}{2} \times r \times (13+12+5)$$

$30 = 15r$ ∴ $r = 2$ (cm)

따라서 내접원 I의 넓이는 $\pi \times 2^2 = 4\pi$ (cm²)

83 오른쪽 그림과 같이 점 I에서 $\overline{AC}$에 내린 수선의 발을 H라 하자.

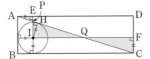

△PEA와 △PHI에서

∠PEA=∠PHI=90°, ∠EPA=∠HPI (맞꼭지각)이므로 ∠EAP=∠HIP

또 $\overline{IH}=\overline{AE}$

∴ △PEA≡△PHI (ASA 합동)

△QFC와 △QHI에서

∠QFC=∠QHI=90°, ∠FQC=∠HQI (맞꼭지각)이므로 ∠FCQ=∠HIQ

또 $\overline{FC}=\overline{HI}$

∴ △QFC≡△QHI (ASA 합동)

따라서 □EIFD의 넓이는 △ACD의 넓이와 같으므로

□EIFD=△ACD=$\frac{1}{2} \times 13 \times 4 = 26$ (cm²)

84 점 I가 △ABC의 내심이므로

∠IBC=∠IBD=35°

$\overline{DE} \parallel \overline{BC}$이므로

∠BID=∠IBC=35° (엇각)

∴ $\overline{DB}=\overline{DI}$

또 ∠ICB=∠ICE=25°이고,

∠EIC=∠ICB=25° (엇각)이므로

∠EIC=∠ECI

∴ $\overline{EC}=\overline{EI}$

∴ (△ADE의 둘레의 길이)

$= (\overline{AD}+\overline{DI})+(\overline{AE}+\overline{EI})$

$= (\overline{AD}+\overline{DB})+(\overline{AE}+\overline{EC})$

$= \overline{AB}+\overline{AC}=20$ (cm)

또 ∠ABC=70°, ∠ACB=50°이므로

∠A=180°−(70°+50°)=60°

85 점 I가 △ABC의 내심이므로

∠IBD=∠IBC이고,

∠IBC=∠DIB (엇각)이므로

∠IBD=∠DIB

∴ $\overline{DB}=\overline{DI}$

또 ∠ICE=∠ICB이고,

∠ICB=∠EIC (엇각)이므로

∠ICE=∠EIC

∴ $\overline{EC}=\overline{EI}$

∴ (△ADE의 둘레의 길이)

$= \overline{AD}+\overline{DE}+\overline{AE}$

$= \overline{AD}+(\overline{DI}+\overline{EI})+\overline{AE}$

$= \overline{AD}+(\overline{DB}+\overline{EC})+\overline{AE}$

$= \overline{AB}+\overline{AC}$

$= 18+16=34$ (cm)

86 $\overline{DE}=\overline{DI}+\overline{EI}=\overline{DB}+\overline{EC}$

$= 4+3=7$ (cm)

∴ □DBCE=$\frac{1}{2} \times (7+10) \times 2 = 17$ (cm²)

87 점 I가 △ABC의 내심이므로

$\overline{DB}=\overline{DI}$, $\overline{EC}=\overline{EI}$

△ADE의 내접원의 반지름의 길이를 r cm라 하면

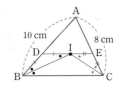

$$\triangle ADE = \frac{1}{2}r(\overline{AD}+\overline{DE}+\overline{AE})$$

$$= \frac{1}{2}r(\overline{AD}+\overline{DI}+\overline{EI}+\overline{EA})$$

$$= \frac{1}{2}r(\overline{AD}+\overline{DB}+\overline{EC}+\overline{EA})$$

$$= \frac{1}{2}r(\overline{AB}+\overline{AC})$$

$$= \frac{1}{2}r \times 18 = 18 \text{ (cm}^2)$$

∴ $r=2$

따라서 구하는 반지름의 길이는 2 cm이다.

88 점 I가 △ABC의 내심이므로

∠IBD=∠IBA이고,

$\overline{AB} \parallel \overline{ID}$이므로

∠IBA=∠BID (엇각)

∴ $\overline{ID}=\overline{DB}$

또 ∠ICE=∠ICA이고,

$\overline{AC} \parallel \overline{IE}$이므로

∠ICA=∠CIE (엇각)

∴ $\overline{EI}=\overline{EC}$

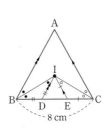

∴ (△IDE의 둘레의 길이)

$= \overline{ID}+\overline{DE}+\overline{IE}$

$= \overline{BD}+\overline{DE}+\overline{EC}$

$= \overline{BC}=8$ (cm)

89 $\angle C = 180° - (60° + 50°) = 70°$

$\begin{aligned}\angle AOB &= 2\angle C \\ &= 2 \times 70° = 140°\end{aligned}$

이므로

$\begin{aligned}\angle ABO &= \angle BAO \\ &= \frac{1}{2} \times (180° - 140°) \\ &= 20°\end{aligned}$

$\angle BAI = \angle CAI = \frac{1}{2}\angle A = \frac{1}{2} \times 60° = 30°$

이므로

$\angle OAI = \angle BAI - \angle BAO = 30° - 20° = 10°$

90 $\begin{aligned}\angle B &= 180° - (72° + 38°) \\ &= 70°\end{aligned}$

[그림 1]에서 점 I는 내심이므로

$\angle IAB = \angle IAC = \frac{1}{2}\angle A = 36°$

$\angle IBA = \angle IBC = \frac{1}{2}\angle B = 35°$

$\angle ICB = \angle ICA = \frac{1}{2}\angle C = 19°$

[그림 1]

[그림 2]에서 점 O는 외심이므로

$\angle BOC = 2\angle A = 144°$

$\angle COA = 2\angle B = 140°$

$\angle AOB = 2\angle C = 76°$

또, $\triangle OAB$, $\triangle OBC$, $\triangle OCA$
는 각각 이등변삼각형이므로

$\angle OAB = \angle OBA = 52°$, $\angle OBC = \angle OCB = 18°$,
$\angle OCA = \angle OAC = 20°$

따라서

$\angle x = \angle OAB - \angle IAB = 52° - 36° = 16°$

$\angle y = \angle OBA - \angle IBA = 52° - 35° = 17°$

$\angle z = \angle OCA - \angle ICA = 20° - 19° = 1°$

이므로

$\angle x + \angle y + \angle z = 16° + 17° + 1° = 34°$

[그림 2]

91 점 O가 $\triangle ABC$의 외심이므로

$\angle BOC = 2\angle A$, $100° = 2\angle A$

$\therefore \angle A = 50°$

점 I가 $\triangle ABC$의 내심이므로

$\begin{aligned}\angle BIC &= 90° + \frac{1}{2}\angle A \\ &= 90° + \frac{1}{2} \times 50° = 115°\end{aligned}$

92 이등변삼각형의 내심과 외심은 꼭지
각의 이등분선 위에 있으므로

$\overline{OB} = \overline{OC}$, $\overline{IB} = \overline{IC}$

$\therefore \angle OBC = \angle OCB$

$= \frac{1}{2} \times (180° - 72°) = 54°$

$\angle A = \frac{1}{2}\angle BOC = \frac{1}{2} \times 72° = 36°$

또 $\angle BIC = 90° + \frac{1}{2}\angle A$이므로

$\angle BIC = 90° + \frac{1}{2} \times 36° = 108°$

$\angle IBC = \angle ICB = \frac{1}{2} \times (180° - 108°) = 36°$

$\therefore \angle OBI = \angle OBC - \angle IBC$

$= 54° - 36° = 18°$

93 $\angle B = 90° - 60° = 30°$

$\angle IBC = \frac{1}{2}\angle B$

$= \frac{1}{2} \times 30° = 15°$

점 O는 $\triangle ABC$의 외심이므로 $\overline{OB} = \overline{OC}$

$\therefore \angle OCB = \angle OBC = 30°$

$\triangle PBC$에서 $\angle BPC = 180° - (15° + 30°) = 135°$

94 외접원의 지름의 길이가 13 cm이므로

(외접원의 둘레의 길이)$= 13\pi$ cm

내접원의 반지름의 길이를 r cm라 하면

$\frac{1}{2} \times 12 \times 5 = \frac{1}{2} \times r \times (5 + 12 + 13)$ $\therefore r = 2$

(내접원의 둘레의 길이)$= 4\pi$ cm

따라서 외접원과 내접원의 둘레의 길이의 합은

$13\pi + 4\pi = 17\pi$(cm)

95 내접원의 반지름의 길이를 r cm라
하면

$\frac{1}{2} \times 8 \times 6 = \frac{1}{2} \times r \times (6 + 8 + 10)$

$\therefore r = 2$

$\square DBEI$는 한 변의 길이가 2 cm인 정사각형이므로

$\overline{AF} = \overline{AD} = \overline{AB} - \overline{DB} = 6 - 2 = 4$(cm)

한편 $\overline{AO} = 5$ cm이므로

$\overline{FO} = \overline{AO} - \overline{AF} = 5 - 4 = 1$(cm)

96 $\overline{AB}$의 중점이 외심이므로
△ABC는 $\overline{AB}$를 빗변으로 하는 직각삼각형이다.
$\overline{IF}$를 그으면 □IECF는

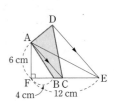

정사각형이므로
$\overline{EC}=\overline{FC}=2\,cm$
$\overline{AD}=\overline{AF}=a\,cm$라 하면
$\overline{BE}=\overline{BD}=\overline{AB}-\overline{AD}=10-a\,(cm)$
$\overline{AB}+\overline{BC}+\overline{CA}=10+(10-a+2)+(a+2)=24$
$\therefore \triangle ABC=\dfrac{1}{2}\times\overline{IE}\times(\overline{AB}+\overline{BC}+\overline{CA})$
$\qquad\qquad =\dfrac{1}{2}\times 2\times 24=24\,(cm^2)$

97 $\overline{BD}:\overline{DC}=1:2$에서 $\overline{BD}=\dfrac{1}{2}\overline{DC}$이고,
$\overline{DE}:\overline{EC}=2:1$에서 $\overline{EC}=\dfrac{1}{3}\overline{DC}$이므로
$\triangle ABD:\triangle AEC=\overline{BD}:\overline{EC}$
$\qquad\qquad\qquad =\dfrac{1}{2}\overline{DC}:\dfrac{1}{3}\overline{DC}=3:2$

98 $\overline{BM}=\overline{CM}$이므로
$\triangle ABM=\triangle ACM=\dfrac{1}{2}\triangle ABC$
또 $\overline{AN}:\overline{NM}=3:2$이므로
$\triangle ANC=\dfrac{3}{5}\triangle ACM=\dfrac{3}{10}\triangle ABC$
$\triangle BMN=\dfrac{2}{5}\triangle ABM=\dfrac{1}{5}\triangle ABC$
$\therefore \triangle ANC:\triangle BMN=\dfrac{3}{10}\triangle ABC:\dfrac{1}{5}\triangle ABC$
$\qquad\qquad\qquad\qquad =3:2$

99 $\triangle ABP:\triangle ACP=\overline{BP}:\overline{CP}=2:3$이므로
$\triangle ACP=\dfrac{3}{2+3}\triangle ABC=\dfrac{3}{5}\times 50=30\,(cm^2)$
또, $\overline{AQ}=\overline{CQ}$이므로 $\triangle APQ=\triangle CPQ$
$\therefore \triangle APQ=\dfrac{1}{2}\triangle ACP=\dfrac{1}{2}\times 30=15\,(cm^2)$

100 $\overline{AM}=\dfrac{1}{2}\overline{AD}$
$\overline{AN}:\overline{ND}=3:1$이므로 $\overline{AN}=\dfrac{3}{4}\overline{AD}$
$\overline{MN}=\overline{AN}-\overline{AM}=\dfrac{3}{4}\overline{AD}-\dfrac{1}{2}\overline{AD}=\dfrac{1}{4}\overline{AD}$
$\triangle BMN:\triangle ABD=\overline{MN}:\overline{AD}$
$\qquad\qquad\qquad =\dfrac{1}{4}\overline{AD}:\overline{AD}=1:4$

△BMN$=4\,cm^2$이므로
$4:\triangle ABD=1:4$
$\therefore \triangle ABD=16\,(cm^2)$
또 $\overline{BD}=\overline{DC}$이므로 $\triangle ABD=\triangle ACD=16\,cm^2$
$\therefore \triangle ABC=32\,cm^2$

101 $\overline{BC}:\overline{CD}=3:2$이므로
$\triangle ABC:\triangle ACD=3:2$
$18:\triangle ACD=3:2$
$3\triangle ACD=36$
$\therefore \triangle ACD=12\,(cm^2)$
$\overline{AC}/\!/\overline{DE}$이므로 $\triangle ACE=\triangle ACD$
$\therefore \square ABCE=\triangle ABC+\triangle ACE$
$\qquad\qquad =\triangle ABC+\triangle ACD$
$\qquad\qquad =18+12=30\,(cm^2)$

102 $\overline{AC}/\!/\overline{DE}$이므로
$\triangle ACD=\triangle ACE$
$\therefore \square ABCD$
$\quad =\triangle ABC+\triangle ACD$
$\quad =\triangle ABC+\triangle ACE$
$\quad =\triangle ABE$
$\quad =\dfrac{1}{2}\times 8\times 6$
$\quad =24\,(cm^2)$

103 $\overline{BM}=\overline{ME}$이므로 $\triangle DBM=\triangle DME$
$\overline{DC}/\!/\overline{AE}$이므로 $\triangle DCA=\triangle DCE$
$\therefore \triangle DME=\triangle DMC+\triangle DCE$
$\qquad\qquad =\triangle DMC+\triangle DCA$
$\qquad\qquad =\square ADMC$

104 $\overline{AD}/\!/\overline{EM}$이므로
$\triangle EMD=\triangle EMA$
점 M이 $\overline{BC}$의 중점이므로
$\triangle BDE=\triangle BME+\triangle EMD$
$\qquad\qquad =\triangle BME+\triangle EMA$
$\qquad\qquad =\triangle ABM$
$\qquad\qquad =\dfrac{1}{2}\triangle ABC$
$\qquad\qquad =\dfrac{1}{2}\times 20=10\,(cm^2)$

단원 종합 문제

01 ④   02 56°   03 ②   04 15°   05 54°   06 ③   07 ⑤   08 ③, ⑤
09 140°   10 ④   11 ③, ⑤   12 36°   13 ⑤   14 ④   15 ④   16 ②
17 ③   18 ③

01 ②, ⑤ $\angle ABC = \angle ACB$이므로 $\angle CBP = \angle BCP$
따라서 $\triangle PBC$는 $\overline{BP} = \overline{CP}$인 이등변삼각형이다.
①, ④ $\triangle BAD \equiv \triangle CAE$ (ASA 합동)이므로
$\overline{BD} = \overline{CE}$
$\triangle BCD \equiv \triangle CBE$ (ASA 합동)
③ $\triangle BPE \equiv \triangle CPD$ (ASA 합동)

02 $\angle B = \angle C = \dfrac{1}{2} \times (180° - 68°)$
$= 56°$
이므로
$\angle BDE = \angle BED = \angle CEF$
$= \angle CFE$
$= \dfrac{1}{2} \times (180° - 56°) = 62°$
$\therefore \angle DEF = 180° - (62° + 62°) = 56°$

03 $\angle DCB = \angle B = 30°$이므로
$\triangle DBC$에서
$\angle ADC = 30° + 30° = 60°$
또 $\angle ACD = 90° - 30° = 60°$
$\angle ADC = \angle ACD = \angle A = 60°$이므로 $\triangle ADC$는
정삼각형이다.
$\therefore \overline{AD} = \overline{AC} = 5 \text{ cm}$

04 $\angle A = \angle a$라 하면
$\overline{AB} = \overline{BC}$이므로
$\angle BCA = \angle a$
$\triangle ABC$에서
$\angle DBC = \angle A + \angle BCA = 2\angle a$
또 $\triangle BCD$에서 $\overline{BC} = \overline{CD}$이므로
$\triangle ACD$에서
$\angle CDB = \angle CBD = 2\angle a$
$\angle DCE = \angle A + \angle ADC = \angle a + 2\angle a = 3\angle a$
$\triangle DCE$에서 $\overline{CD} = \overline{DE}$이므로
$\angle DEC = \angle DCE = 3\angle a$

$90° + 3\angle a + 3\angle a = 180°$
$6\angle a = 90° \qquad \therefore \angle a = 15°$
$\therefore \angle A = 15°$

05 $\angle EFG = \angle CFG$
$= 63°$ (접은 각)
$\overline{AD} /\!/ \overline{BC}$이므로
$\angle CFG = \angle EGF$
$= 63°$ (엇각)
$\therefore \angle C'EA = \angle GEF = 180° - 2 \times 63° = 54°$

06 $\triangle BCD$와 $\triangle CBE$에서
$\overline{CD} = \overline{BE}$, $\overline{BC}$는 공통, $\angle BDC = \angle CEB = 90°$이
므로
$\triangle BCD \equiv \triangle CBE$ (RHS 합동)
즉 $\angle ABC = \angle ACB = \dfrac{1}{2} \times (180° - 56°) = 62°$
$\triangle ADB$에서 $\angle ABD = 90° - 56° = 34°$이므로
$\angle DBC = \angle ABC - \angle ABD = 62° - 34° = 28°$

07 $\triangle ABD$와 $\triangle CAE$에서
$\overline{AB} = \overline{CA}$, $\angle D = \angle E = 90°$,
$\angle BAD + \angle ABD = 90°$
이고,
$\angle BAD + \angle CAE = 90°$이므로
$\angle ABD = \angle CAE$
$\therefore \triangle ABD \equiv \triangle CAE$ (RHA 합동)
따라서 $\overline{AD} = \overline{CE}$, $\overline{BD} = \overline{AE}$이므로
$\overline{BD} + \overline{CE} = \overline{AE} + \overline{AD} = \overline{DE} = 15 \text{ cm}$

08 ③ $\triangle AOF \equiv \triangle COF$, $\triangle AOD \equiv \triangle BOD$
⑤ 점 O가 내심일 때 성립한다.

09 $\angle AOB = 80°$이므로
($\angle AOB$의 외각)
$= 360° - 80° = 280°$이고,
($\angle AOB$의 외각)
$= 2\angle ACB$이므로

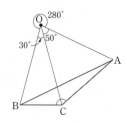

$280° = 2\angle \text{ACB}$

$\therefore \angle \text{ACB} = 140°$

다른 풀이 점 O가 $\triangle \text{ABC}$의 외심이므로

$\overline{\text{OB}} = \overline{\text{OC}} = \overline{\text{OA}}$

$\triangle \text{OBC}$에서 $\overline{\text{OB}} = \overline{\text{OC}}$이므로

$\angle \text{OCB} = \dfrac{1}{2} \times (180° - 30°) = 75°$

$\triangle \text{OAC}$에서 $\overline{\text{OA}} = \overline{\text{OC}}$이므로

$\angle \text{OCA} = \dfrac{1}{2} \times (180° - 50°) = 65°$

$\therefore \angle \text{ACB} = \angle \text{OCB} + \angle \text{OCA} = 75° + 65° = 140°$

10 $\angle \text{BAO} : \angle \text{CAO} = 2 : 3$이므로

$\angle \text{BAO} = 2\angle a$라 하면

$\angle \text{CAO} = 3\angle a$

$\overline{\text{OA}} = \overline{\text{OB}} = \overline{\text{OC}}$이므로

$\angle \text{ABO} = \angle \text{BAO} = 2\angle a$

$\angle \text{ACO} = \angle \text{CAO} = 3\angle a$

$\angle \text{OBC} = \angle \text{OCB} = \angle b$라 하면

$\angle \text{ABC} : \angle \text{ACB} = 3 : 4$이므로

$(2\angle a + \angle b) : (3\angle a + \angle b) = 3 : 4$

$3(3\angle a + \angle b) = 4(2\angle a + \angle b)$

$9\angle a + 3\angle b = 8\angle a + 4\angle b$

$\therefore \angle a = \angle b$

$\triangle \text{ABC}$에서

$2\angle a + \angle b + 3\angle a = 90°$이므로

$6\angle a = 90°$ $\therefore \angle a = 15°$

$\therefore \angle \text{ABC} = 2\angle a + \angle b = 3\angle a = 3 \times 15° = 45°$

11 ③ 내심은 삼각형의 세 내각의 이등분선의 교점이다.
⑤ 내심에서 삼각형의 세 변에 이르는 거리는 같다.

12 $\angle \text{IAB} = \angle \text{IAC} = 40°$

$\angle \text{IBA} = \angle \text{IBC} = 32°$이므로

$\angle \text{BAC} = 80°$, $\angle \text{ABC} = 64°$

$\therefore \angle \text{C} = 180° - (80° + 64°)$

$\qquad = 36°$

13 점 I가 $\triangle \text{ABC}$의 내심이므로

$\angle \text{DBI} = \angle \text{CBI}$

$\overline{\text{DE}} /\!/ \overline{\text{BC}}$이므로

$\angle \text{CBI} = \angle \text{BID}$ (엇각)

$\therefore \angle \text{DBI} = \angle \text{BID}$

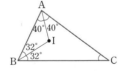

즉 $\triangle \text{DBI}$는 이등변삼각형이므로 $\overline{\text{DB}} = \overline{\text{DI}}$

같은 방법으로 $\triangle \text{EIC}$는 이등변삼각형이므로

$\overline{\text{EI}} = \overline{\text{EC}}$

$\therefore$ ($\triangle \text{ADE}$의 둘레의 길이)

$\quad = \overline{\text{AD}} + \overline{\text{DE}} + \overline{\text{EA}}$

$\quad = \overline{\text{AD}} + (\overline{\text{DI}} + \overline{\text{IE}}) + \overline{\text{EA}}$

$\quad = \overline{\text{AD}} + (\overline{\text{DB}} + \overline{\text{CE}}) + \overline{\text{EA}}$

$\quad = \overline{\text{AB}} + \overline{\text{AC}}$

$\quad = 7 + 8 = 15 \, (\text{cm})$

14 $\overline{\text{AD}} = \overline{\text{AF}} = x \, \text{cm}$라 하면

$\overline{\text{BE}} = \overline{\text{BD}}$

$\quad = 14 - x \, (\text{cm})$,

$\overline{\text{CE}} = \overline{\text{CF}}$

$\quad = 8 - x \, (\text{cm})$

$\overline{\text{BC}} = \overline{\text{BE}} + \overline{\text{CE}}$이므로

$11 = (14 - x) + (8 - x)$

$2x = 11$ $\therefore x = \dfrac{11}{2}$

$\therefore \overline{\text{AD}} = \dfrac{11}{2} \, \text{cm}$

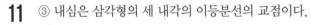

15 외심과 내심이 일치하는 삼각형은 정삼각형이다.

16 점 O가 $\triangle \text{ABC}$의 외심이므로

$\angle \text{A} = \dfrac{1}{2} \angle \text{BOC} = \dfrac{1}{2} \times 104° = 52°$

점 I가 $\triangle \text{ABC}$의 내심이므로

$\angle \text{BIC} = 90° + \dfrac{1}{2} \angle \text{A}$

$\qquad = 90° + \dfrac{1}{2} \times 52° = 116°$

17 $\overline{\text{AC}} /\!/ \overline{\text{DE}}$이므로 $\triangle \text{ACD} = \triangle \text{ACE}$

$\therefore \square \text{ABCD} = \triangle \text{ABC} + \triangle \text{ACD}$

$\qquad = \triangle \text{ABC} + \triangle \text{ACE}$

$\qquad = \triangle \text{ABE} = 12 \, (\text{cm}^2)$

18 $\overline{\text{AC}} /\!/ \overline{\text{DE}}$이므로 $\triangle \text{ACE} = \triangle \text{ACD}$

$\square \text{ABCD} = \triangle \text{ABC} + \triangle \text{ACD}$

$\qquad = \triangle \text{ABC} + \triangle \text{ACE}$

이므로

$42 = 25 + \triangle \text{ACE}$

$\therefore \triangle \text{ACE} = 17 \, (\text{cm}^2)$

01 (가) ∠DCA (나) $\overline{AC}$ (다) ASA (라) $\overline{AB}=\overline{DC}$ **02** 90° **03** ③ **04** ④ **05** ③

06 ② **07** 140° **08** ② **09** 3 cm **10** ④ **11** ② **12** 35° **13** 113°

14 ④ **15** 50° **16** 18° **17** (가) ∠DFC (나) $\overline{DF}$ (다) 평행사변형 **18** 2 cm

19 ① **20** ③ **21** ③ **22** ① **23** ④ **24** ③ **25** 평행사변형

26 4초 **27** ㄱ, ㄷ, ㅁ **28** 3개 **29** 12 **30** ② **31** 40 cm² **32** ③

33 ② **34** 1 : 2 **35** ⑤ **36** 28 cm² **37** ② **38** 14 cm² **39** ⑤ **40** ①

41 ① **42** 25 cm² **43** ② **44** 10 cm² **45** 9 cm² **46** ① **47** ③ **48** ②

49 4 cm² **50** 4 cm²

---

01 평행사변형 ABCD에서 대각선 AC를 그으면
△ABC와 △CDA에서 $\overline{AB} \parallel \overline{DC}$이므로
∠BAC= ∠DCA (엇각)
$\overline{AD} \parallel \overline{BC}$이므로
∠BCA=∠DAC (엇각)
$\overline{AC}$ 는 공통
따라서 △ABC≡△CDA (ASA 합동)이므로
$\overline{AB}=\overline{DC}$, $\overline{AD}=\overline{BC}$

02 ∠PBC+∠PCB=$\frac{1}{2}$×(∠ABC+∠BCD)
$=\frac{1}{2}×180°=90°$
∴ ∠BPC=180°−(∠PBC+∠PCB)
$=180°−90°=90°$

03 평행사변형 ABCD에서 두 대각선의 교점을 O라 하면 △ABO와 △CDO에서
$\overline{AB}=\overline{CD}$
$\overline{AB} \parallel \overline{DC}$이므로
∠ABO= ∠CDO (엇각),
∠BAO=∠DCO (엇각)
따라서 △ABO≡△CDO (ASA 합동)이므로
$\overline{AO}=\overline{CO}$, $\overline{BO}=\overline{DO}$

04 ④ ∠ABD=∠BDC (엇각), ∠BAC=∠ACD (엇각)이지만 ∠ABD=∠ACD는 알 수 없다.

05 평행사변형의 두 대각선은 서로 다른 것을 이등분하므로 $\overline{AO}=\overline{CO}=4$ cm, $\overline{BO}=\overline{DO}=5$ cm
또 평행사변형의 두 대변의 길이는 각각 같으므로

$\overline{BC}=\overline{AD}=6$ cm
따라서 △BCO의 둘레의 길이는
$\overline{BO}+\overline{BC}+\overline{CO}=5+6+4=15$(cm)

06 △AOP와 △COQ에서
$\overline{AO}=\overline{CO}$, ∠AOP=∠COQ (맞꼭지각),
∠OAP=∠OCQ (엇각)이므로
△AOP≡△COQ (ASA 합동)
∴ $\overline{PO}=\overline{QO}$, $\overline{AP}=\overline{CQ}$, ∠OPA=∠OQC
② ∠AOB=∠COD, ∠OPB=∠OQD

07 ∠ADC=180°−100°=80°이므로
∠ADE=∠CDE=40°
또 $\overline{AD} \parallel \overline{BC}$이므로
∠CED=∠ADE=40° (엇각)
∴ ∠x=180°−40°=140°

08 $\overline{AD} \parallel \overline{BC}$이므로 ∠BEA=∠DAE (엇각)
△ABE가 이등변삼각형이므로
$\overline{BE}=\overline{AB}=12$ cm
∴ $\overline{CE}=\overline{BC}-\overline{BE}=16-12=4$(cm)

09 $\overline{AD} \parallel \overline{BC}$이므로 ∠DAE=∠BEA (엇각)
즉 △ABE는 이등변삼각형이므로
$\overline{BE}=\overline{AB}=6$ cm
∴ $\overline{CE}=\overline{BC}-\overline{BE}=9-6=3$(cm)
$\overline{AD} \parallel \overline{BC}$이므로 ∠DFC=∠ADF (엇각)
즉 △CDF는 이등변삼각형이므로
$\overline{CF}=\overline{CD}=6$ cm
∴ $\overline{FE}=\overline{CF}-\overline{CE}=6-3=3$(cm)

10 $\overline{AB}\,/\!/\,\overline{DE}$이므로

$\angle BAE = \angle DEA = 55°$ (엇각)

$\angle DAE = \angle BAE = 55°$이므로

$\angle BAD = 55° + 55° = 110°$

$\therefore \angle BCD = \angle BAD = 110°$

11 $\overline{AB}\,/\!/\,\overline{CE}$이므로 $\angle ABE = \angle CEB$ (엇각)

$\angle ABE = \angle CBE$이므로 $\angle CBE = \angle CEB$

즉 $\triangle BCE$는 이등변삼각형이므로

$\overline{CE} = \overline{CB} = 7\,\text{cm}$

$\therefore \overline{DE} = \overline{CE} - \overline{CD} = 7 - 5 = 2(\text{cm})$

12 $\overline{AD}\,/\!/\,\overline{BE}$이므로

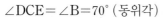

$\angle DAE = \angle E$ (엇각)

$\therefore \angle CAE = \angle E$

$\overline{AB}\,/\!/\,\overline{DC}$이므로

$\angle DCE = \angle B = 70°$ (동위각)

$\therefore \angle ACE = 40° + 70° = 110°$

$\therefore \angle E = \dfrac{1}{2} \times (180° - 110°) = 35°$

13 $\overline{AB}\,/\!/\,\overline{DC}$이므로

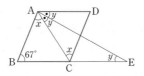

$\angle BAC = \angle DCA = \angle x$

(엇각)

$\overline{AD}\,/\!/\,\overline{BE}$이므로

$\angle DAE = \angle E = \angle y$ (엇각)

$\angle BAD = \angle x + 2\angle y$이고

$\angle B + \angle BAD = 180°$이므로

$67° + \angle x + 2\angle y = 180°$

$\therefore \angle x + 2\angle y = 113°$

14 ②, ③ $\triangle ABE$와 $\triangle CDF$에서

$\overline{AB} = \overline{CD}$, $\angle AEB = \angle CFD = 90°$

$\angle ABE = \angle CDF$ (엇각)이므로

$\triangle ABE \equiv \triangle CDF$ (RHA 합동)

$\therefore \overline{BE} = \overline{DF}$, $\triangle ABE = \triangle CDF$

④ $\angle ADE = \angle CBF$ (엇각), $\angle DCF = \angle BAE$

⑤ $\triangle AED$와 $\triangle CFB$에서

$\overline{AD} = \overline{CB}$, $\angle AED = \angle CFB = 90°$

$\angle ADE = \angle CBF$ (엇각)이므로

$\triangle AED \equiv \triangle CFB$ (RHA 합동)

15 $\triangle ABE$는 이등변삼각형이

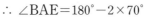

므로

$\angle AEB = \angle B = 70°$

$\therefore \angle BAE = 180° - 2 \times 70°$

$\qquad = 40°$

$\angle BAD = 180° - 70° = 110°$이므로

$\angle DAF = 110° - 40° = 70°$

$\triangle AFD$에서 $\angle ADF = 180° - (90° + 70°) = 20°$

$\angle ADC = \angle B = 70°$이므로

$\angle CDF = 70° - 20° = 50°$

16 $\overline{AD}$와 $\overline{BE}$의 연장선

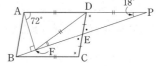

이 만나는 점을 P라

하면 $\triangle BCE$와

$\triangle PDE$에서

$\overline{CE} = \overline{DE}$, $\angle BEC = \angle PED$ (맞꼭지각)

$\overline{AP}\,/\!/\,\overline{BC}$이므로 $\angle BCE = \angle PDE$ (엇각)

따라서 $\triangle BCE \equiv \triangle PDE$ (ASA 합동)이므로

$\overline{AD} = \overline{BC} = \overline{PD}$

직각삼각형 AFP에서 $\angle P = 90° - 72° = 18°$이고 점 D

는 빗변의 중점, 즉 외심이므로 $\overline{AD} = \overline{FD} = \overline{PD}$이다.

따라서 $\triangle DFP$는 이등변삼각형이므로

$\angle DFE = \angle P = 18°$

17 $\overline{ED}\,/\!/\,\overline{BF}$이므로

$\angle EDF = \boxed{\angle DFC}$ (엇각)

이때 $\angle DFC = \angle EBF$ (동위각)이므로

$\overline{EB}\,/\!/\,\boxed{\overline{DF}}$

따라서 $\square EBFD$는 두 쌍의 대변이 각각 평행하므로

$\boxed{평행사변형}$이다.

18 $\angle ABC = \angle ADC$이므로 $\angle EBF = \angle EDF$

$\qquad\qquad\qquad\qquad\qquad\qquad$ ...... ㉠

또 $\angle AEB = \angle EBF$ (엇각), $\angle CFD = \angle EDF$ (엇

각)이므로

$\angle AEB = \angle CFD$, 즉 $\angle DEB = \angle BFD$ ...... ㉡

㉠, ㉡에 의해 두 쌍의 대각의 크기가 각각 같으므로

$\square EBFD$는 평행사변형이다.

$\therefore \overline{ED} = \overline{BF} = 5 - 3 = 2(\text{cm})$

19 ① $\angle D = 360° - (130° + 50° + 130°) = 50°$

즉 $\angle A = \angle C$, $\angle B = \angle D$이므로 두 쌍의 대각

의 크기가 각각 같다. 따라서 □ABCD는 평행사
변형이 된다.

20 ③ 오른쪽 그림과 같이 $\overline{AB}=\overline{CD}$
인 등변사다리꼴일 수도 있다.

21 ① $\triangle AEH \equiv \triangle CGF$ (SAS 합동),
$\triangle BEF \equiv \triangle DGH$ (SAS 합동)이므로
$\overline{EH}=\overline{GF}$, $\overline{EF}=\overline{GH}$
즉 두 쌍의 대변의 길이가 각각 같으므로
□EFGH는 평행사변형이다.
② □AECG와 □HBFD가 각각 평행사변형이므로
$\overline{PS} /\!/ \overline{QR}$, $\overline{PQ} /\!/ \overline{SR}$
즉, 두 쌍의 대변이 각각 평행하므로 □PQRS는
평행사변형이다.
④ $\overline{ED} /\!/ \overline{BF}$이고 $\overline{ED}=\overline{BF}$
즉 한 쌍의 대변이 평행하고 그 길이가 같으므로
□EBFD는 평행사변형이다.
⑤ □AFCE와 □EBFD가 각각 평행사변형이므로
$\overline{GF} /\!/ \overline{EH}$, $\overline{EG} /\!/ \overline{HF}$
즉 두 쌍의 대변이 각각 평행하므로 □EGFH는
평행사변형이다.

22 □ABCD가 평행사변형이 되려면 $\overline{AD} /\!/ \overline{BC}$이고
$\overline{AB} /\!/ \overline{CD}$이어야 한다. 즉 각각의 엇각의 크기가 같
아야 하므로
$\angle x=\angle DBC=35°$, $\angle y=\angle BAC=45°$
$\therefore \angle y - \angle x=45° - 35°=10°$

23 두 대각선이 서로 다른 것을 이등분하는 사각형은 평
행사변형이므로
$x=\overline{BO}=8$, $y=2\overline{CO}=2\times 7=14$
$\therefore x+y=8+14=22$

24 $\overline{OA}=\overline{OC}$, $\overline{OE}=\overline{OF}$이므로 □AECF는 평행사변
형이다.
따라서 $\overline{AE}=\overline{FC}$이고 $\triangle AOE \equiv \triangle COF$이다.
③ $\angle EAO=\angle FCO$ (엇각),
$\angle FAO=\angle ECO$ (엇각)

25 $\triangle ABE$와 $\triangle CDF$에서

$\overline{AB}=\overline{CD}$, $\angle AEB=\angle CFD=90°$,
$\overline{AB} /\!/ \overline{DC}$이므로 $\angle BAE=\angle DCF$ (엇각)
$\therefore \triangle ABE \equiv \triangle CDF$ (RHA 합동)
$\therefore \overline{EB}=\overline{FD}$ ····· ㉠
또 $\angle BEF=\angle DFE=90°$이므로
$\overline{EB} /\!/ \overline{FD}$ ····· ㉡
따라서 ㉠, ㉡에서 한 쌍의 대변이 평행하고 그 길이
가 같으므로 □EBFD는 평행사변형이다.

26 $\overline{AQ} /\!/ \overline{PC}$가 되는 때는
□APCQ가 평행사변
형이 될 때이다.
점 P가 점 A를 출발한
지 x초 후에 □APCQ가 평행사변형이 된다고 하면
$\overline{AP}=4x$ cm, $\overline{CQ}=7(x-3)$ cm
이때 $\overline{AP}=\overline{CQ}$이어야 하므로
$4x=7(x-3)$, $3x=21$
$\therefore x=7$
따라서 점 Q가 출발한 지 $7-3=4$(초) 후에
□APCQ는 평행사변형이 된다.

27 $\triangle ABC$와 $\triangle PBQ$에서
$\overline{AB}=\overline{PB}$, $\overline{BC}=\overline{BQ}$,
$\angle ABC=\angle QBC-\angle QBA=60°-\angle QBA$,
$\angle PBQ=\angle PBA-\angle QBA=60°-\angle QBA$
이므로
$\angle ABC=\angle PBQ$
$\therefore \triangle ABC \equiv \triangle PBQ$ (SAS 합동)
$\therefore \overline{AC}=\overline{PQ}$ ····· ㉠
또, $\triangle ABC$와 $\triangle RQC$에서
$\overline{AC}=\overline{RC}$, $\overline{BC}=\overline{QC}$,
$\angle ACB=\angle QCB-\angle QCA=60°-\angle QCA$,
$\angle RCQ=\angle RCA-\angle QCA=60°-\angle QCA$
이므로
$\angle ACB=\angle RCQ$
$\therefore \triangle ABC \equiv \triangle RQC$ (SAS 합동)
$\therefore \overline{AB}=\overline{RQ}$ ····· ㉡
$\triangle RAC$가 정삼각형이므로 $\overline{AR}=\overline{AC}$
$\therefore \overline{AR}=\overline{PQ}$ ($\because$ ㉠) ····· ㉢
$\triangle PAB$가 정삼각형이므로 $\overline{AP}=\overline{AB}$
$\therefore \overline{AP}=\overline{RQ}$ ($\because$ ㉡) ····· ㉣
따라서 ㉢, ㉣에서 □PARQ는 평행사변형이다.
그러므로 보기 중 옳은 것은 ㄱ, ㄷ, ㅁ이다.

28 $\overline{AD} /\!/ \overline{BC}$, $\overline{AD} = \overline{BC}$이므로
$\overline{AH} /\!/ \overline{FC}$, $\overline{AH} = \overline{FC}$
따라서 □AFCH는 평행사변형이다. $\cdots\cdots$ ㉠
$\overline{AB} /\!/ \overline{DC}$, $\overline{AB} = \overline{DC}$이므로
$\overline{AE} /\!/ \overline{GC}$, $\overline{AE} = \overline{GC}$
따라서 □AECG는 평행사변형이다. $\cdots\cdots$ ㉡
또 ㉠, ㉡에서 $\overline{AP} /\!/ \overline{QC}$, $\overline{AQ} /\!/ \overline{PC}$이므로
□APCQ는 평행사변형이다.
즉 평행사변형은 모두 3개이다.

29 $\overline{AE}$, $\overline{OD}$를 그어
□AODE를 만들면
$\overline{AO} = \overline{ED}$, $\overline{AO} /\!/ \overline{ED}$이므로
□AODE는 평행사변형이다.
이때 $\overline{EO} = \overline{DC} = 10$이므로
$\overline{OF} = \overline{EF} = 5$
$\overline{AD} = \overline{BC} = 14$이므로 $\overline{AF} = \overline{DF} = 7$
$\therefore \overline{AF} + \overline{OF} = 7 + 5 = 12$

30 $\triangle PNM = \frac{1}{4}$□ABNM, $\triangle QMN = \frac{1}{4}$□MNCD
이므로
$$\begin{aligned}
\square PNQM &= \triangle PNM + \triangle QMN \\
&= \frac{1}{4}\square ABNM + \frac{1}{4}\square MNCD \\
&= \frac{1}{4}(\square ABNM + \square MNCD) \\
&= \frac{1}{4}\square ABCD \\
&= \frac{1}{4} \times 48 \\
&= 12(\text{cm}^2)
\end{aligned}$$

31 $\triangle OAE$와 $\triangle OCF$에서
$\overline{OA} = \overline{OC}$, $\angle AOE = \angle COF$ (맞꼭지각),
$\angle OAE = \angle OCF$ (엇각)이므로
$\triangle OAE \equiv \triangle OCF$ (ASA 합동)
따라서 어두운 부분의 넓이의 합은
$$\begin{aligned}
\triangle EOD + \triangle OCF &= \triangle EOD + \triangle OAE \\
&= \triangle OAD = \frac{1}{4}\square ABCD \\
&= \frac{1}{4} \times 160 = 40(\text{cm}^2)
\end{aligned}$$

32 □BFED는 평행사변형이므로
$\triangle BCD = \frac{1}{4}\square BFED = \frac{1}{4} \times 100 = 25(\text{cm}^2)$

$\therefore \triangle ABC = \triangle BCD = 25\,\text{cm}^2$

33 $\triangle AOD = \frac{1}{4}\square ABCD = 8\,\text{cm}^2$이므로
□ABCD$= 32(\text{cm}^2)$
□BEFD는 두 대각선이 서로 다른 것을 이등분하므로 평행사변형이고,
$\triangle CBD = \frac{1}{2}\square ABCD = \frac{1}{2} \times 32 = 16(\text{cm}^2)$이므로
□BEFD$= 4\triangle BCD = 4 \times 16 = 64(\text{cm}^2)$
① $\triangle DCF = \frac{1}{4}\square BEFD = \frac{1}{4} \times 64 = 16(\text{cm}^2)$
② $\triangle BEF = \frac{1}{2}\square BEFD = \frac{1}{2} \times 64 = 32(\text{cm}^2)$
④ $\square ACFD = \triangle ACD + \triangle CDF$
$$\begin{aligned}
&= \frac{1}{2}\square ABCD + \frac{1}{4}\square BEFD \\
&= \frac{1}{2} \times 32 + \frac{1}{4} \times 64 \\
&= 32(\text{cm}^2)
\end{aligned}$$

34 $\overline{AD} = \overline{BC}$이고
$\overline{AM} : \overline{MD} = 2 : 1$,
$\overline{BN} : \overline{NC} = 2 : 1$이므로
$\overline{AM} = \overline{BN}$, $\overline{DM} = \overline{CN}$이다.
따라서 □ABNM, □MNCD는 각각 평행사변형이다.
점 E, F를 지나고 $\overline{AD}$와 평행한 직선이 $\overline{MN}$과 만나는 점을 각각 P, Q라 하면 □AEPM, □EBNP, □MQFD, □QNCF는 모두 평행사변형이므로
$\triangle MEP = \triangle AEM$, $\triangle ENP = \triangle EBN$,
$\triangle MQF = \triangle MFD$, $\triangle QNF = \triangle FNC$이다.
따라서 □MENF$= \frac{1}{2}\square ABCD$이므로
□MENF : □ABCD$= 1 : 2$

35 $\triangle ABP + \triangle CDP = \triangle ADP + \triangle BCP$이므로
$32 + \triangle CDP = 42 + 18$
$\therefore \triangle CDP = 28(\text{cm}^2)$

36 $\triangle APD + \triangle BPC = \frac{1}{2}\square ABCD$이므로
$\frac{1}{2}\square ABCD = 6 + 8 = 14$
$\therefore \square ABCD = 28(\text{cm}^2)$

37 $\triangle PAB + \triangle PCD = \frac{1}{2}\square ABCD$

$$= \frac{1}{2} \times (10 \times 8)$$
$$= 40 (\text{cm}^2)$$

38 $\square ABCD = 8 \times 5 = 40 (\text{cm}^2)$이고,

$\triangle PAD + \triangle PBC = \frac{1}{2} \square ABCD$이므로

$\triangle PAD + 6 = \frac{1}{2} \times 40$

$\therefore \triangle PAD = 14 (\text{cm}^2)$

39 $\triangle APR = \frac{1}{2} \triangle APQ$

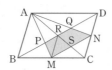

$\quad = \frac{1}{2} \times 4 = 2 (\text{cm}^2)$

점 P는 $\triangle ABC$의 무게중심이

므로

$\triangle APR : \triangle PRM = 2 : 1$

$2 : \triangle PRM = 2 : 1$

$\therefore \triangle PRM = 1 (\text{cm}^2)$

점 R는 $\overline{AC}$의 중점이므로

$\triangle AMR = \triangle CMR = 3 \text{ cm}^2$

$\triangle RMS = \triangle CMS = \frac{1}{2} \triangle CMR = \frac{1}{2} \times 3 = \frac{3}{2} (\text{cm}^2)$

$\therefore \square PMSR = \triangle PRM + \triangle RMS = 1 + \frac{3}{2} = \frac{5}{2} (\text{cm}^2)$

마찬가지로 $\square RSNQ = \frac{5}{2} \text{ cm}^2$

$\therefore \square PMNQ = 2 \square PMSR = 5 (\text{cm}^2)$

40 $\triangle ABC = \frac{1}{2} \square ABCD = \frac{1}{2} \times 36 = 18 (\text{cm}^2)$

또, $\overline{AO} = \overline{CO}, \overline{BM} = \overline{CM}$이므로 점 P는 $\triangle ABC$의 무게중심이다.

$\therefore \triangle PBM = \frac{1}{6} \triangle ABC = \frac{1}{6} \times 18 = 3 (\text{cm}^2)$

41 $\triangle ADC = \frac{1}{2} \square ABCD = \frac{1}{2} \times 60 = 30 (\text{cm}^2)$

$\overline{AP} = \overline{PQ} = \overline{QC}$이므로

$\triangle DPQ = \frac{1}{3} \triangle ADC = \frac{1}{3} \times 30 = 10 (\text{cm}^2)$

42 $\triangle BCD = \frac{1}{2} \square ABCD = \frac{1}{2} \times 80 = 40 (\text{cm}^2)$

$\overline{BP} : \overline{BD} = 5 : 8$에서 $\overline{BP} : \overline{PD} = 5 : 3$이므로

$\triangle PBC : \triangle PDC = \overline{BP} : \overline{PD} = 5 : 3$

$\therefore \triangle PBC = \frac{5}{8} \triangle BCD = \frac{5}{8} \times 40 = 25 (\text{cm}^2)$

43 $\overline{AD} /\!/ \overline{BC}$이므로 $\angle DAE = \angle BEA$ (엇각)

$\triangle ABE$는 이등변삼각형이므로

$\overline{BE} = \overline{AB} = 4 \text{ cm}$

$\therefore \overline{EC} = \overline{BC} - \overline{BE} = 6 - 4 = 2 (\text{cm})$

그런데 높이가 같은 두 삼각형의 넓이의 비는 밑변의 길이의 비와 같으므로 높이가 같은 두 삼각형 ABE 와 DEC의 넓이의 비는 $4 : 2 = 2 : 1$

44 $\triangle ACE : \triangle AED = \overline{CE} : \overline{ED} = 2 : 3$이므로

$\triangle ACE = \frac{2}{5} \triangle ACD$

$\quad = \frac{2}{5} \times \frac{1}{2} \square ABCD$

$\quad = \frac{1}{5} \square ABCD$

$\quad = \frac{1}{5} \times 100 = 20 (\text{cm}^2)$

$\overline{AP} = \overline{PC}$이므로

$\triangle APE = \frac{1}{2} \triangle ACE = \frac{1}{2} \times 20 = 10 (\text{cm}^2)$

45 $\triangle FBE$와 $\triangle FCD$에서

$\overline{BE} = \overline{CD}, \angle FBE = \angle FCD$ (엇각),

$\angle BEF = \angle CDF$ (엇각)이므로

$\triangle FBE \equiv \triangle FCD$ (ASA 합동)

$\therefore \overline{FE} = \overline{FD}, \overline{BF} = \overline{CF}$

$\overline{FE} = \overline{FD}$이므로 $\triangle FEC = \triangle FDC$이고

$\triangle FDC = \triangle AFC$

또 $\overline{BF} = \overline{CF}$이므로

$\triangle AFC = \frac{1}{2} \triangle ABC = \frac{1}{2} \times \frac{1}{2} \square ABCD$

$\quad = \frac{1}{4} \square ABCD = \frac{1}{4} \times 36 = 9 (\text{cm}^2)$

$\therefore \triangle FEC = \triangle AFC = 9 \text{ cm}^2$

46 $\triangle ABD = \frac{1}{2} \square ABCD$

$\quad = \frac{1}{2} \times 160$

$\quad = 80 (\text{cm}^2)$

$\triangle DEA : \triangle EBD = \overline{AE} : \overline{EB} = 3 : 2$이므로

$\triangle EBD = \frac{2}{5} \triangle ABD = \frac{2}{5} \times 80 = 32 (\text{cm}^2)$

$\triangle EOD = \frac{1}{2} \triangle EBD = \frac{1}{2} \times 32 = 16 (\text{cm}^2)$

$\triangle OFD : \triangle OFE = \overline{DF} : \overline{FE} = 5 : 3$이므로

$\triangle DFO = \frac{5}{8} \triangle EOD = \frac{5}{8} \times 16 = 10 (\text{cm}^2)$

47 점 P를 지나고 $\overline{AB}$에 평행한 선분을 그으면 □ABQP, □PQCD는 각각 평행사변형이므로

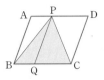

$$\triangle PBQ = \frac{1}{2}\square ABQP$$

$$\triangle PQC = \frac{1}{2}\square PQCD$$

$$\begin{aligned}\therefore\ \triangle PBC &= \triangle PBQ + \triangle PQC \\ &= \frac{1}{2}\square ABQP + \frac{1}{2}\square PQCD \\ &= \frac{1}{2}(\square ABQP + \square PQCD) \\ &= \frac{1}{2}\square ABCD \\ &= \frac{1}{2}\times 36 \\ &= 18(\text{cm}^2)\end{aligned}$$

48 $\overline{AB}\,/\!/\,\overline{CD}$이므로
$$\triangle BFD = \triangle AFD = 10\ \text{cm}^2$$
$\overline{BD}\,/\!/\,\overline{EF}$이므로
$$\triangle BED = \triangle BFD = 10\ \text{cm}^2$$

49 $\overline{AB}\,/\!/\,\overline{DC}$, $\overline{AB}=\overline{DC}$이므로
$$\triangle ABE = \triangle BCD$$
$$\triangle ABF + \triangle BEF = \triangle DFE + \triangle BEF + \triangle BCE$$
$$\begin{aligned}\therefore\ \triangle DFE &= \triangle ABF - \triangle BCE \\ &= 20 - 16 = 4(\text{cm}^2)\end{aligned}$$

50 $\triangle BCD = \frac{1}{2}\square ABCD = \frac{1}{2}\times 28 = 14(\text{cm}^2)$
$\triangle BFD = \triangle BCD - \triangle BCF = 14 - 10 = 4(\text{cm}^2)$
따라서 $\overline{DE}\,/\!/\,\overline{BC}$이므로
$$\triangle BED = \triangle DCE$$
$$\therefore\ \triangle CEF = \triangle BFD = 4\ \text{cm}^2$$

---

2 여러 가지 사각형
주제별 실력다지기

01 (가) 평행사변형 (나) ∠DEC (다) 이등변삼각형 (라) $\overline{AB}=\overline{DC}$		**02** ④		**03** 84°	**04** ④
05 42 cm	**06** 8 cm	**07** ④	**08** 5 cm²	**09** 64 cm²	**10** ④	**11** ④	**12** 65°
13 60°	**14** 45 cm²	**15** 126°	**16** 13 cm	**17** ③	**18** 10 cm	**19** 24	**20** ③
21 ③	**22** 90°	**23** 30°	**24** 150°	**25** 30°	**26** ①, ③	**27** ⑤	**28** ③
29 ㄷ, ㄹ, ㅂ		**30** ㄴ, ㄹ, ㅁ, ㅂ		**31** ⑤	**32** ③, ⑤	**33** ④	**34** ③, ④
35 ②	**36** ④	**37** 40°	**38** (가) 180 (나) 90 (다) ∠C (라) ∠D		**39** ①, ⑤	**40** ①, ⑤
41 직사각형	**42** 60°	**43** 정사각형	**44** ㄱ, ㄷ, ㅁ		**45** ②, ⑤	**46** ②, ⑤	**47** ④
48 ①, ④	**49** ⑤	**50** ②, ③	**51** ②	**52** ②			

---

01 $\overline{AD}\,/\!/\,\overline{BC}$인 등변사다리꼴 ABCD의 꼭짓점 D에서 $\overline{AB}$와 평행한 직선이 $\overline{BC}$와 만나는 점을 E라 하면 □ABED는 [평행사변형]이다.

∠B=∠C (등변사다리꼴) ⋯⋯ ㉠

∠B= [∠DEC] (동위각) ⋯⋯ ㉡

㉠, ㉡에 의해 ∠C= [∠DEC] 이므로 △DEC는 [이등변삼각형]이다.

따라서 □ABCD에서 $\overline{DE}=\overline{DC}$이고 $\overline{AB}=\overline{DE}$이므로 [$\overline{AB}=\overline{DC}$] 이다.

02 ④ $\overline{AC}\perp\overline{BD}$가 아닐 수도 있다.

03 오른쪽 그림과 같이 꼭짓점 D에서 $\overline{AB}$에 평행한 선분을 그어 $\overline{BC}$와 만나는 점을 E라 하면 □ABED는 평행사변형이고 $\overline{AB}=\overline{AD}$이므로 마름모이다.

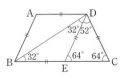

$\therefore\ \overline{AB}=\overline{BE}=\overline{ED}=\overline{DA}$, ∠BDE=∠DBE=32°

△BED에서

$\angle DEC = \angle DBE + \angle BDE = 32° + 32° = 64°$

또 $\triangle DEC$는 $\overline{DE} = \overline{DC}$인 이등변삼각형이므로

$\angle DCE = \angle DEC = 64°$

$\therefore \angle EDC = 180° - 2 \times 64° = 52°$

$\therefore \angle BDC = \angle BDE + \angle EDC = 32° + 52° = 84°$

04 꼭짓점 D에서 $\overline{BC}$의 중점 E를
이으면 $\overline{BE} = \overline{EC} = \overline{AD}$
$\overline{AD} /\!/ \overline{BE}$이고 $\overline{AD} = \overline{BE}$이므로
$\square ABED$는 평행사변형이다.
$\therefore \overline{AB} = \overline{DE}$
따라서 $\triangle DEC$는 정삼각형이므로
$\angle C = 60°$

05 $\angle B = \angle C = 180° - 120° = 60°$
꼭짓점 A에서 $\overline{CD}$에 평행한
선분을 그어 $\overline{BC}$와의 교점을
E라 하면
$\angle AEB = \angle C = 60°$ (동위각)
따라서 $\triangle ABE$는 정삼각형이므로
$\overline{BE} = \overline{AB} = 10$ cm
또 $\square AECD$는 평행사변형이므로
$\overline{EC} = \overline{AD} = 6$ cm $\quad \therefore \overline{BC} = 10 + 6 = 16$ (cm)
$\therefore$ ($\square ABCD$의 둘레의 길이)
$= \overline{AD} + 2\overline{AB} + \overline{BC}$
$= 6 + 2 \times 10 + 16 = 42$ (cm)

06 꼭짓점 A에서 $\overline{CD}$에 평행한
선분을 그어 $\overline{BC}$와 만나는
점을 E라 하면
$\square ABCD$는
$\angle B = \angle C = 60°$인 등변사다리꼴이므로
$\angle AEB = \angle C = 60°$ (동위각)
$\triangle ABE$는 정삼각형이므로
$\overline{BE} = \overline{AB} = 6$ cm
$\therefore \overline{EC} = \overline{BC} - \overline{BE} = 14 - 6 = 8$ (cm)
따라서 $\square AECD$는 평행사변형이므로
$\overline{AD} = \overline{EC} = 8$ cm

07 $\triangle DBC = \triangle ABC = 30$ cm^{2}이므로
$\triangle BOC = \triangle DBC - \triangle DOC$
$= 30 - 12 = 18$ (cm^2)

08 $\triangle OAB = \triangle ABC - \triangle OBC$
$= 30 - 20 = 10$ (cm^2)
$\overline{AO} : \overline{OC} = \triangle OAB : \triangle OBC = 10 : 20 = 1 : 2$
또 $\triangle DOC = \triangle OAB = 10$ cm^{2}이고,
$\triangle AOD : \triangle DOC = \overline{AO} : \overline{OC} = 1 : 2$이므로
$\triangle AOD : 10 = 1 : 2 \quad \therefore \triangle AOD = 5$ (cm^2)

09 $\overline{AD} /\!/ \overline{BC}$이므로
$\triangle ACD = \triangle ABD = 16$ cm^2
또 $\triangle DOA : \triangle DOC$
$= \overline{AO} : \overline{OC} = 1 : 3$이므로
$\triangle DOA = \dfrac{1}{4} \triangle ACD = \dfrac{1}{4} \times 16 = 4$ (cm^2)
$\triangle AOB = \triangle DOC = 16 - 4 = 12$ (cm^2)
$\triangle AOB : \triangle BOC = \overline{AO} : \overline{OC}$이므로
$12 : \triangle BOC = 1 : 3$에서 $\triangle BOC = 36$ (cm^2)
$\therefore \square ABCD = 4 + 12 + 12 + 36 = 64$ (cm^2)

10 $\angle ODC = \angle ODA = 30°$이므로 $\angle ADC = 60°$이고
$\overline{AD} = \overline{CD}$이므로 $\triangle ACD$는 정삼각형이다.
즉 $\overline{AC} = \overline{AD} = \overline{CD} = 20$ cm
$\therefore \overline{AO} = \dfrac{1}{2} \overline{AC} = \dfrac{1}{2} \times 20 = 10$ (cm)

11 $\angle BAD = \angle C = 100°$이고, $\angle PAD = 60°$이므로
$\angle BAP = 100° - 60° = 40°$
또 $\overline{AP} = \overline{AD} = \overline{AB}$이므로
$\triangle ABP$는 이등변삼각형이다.
$\therefore \angle APB = \dfrac{1}{2} \times (180° - 40°) = 70°$

12 $\angle ABC = 180° - 130° = 50°$이므로
$\angle ABP = \angle PBE = \dfrac{1}{2} \angle ABC = \dfrac{1}{2} \times 50° = 25°$
따라서 $\triangle PBE$에서
$\angle x = \angle BPE = 180° - (\angle PBE + \angle PEB)$
$= 180° - (25° + 90°) = 65°$

13 $\overline{BE} = \dfrac{1}{3}\overline{BC}$, $\overline{CF} = \dfrac{1}{3}\overline{CD}$이고, $\overline{BC} = \overline{CD}$이므로
$\overline{BE} = \overline{CF}$ ...... ㉠
선분 AC를 그으면
$\square ABCD$는
$\angle BAD = 120°$인 마름모
이므로

∠BAC = ∠CAD = 60°
즉 △ABC, △ACD는 모두 정삼각형이다.
∴ $\overline{AB} = \overline{AC}$, ∠ABE = ∠ACF = 60°　　…… ㉡
㉠, ㉡에서 △ABE ≡ △ACF (SAS 합동)이므로
$\overline{AE} = \overline{AF}$
또 ∠BAE = ∠CAF이므로
∠EAF = ∠EAC + ∠CAF
　　　 = ∠EAC + ∠BAE
　　　 = 60°
따라서 △AEF는 정삼각형이다.
∴ ∠AEF = 60°

14 $\square ABCD = \dfrac{1}{2} \times \overline{AC} \times \overline{BD}$
　　　　　 $= \dfrac{1}{2} \times 12 \times 20$
　　　　　 $= 120(\text{cm}^2)$
△ABC $= \dfrac{1}{2}\square ABCD = \dfrac{1}{2} \times 120 = 60(\text{cm}^2)$
△ABP : △APC = $\overline{BP} : \overline{PC}$ = 1 : 3이므로
△APC $= \dfrac{3}{4}$△ABC $= \dfrac{3}{4} \times 60 = 45(\text{cm}^2)$

15 ∠BAD = 90°이므로 ∠DAO = 42°
$\overline{AO} = \overline{DO}$이므로 △AOD는 이등변삼각형이다.
∴ ∠y = ∠DAO = 42°
삼각형의 한 외각의 크기는 이웃하지 않는 두 내각의
크기의 합과 같으므로
∠x = 42° + 42° = 84°
∴ ∠x + ∠y = 84° + 42° = 126°

16 $\overline{OC} = \overline{OD}$ = 4 cm, $\overline{CD} = \overline{AB}$ = 5 cm이므로
(△COD의 둘레의 길이) = 4 + 4 + 5 = 13(cm)

17 $\overline{OA} = \overline{OD}$이므로 ∠OAD = ∠ODA = 36°
∠BAD = 90°이므로
∠x = 90° - 36° = 54°
또 $\overline{AC} = \overline{BD}$이므로
$y = \dfrac{1}{2}\overline{BD} = \dfrac{1}{2} \times 12 = 6(\text{cm})$

18 직사각형의 대각선의 길이는 같으므로
$\overline{OC} = \overline{AB}$ = 10 cm
따라서 원 O의 반지름의 길이는 $\overline{OC}$의 길이와 같으
므로 10 cm이다.

19 $\overline{AB}$에 평행한 $\overline{PR}$를 그으면 직
사각형 ABRP에서 점 E, Q는
각각 $\overline{AB}$, $\overline{PR}$의 중점이므로
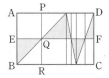
$\square$EBRQ : $\square$ABRP = 1 : 2,
△EBQ : $\square$EBRQ = 1 : 2이다.
∴ $\square$ABRP = 4△EBQ
다른 직사각형에서도 같은 방법으로 하면 직사각형
ABCD의 넓이는 어두운 부분의 넓이의 4배가 된다.
∴ $\square$ABCD = 4 × 6 = 24

20 △AGB와 △AGD에서
$\overline{AB} = \overline{AD}$,
$\overline{AG}$는 공통,
∠BAG = ∠DAG = 45°
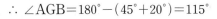
∴ △AGB ≡ △AGD (SAS 합동)
∠ABG = ∠ADG = 20°
∴ ∠AGB = 180° - (45° + 20°) = 115°
③ △ABG에서 ∠BGC = 45° + 20° = 65°

21 △ABE와 △CBE에서
$\overline{AB} = \overline{CB}$, ∠ABE = ∠CBE = 45°,
$\overline{BE}$는 공통이므로
△ABE ≡ △CBE (SAS 합동)
∴ ∠BEC = ∠BEA = 70°
△BCE에서
∠BCE = 180° - (45° + 70°) = 65°
∴ ∠DCE = 90° - 65° = 25°

22 △ABE와 △BCF에서
$\overline{AB} = \overline{BC}$, ∠ABE = ∠BCF, $\overline{BE} = \overline{CF}$이므로
△ABE ≡ △BCF (SAS 합동)
∠BAE = ∠CBF이고, ∠BAE + ∠BEA = 90°이
므로
∠CBF + ∠BEA = 90°
따라서 △BEG에서
∠BGE = 180° - (∠CBF + ∠BEA)
　　　　 = 180° - 90° = 90°
이므로
∠AGF = ∠BGE = 90°

23 △ADE에서 $\overline{AD} = \overline{ED}$이므로
∠DEA = ∠DAE = 75°

$$\therefore \angle ADE = 180° - 2 \times 75° = 30°$$

따라서 $\angle CDE = 90° + 30° = 120°$이고

$\triangle DEC$는 $\overline{DE} = \overline{DC}$인 이등변삼각형이므로

$$\angle ECD = \frac{1}{2} \times (180° - 120°) = 30°$$

24 $\angle PBC = \angle PCB = 60°$이므로

$$\angle PBA = \angle PCD = 90° - 60° = 30°$$

$\triangle BAP$와 $\triangle CDP$는 모두 이등변삼각형이므로

$$\angle BPA = \angle BAP = \angle CPD = \angle CDP$$
$$= \frac{1}{2} \times (180° - 30°) = 75°$$

$$\therefore \angle APD = 360° - (\angle BPA + \angle BPC + \angle CPD)$$
$$= 360° - (75° + 60° + 75°)$$
$$= 150°$$

25 □ABCD는 정사각형이고

$\triangle EBC$는 정삼각형이므로

$\overline{BC} = \overline{BE} = \overline{CE} = \overline{CD}$이다.

따라서 $\triangle BCD$는 직각이등변삼

각형이고, $\triangle CDE$는 이등변삼각

형이다.

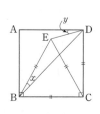

$\triangle BCD$에서

$$\angle x = \angle EBC - \angle DBC = 60° - 45° = 15°$$

또 $\triangle CDE$에서

$\angle DCE = 90° - 60° = 30°$이므로

$$\angle CDE = \frac{1}{2} \times (180° - 30°) = 75°$$

$$\therefore \angle y = \angle ADC - \angle CDE = 90° - 75° = 15°$$

$$\therefore \angle x + \angle y = 15° + 15° = 30°$$

26 ② 마름모는 직사각형이 아니고 직사각형도 마름모

가 아니다.

④ 평행사변형은 사다리꼴이다.

⑤ 등변사다리꼴은 사다리꼴이다.

27 ⑤ 등변사다리꼴은 평행사변형이 아니고 평행사변형

도 등변사다리꼴이 아니다.

28 ③ 평행사변형이 직사각형이 되기 위해서는 한 내각의

크기가 $90°$이거나 대각선의 길이가 같아야 한다.

31 ① $\angle BAD = \angle ABC$이면 직사각형이다.

② $\overline{AC} \perp \overline{BD}$이면 마름모이다.

③ 평행사변형이므로 항상 $\angle BAD = \angle BCD$이다.

④ $\overline{AC} = \overline{BD}$이면 직사각형이다.

32 ③ 이웃하는 두 변의 길이가 같은 평행사변형은 마름

모이다.

⑤ 두 대각선의 길이가 같은 평행사변형은 직사각형

이다.

33 $\overline{AC} \perp \overline{BD}$인 평행사변형

ABCD의 $\triangle ABO$와 $\triangle ADO$

에서

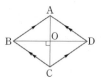

$\overline{BO} = \boxed{\overline{DO}}$, $\boxed{\overline{AO}}$는 공통,

$\angle AOB = \angle AOD = \boxed{90}°$

이므로

$\triangle ABO \equiv \triangle ADO$ ($\boxed{SAS}$ 합동)

$$\therefore \overline{AB} = \boxed{\overline{AD}} \qquad \cdots\cdots \ \bigcirc$$

□ABCD는 평행사변형이므로

$$\overline{AB} = \overline{CD}, \ \overline{BC} = \overline{AD} \qquad \cdots\cdots \ \bigcirc$$

따라서 ㉠, ㉡에서 $\overline{AB} = \overline{BC} = \overline{CD} = \overline{DA}$이므로

□ABCD는 마름모이다.

34 평행사변형이 마름모가 되기 위해서는

③ 대각선이 서로 수직이거나

④ 이웃하는 두 변의 길이가 같아야 한다.

35 $\angle BAF + \angle ABE = 180°$이므로

$\triangle OAB$에서 $\angle OAB + \angle OBA = 90°$

$$\therefore \angle AOB = 90°$$

따라서 □ABEF는 두 대각선이 서로 수직인 평행

사변형이므로 마름모이다.

② $\overline{AE} = \overline{BF}$는 마름모의 성질이 아니다.

36 $\overline{AC}$를 그어 $\overline{BD}$와 만나는 점을

O라 하자.

$\triangle AOP$와 $\triangle COP$에서

$\overline{AP} = \overline{CP}$, $\overline{PO}$는 공통,

$\overline{AO} = \overline{CO}$이므로

$\triangle AOP \equiv \triangle COP$ (SSS 합동)

따라서 $\angle AOP = \angle COP = 90°$, 즉 $\overline{AC} \perp \overline{BD}$이므

로 □ABCD는 마름모이다.

37 $\overline{AD} \,/\!/\, \overline{BC}$이므로 $\angle ADB = \angle CBD = 40°$ (엇각)

△AOD에서

$\angle AOD = 180° - (50° + 40°) = 90°$

즉 □ABCD는 두 대각선이 서로 수직인 평행사변형이므로 마름모이다.

$\therefore \angle BDC = \angle DBC = 40°$

38 $\angle A = 90°$인 평행사변형 ABCD에서

$\angle A + \angle B = \boxed{180}°$

$\angle A = 90°$이므로 $\angle B = \boxed{90}°$

또 $\angle A = \boxed{\angle C}$, $\angle B = \boxed{\angle D}$이므로

$\angle A = \angle B = \angle C = \angle D = \boxed{90}°$

따라서 □ABCD는 직사각형이다.

39 평행사변형이 직사각형이 되기 위해서는

① 한 내각의 크기가 90°이거나

⑤ 대각선의 길이가 같아야 한다.

40 평행사변형이 직사각형이 되기 위해서는

②, ④ 한 내각의 크기가 90°이거나

③ 대각선의 길이가 같아야 한다.

41 $\angle BAD + \angle ABC = 180°$이므로 △EAB에서

$\angle EAB + \angle EBA = 90°$

$\therefore \angle HEF = \angle AEB = 180° - 90° = 90°$

같은 방법으로

△HBC에서 $\angle EHG = 90°$

△GCD에서 $\angle HGF = 90°$

△FDA에서 $\angle EFG = 90°$

따라서 □EFGH는 네 내각의 크기가 모두 90°이므로 직사각형이다.

42 △ABM과 △DCM에서

$\overline{AB} = \overline{DC}$, $\overline{AM} = \overline{DM}$, $\overline{MB} = \overline{MC}$이므로

△ABM ≡ △DCM (SSS 합동)

따라서 $\angle A = \angle D$이고, $\angle A + \angle D = 180°$이므로

$\angle A = \angle D = 90°$

즉 □ABCD는 직사각형이므로

$\angle MBC = \angle MCB = 90° - 30° = 60°$

따라서 △BMC에서

$\angle BMC = 180° - 2 \times 60° = 60°$

43 △AEH와 △BFE에서

$\overline{AH} = \overline{BE}$, $\angle A = \angle B$,

$\overline{AE} = \overline{BF}$이므로

△AEH ≡ △BFE (SAS 합동)

따라서 $\overline{EH} = \overline{FE}$이고, $\circ + \times = 90°$이므로

$\angle HEF = 90°$이다.

같은 방법으로

△AEH ≡ △BFE ≡ △CGF ≡ △DHG이므로

$\overline{HE} = \overline{EF} = \overline{FG} = \overline{GH}$이고,

$\angle HEF = \angle EFG = \angle FGH = \angle GHE = 90°$이므로

□EFGH는 정사각형이다.

44 ㄱ. 평행사변형 ABCD에서 $\overline{AB} = \overline{AD}$이면 마름모가 되고, 여기에 $\angle BAD = \angle ABC$가 추가되면 정사각형이 된다.

ㄴ. 마름모가 된다.

ㄷ. 평행사변형 ABCD에서 $\angle BAD = 90°$이면 직사각형이 되고, 여기에 $\overline{AC} \perp \overline{BD}$가 추가되면 정사각형이 된다.

ㄹ. 직사각형이 된다.

ㅁ. 평행사변형 ABCD에서 $\overline{AO} = \overline{BO} = \overline{CO} = \overline{DO}$이면 직사각형이 되고, 여기에 $\angle AOB = 90°$가 추가되면 정사각형이 된다.

따라서 평행사변형 ABCD가 정사각형이 될 수 있는 조건은 ㄱ, ㄷ, ㅁ이다.

45 ② 직사각형 ⑤ 마름모

46 마름모가 정사각형이 되기 위해서는

② 두 대각선의 길이가 같거나

⑤ 한 내각의 크기가 90°이어야 한다.

47 □ABCD가 마름모이므로 $\angle OBC = \angle OBA$

$\angle OBC = \angle OAB$이므로 $\angle OBA = \angle OAB$

따라서 △ABO에서 $\overline{OA} = \overline{OB}$이므로 □ABCD는 정사각형이다.

④ △AOD $= \dfrac{1}{4}$□ABCD $= \dfrac{1}{4} \times 25 = \dfrac{25}{4}$ (cm²)

48 직사각형이 정사각형이 되기 위해서는

① 이웃하는 두 변의 길이가 같거나

④ 두 대각선이 서로 수직이어야 한다.

49 △APS≡[△CQR] ([SAS] 합동)

∴ ∠APS＝∠ASP＝∠CQR＝∠CRQ

△BPQ≡[△DSR] ([SAS] 합동)

∴ ∠BPQ＝∠BQP＝∠DSR＝∠DRS

□PQRS에서

∠QPS＝180°−(∠APS＋∠BPQ)

＝∠PQR＝∠QRS＝∠RSP

따라서 □PQRS는 [직사각형]이다.

50 △APS≡△BPQ≡△CRQ

　　　≡△DRS (SAS 합동)

이므로

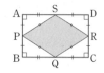

$\overline{PS}=\overline{PQ}=\overline{RQ}=\overline{RS}$

따라서 □PQRS는 마름모이다.

51 ① 사각형　　　➡ 평행사변형

③ 직사각형　　➡ 마름모

④ 마름모　　　➡ 직사각형

⑤ 등변사다리꼴 ➡ 마름모

52 □PQRS는 마름모이므로 □PQRS의 둘레의 길이는

$4\times\overline{SP}=4\times4=16(\text{cm})$

단원 종합 문제

본문 62~64쪽

01 $\angle x=45°$, $\angle y=100°$　**02** (1) ㄹ (2) ㄷ (3) ㅁ (4) ㄴ　　**03** ③　　**04** ⑤　　**05** $65°$

06 $8\,\text{cm}^2$　**07** ②, ④　**08** ⑤　　**09** ⑤　　**10** ②　　**11** $x=6$, $y=30$　　**12** ⑤

13 ①　　**14** ②, ③　**15** ④　　**16** ①　　**17** $128°$　**18** $12\,\text{cm}^2$

01 평행사변형의 대각의 크기는 같으므로

$\angle y=\angle A=100°$

△BCD에서 $\angle x+\angle y+35°=180°$이므로

$\angle x=45°$

02 (1) 두 대각선이 서로 다른 것을 이등분하므로 평행사변형이 된다. (ㄹ)

(2) $\angle BCD=360°-(100°+80°+80°)=100°$

즉 두 쌍의 대각의 크기가 각각 같으므로 평행사변형이 된다. (ㄷ)

(3) 한 쌍의 대변이 평행하고 그 길이가 같으므로 평행사변형이 된다. (ㅁ)

(4) 두 쌍의 대변의 길이가 각각 같으므로 평행사변형이 된다. (ㄴ)

03 △ABE와 △FCE에서

∠AEB＝∠FEC (맞꼭지각),

∠EBA＝∠ECF (엇각), $\overline{BE}=\overline{CE}$이므로

△ABE≡△FCE (ASA 합동)

∴ $\overline{CF}=\overline{BA}=8\,\text{cm}$

∴ $\overline{DF}=\overline{DC}+\overline{CF}=8+8=16(\text{cm})$

04 $\angle BAD+\angle D=180°$에서 $\angle BAD=100°$이고

∠BAE : ∠EAD＝3 : 2이므로

$\angle BAE=\dfrac{3}{3+2}\times100°=60°$

$\overline{AB}/\!/\overline{DC}$이므로 ∠AED＝∠BAE＝60° (엇각)

∴ ∠AEC＝180°−60°＝120°

05 ∠BAD＝180°−∠ADC＝180°−50°＝130°

∠FAD＝180°−(90°+25°)＝65°

∴ ∠BAF＝130°−65°＝65°

06 $\triangle PAB+\triangle PCD=\dfrac{1}{2}\square ABCD$이므로

$17+\triangle PCD=25$

∴ $\triangle PCD=8(\text{cm}^2)$

07 두 대각선이 서로 수직인 평행사변형은 마름모이다.

따라서 옳은 것은 ②, ④이다.

08 △GAB와 △GDF에서
$\overline{AB}=\overline{DF}$, $\overline{AB}/\!/\overline{EF}$이므로
∠GAB=∠GDF (엇각),
∠ABG=∠DFG (엇각)
∴ △GAB≡△GDF (ASA 합동)
∴ $\overline{AG}=\overline{DG}$
마찬가지 방법으로 △ABH≡△ECH (ASA 합동)
이므로 $\overline{BH}=\overline{CH}$
따라서 □ABHG는 네 변의 길이가 모두 같으므로
마름모이다.
따라서 옳지 않은 것은 ⑤이다.

09 꼭짓점 A에서 $\overline{BC}$에 내린 수
선의 발을 F라 하면
$\overline{FE}=\overline{AD}=4$ cm
△ABF≡△DCE이므로
$\overline{BF}=\overline{CE}=\dfrac{1}{2}\times(8-4)=2$ (cm)
∴ $\overline{BE}=\overline{BF}+\overline{FE}=2+4=6$ (cm)

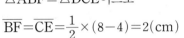

10 △ABD에서 $\overline{AB}=\overline{AD}$이므로
∠ABD=∠ADB=35°
∴ ∠BAD=180°−2×35°=110°
□ABCD가 등변사다리꼴이므로
∠ADC=∠DAB=110°
∴ ∠BDC=110°−35°=75°

11 $\overline{AB}=\overline{BC}=\overline{CD}=\overline{DA}=6$ cm이므로 $x=6$
대각선이 내각을 이등분하므로 ∠BAD=120°
∴ ∠ADC=180°−∠BAD=180°−120°=60°
∠BDC=$\dfrac{1}{2}$∠ADC=$\dfrac{1}{2}\times60°=30°$
∴ $y=30$

12 ∠x=∠OBA=25°
마름모의 두 대각선은 서로 수직이므로
∠y=90°
∴ ∠x+∠y=25°+90°=115°

13 △AEH≡$\boxed{△CGF}$ (SAS 합동)이므로
$\overline{EH}=\boxed{\overline{GF}}$
△EBF≡$\boxed{△GDH}$ (SAS 합동)이므로
$\overline{EF}=\boxed{\overline{GH}}$

따라서 □EFGH는 두 쌍의 대변의 길이가 각각 같
으므로 $\boxed{평행사변형}$이다.

14 마름모의 네 변의 중점을 이어 만든 사각형은 직사각
형이다.
따라서 직사각형에 대한 설명으로 옳지 않은 것은
②, ③이다.

15 △ABO와 △CDO에서
$\overline{AB}=\overline{CD}$,
∠BAO=∠DCO=90°,
∠AOB=∠COD
(맞꼭지각)이므로
∠ABO=∠CDO
∴ △ABO≡△CDO (ASA 합동)
즉 $\overline{BO}=\overline{DO}$
따라서 □BEDO는 이웃하는 두 변의 길이가 같은
평행사변형이므로 마름모이다.

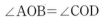

16 △ODE와 △OBF에서
$\overline{AD}/\!/\overline{BC}$이므로
∠ODE=∠OBF (엇각),
∠DOE=∠BOF=90°, $\overline{BO}=\overline{DO}$
∴ △ODE≡△OBF (ASA 합동)
즉 $\overline{OE}=\overline{OF}$
따라서 □EBFD는 두 대각선이 서로 다른 것을 수
직이등분하므로 마름모이다.
따라서 옳지 않은 것은 ①이다.

17 ∠EAF=90°−14°=76°
∠AEF=∠CEF (접은 각)
$\overline{AD}/\!/\overline{BC}$이므로
∠CEF=∠AFE (엇각)
∴ ∠AEF=∠AFE
    $=\dfrac{1}{2}\times(180°-76°)=52°$
∴ ∠EFD=180°−52°=128°

18 △OAD : △OAB=$\overline{OD}$: $\overline{OB}$=4 : 6=2 : 3
△OCD : △OBC=$\overline{OD}$: $\overline{OB}$이므로
8 : △OBC=2 : 3
∴ △OBC=12 (cm²)

1 도형의 닮음
주제별 실력다지기

01 ⑤	**02** ⑤	**03** ㄱ, ㄷ, ㅁ	**04** ④	**05** ④, ⑤	**06** ②	**07** $\frac{9}{4}\pi$ cm²
08 6	**09** ③	**10** 5 cm	**11** ①	**12** 5 cm	**13** 18 cm	**14** 6	**15** ②
16 14 cm	**17** ②	**18** $\frac{200}{3}$ cm²		**19** ⑤	**20** ⑤	**21** 25 : 9
22 ⑴ 8 cm ⑵ 10 cm ⑶ $\frac{32}{5}$ cm ⑷ $\frac{24}{5}$ cm				**23** 6	**24** ②	**25** ③	**26** ④
27 $\frac{23}{5}$ cm	**28** 9 cm	**29** $\frac{65}{12}$ cm	**30** $\frac{75}{4}$ cm²	**31** 3 cm	**32** $\frac{10}{3}$ cm	**33** ①	**34** ③
35 $\frac{25}{4}$ cm	**36** 4	**37** $\frac{18}{5}$	**38** $\frac{28}{5}$ cm	**39** 6 cm	**40** ④	**41** 7	**42** 77
43 2	**44** 55°					

01 두 닮은 도형의 대응각의 크기는 각각 같다.
또 대응변의 길이의 비, 대응하는 면의 넓이의 비는 일정하다.
⑤ 닮음비는 두 닮은 도형에서 대응변의 길이의 비와 같다.

02 두 정다각형, 두 원, 두 직각이등변삼각형, 두 정다면체, 두 구 등은 각각 항상 닮음이다.
따라서 항상 닮은 도형인 것은 ㄷ, ㄹ, ㅅ, ㅇ의 4개이다.

03 □ABCD∽□PQRS이므로
ㄱ. ∠A=∠P=50°
ㄴ. ∠PQR=∠ABC이지만 크기는 알 수 없다.
ㄷ. $\overline{BC} : \overline{QR}=\overline{CD} : \overline{RS}=3 : 4$이고
  ∠C=∠R이므로
  △BCD∽△QRS (SAS 닮음)
ㄹ. $\overline{BD} : \overline{QS}=3 : 4$이므로 $9 : \overline{QS}=3 : 4$
  ∴ $\overline{QS}=12$(cm)
ㅁ. 닮음비는 $\overline{AD} : \overline{PS}=6 : 8=3 : 4$
따라서 옳은 것은 ㄱ, ㄷ, ㅁ이다.

04 △ABC∽△DFE이면 닮음비는
$\overline{BC} : \overline{FE}=8 : 6=4 : 3$이고
∠B=∠F=55°, ∠E=∠C=80°,
∠A=∠D=180°−(55°+80°)=45°
④ ∠B=∠F, ∠A=∠D이므로
  △ABC∽△DFE (AA 닮음)

05 주어진 삼각형의 나머지 한 내각의 크기는
180°−(45°+60°)=75°이므로 세 각 45°, 60°, 75° 중 두 각의 크기가 같은 삼각형을 찾는다.
④, ⑤ AA 닮음

06 두 입체도형의 대응하는 면은 서로 닮음이므로
△ABC∽△A′B′C′
① 닮음비는 $\overline{AB} : \overline{A′B′}=6 : 3=2 : 1$
② $\overline{AD} : \overline{A′D′}=2 : 1$이므로
  $10 : \overline{A′D′}=2 : 1$ ∴ $\overline{A′D′}=5$
③ $\overline{DF}=\overline{AC}=x$이고 $\overline{AC} : \overline{A′C′}=2 : 1$이므로
  $x : 4=2 : 1$ ∴ $x=8$
④ △ABC∽△D′E′F′이지만 넓이는 같지 않다.
⑤ $\overline{D′E′}=\overline{A′B′}$이므로 $y=3$ ∴ $x+y=8+3=11$

07 두 원기둥이 닮음이므로
$6 : 8=x : 2$ ∴ $x=\frac{3}{2}$
따라서 작은 원기둥의 한 밑면의 넓이는
$\pi \times \left(\frac{3}{2}\right)^2=\frac{9}{4}\pi$ (cm²)

08 $\overline{O′B}^2 \pi=16\pi$이므로 $\overline{O′B}=4$
△AO′B∽△AOC (AA 닮음)이므로
$\overline{AO′} : \overline{AO}=\overline{O′B} : \overline{OC}$
$12 : 18=4 : \overline{OC}$ ∴ $\overline{OC}=6$

09 △ABC와 △EBD에서
∠B는 공통, ∠ACB=∠EDB
이므로 △ABC∽△EBD (AA 닮음)

따라서 $\overline{AB} : \overline{EB} = \overline{BC} : \overline{BD}$이므로

$18 : 8 = (8 + \overline{EC}) : 12$, $9 : 4 = (8 + \overline{EC}) : 12$

$4(8 + \overline{EC}) = 108$, $8 + \overline{EC} = 27$

$\therefore \overline{EC} = 19$

10 △ABC와 △ACD에서

∠A는 공통, ∠ABC = ∠ACD

이므로 △ABC∽△ACD (AA 닮음)

따라서 $\overline{AB} : \overline{AC} = \overline{AC} : \overline{AD}$이므로

$9 : 6 = 6 : \overline{AD}$ $\therefore \overline{AD} = 4(\text{cm})$

$\therefore \overline{BD} = \overline{AB} - \overline{AD} = 9 - 4 = 5(\text{cm})$

11 △ABC와 △DAC에서

∠C는 공통, ∠ABC = ∠DAC

이므로 △ABC∽△DAC (AA 닮음)

따라서 $\overline{BC} : \overline{AC} = \overline{AC} : \overline{DC}$에서

$\overline{AC}^2 = \overline{BC} \times \overline{DC}$이므로

$8^2 = 12 \times \overline{DC}$ $\therefore \overline{DC} = \dfrac{16}{3}(\text{cm})$

12 △ABC와 △AED에서

$\overline{AC} : \overline{AD} = 8 : 4 = 2 : 1$,

$\overline{AB} : \overline{AE} = 6 : 3 = 2 : 1$, ∠A는 공통

이므로 △ABC∽△AED (SAS 닮음)

따라서 $\overline{BC} : \overline{DE} = 2 : 1$이므로 $10 : \overline{DE} = 2 : 1$

$\therefore \overline{DE} = 5(\text{cm})$

13 △ABC와 △AED에서

∠A는 공통, $\overline{AB} : \overline{AE} = 12 : 4 = 3 : 1$,

$\overline{AC} : \overline{AD} = 15 : 5 = 3 : 1$

이므로 △ABC∽△AED (SAS 닮음)

따라서 $\overline{CB} : \overline{DE} = 3 : 1$이므로

$\overline{BC} : 6 = 3 : 1$ $\therefore \overline{BC} = 18(\text{cm})$

14 △ABC와 △EBD에서

$\overline{AB} : \overline{EB} = 10 : 5 = 2 : 1$,

$\overline{BC} : \overline{BD} = 8 : 4 = 2 : 1$, ∠B는 공통

이므로 △ABC∽△EBD (SAS 닮음)

따라서 $\overline{AC} : \overline{ED} = 2 : 1$이므로 $\overline{AC} : 3 = 2 : 1$

$\therefore \overline{AC} = 6$

15 △ABC와 △ACD에서

$\overline{AB} : \overline{AC} = 9 : 6 = 3 : 2$

$\overline{AC} : \overline{AD} = 6 : 4 = 3 : 2$

∠A는 공통

이므로 △ABC∽△ACD (SAS 닮음)

따라서 $\overline{BC} : \overline{CD} = 3 : 2$이므로 $\overline{BC} : 8 = 3 : 2$

$\therefore \overline{BC} = 12(\text{cm})$

16 △ABC와 △BDC에서

$\overline{AC} : \overline{BC} = 27 : 18 = 3 : 2$

$\overline{BC} : \overline{DC} = 18 : 12 = 3 : 2$

∠C는 공통이므로

△ABC∽△BDC (SAS 닮음)

따라서 $\overline{AB} : \overline{BD} = 3 : 2$이므로 $21 : \overline{BD} = 3 : 2$

$\therefore \overline{BD} = 14(\text{cm})$

17 $\overline{AD}^2 = \overline{BD} \times \overline{CD}$이므로

$12^2 = 24 \times \overline{CD}$ $\therefore \overline{CD} = 6(\text{cm})$

18 $\overline{AB}^2 = \overline{BD} \times \overline{BC}$이므로

$10^2 = 6 \times \overline{BC}$ $\therefore \overline{BC} = \dfrac{50}{3}(\text{cm})$

$\overline{CD} = \overline{BC} - \overline{BD} = \dfrac{50}{3} - 6 = \dfrac{32}{3}(\text{cm})$

$\overline{AD}^2 = \overline{BD} \times \overline{CD}$이므로

$\overline{AD}^2 = 6 \times \dfrac{32}{3} = 64$ $\therefore \overline{AD} = 8(\text{cm})$

$\therefore \triangle ABC = \dfrac{1}{2} \times \overline{BC} \times \overline{AD}$

$= \dfrac{1}{2} \times \dfrac{50}{3} \times 8 = \dfrac{200}{3}(\text{cm}^2)$

19 $\overline{AB}^2 = \overline{BH} \times \overline{BC}$이므로

$5^2 = 3(3 + x)$ $\therefore x = \dfrac{16}{3}$

$\overline{AC}^2 = \overline{CH} \times \overline{CB}$이므로

$y^2 = x(x + 3) = \dfrac{16}{3} \times \dfrac{25}{3} = \dfrac{400}{9}$ $\therefore y = \dfrac{20}{3}$

$\therefore x + y = \dfrac{16}{3} + \dfrac{20}{3} = 12$

20 $\overline{AB} \times \overline{AC} = \overline{AD} \times \overline{BC}$이므로

$15 \times 20 = 12 \times (x + y)$

$\therefore x + y = 25$

다른 풀이 $\overline{AB}^2 = \overline{BD} \times \overline{BC}$이므로

$x(x + y) = 225$ ……㉠

$\overline{AD}^2 = \overline{DB} \times \overline{DC}$이므로

$xy = 144$ ……㉡

따라서 ㉠, ㉡을 연립하여 풀면

$x=9,\ y=16$

$\therefore x+y=9+16=25$

21 $\triangle ABC$에서 $\overline{AD}^2=\overline{BD}\times\overline{CD}$이므로

$4^2=\overline{BD}\times 3$ $\therefore \overline{BD}=\dfrac{16}{3}(cm)$

$\overline{AB}^2=\overline{BD}\times\overline{BC}=\dfrac{16}{3}\times\dfrac{25}{3}=\dfrac{400}{9}$

$\therefore \overline{AB}=\dfrac{20}{3}(cm)$

또 $\triangle ABD$에서 $\overline{DA}^2=\overline{AE}\times\overline{AB}$이므로

$4^2=\overline{AE}\times\dfrac{20}{3}$ $\therefore \overline{AE}=\dfrac{12}{5}(cm)$

$\therefore \overline{AB}:\overline{AE}=\dfrac{20}{3}:\dfrac{12}{5}=25:9$

22 (1) $\overline{AD}^2=\overline{BD}\times\overline{CD}$이므로

$\overline{AD}^2=16\times 4=64$ $\therefore \overline{AD}=8(cm)$

(2) 직각삼각형의 외심은 빗변의 중점이므로 점 M은 $\triangle ABC$의 외심이다.

$\therefore \overline{AM}=\overline{BM}=\overline{CM}=\dfrac{1}{2}\overline{BC}$

$=\dfrac{1}{2}\times 20=10\,(cm)$

(3) $\triangle DAM$에서 $\overline{DA}^2=\overline{AH}\times\overline{AM}$이므로

$8^2=\overline{AH}\times 10$ $\therefore \overline{AH}=\dfrac{32}{5}(cm)$

(4) $\overline{CM}=10\ cm$이므로 $\overline{DM}=10-4=6(cm)$

$\triangle DAM$에서 $\overline{DA}\times\overline{DM}=\overline{DH}\times\overline{AM}$이므로

$8\times 6=\overline{DH}\times 10$ $\therefore \overline{DH}=\dfrac{24}{5}(cm)$

23 $\triangle ABC$에서 $\overline{AD}^2=\overline{BD}\times\overline{CD}$이므로

$\overline{AD}^2=5\times 20=100$ $\therefore \overline{AD}=10$

또 직각삼각형의 외심은 빗변의 중점이므로 점 M은 $\triangle ABC$의 외심이다.

$\overline{AM}=\overline{BM}=\overline{CM}=\dfrac{1}{2}\overline{BC}=\dfrac{1}{2}\times 25=\dfrac{25}{2}$

$\overline{DM}=\overline{BM}-\overline{BD}=\dfrac{25}{2}-5=\dfrac{15}{2}$

따라서 $\triangle ADM$에서 $\overline{AD}\times\overline{DM}=\overline{DH}\times\overline{AM}$이므로

$10\times\dfrac{15}{2}=\overline{DH}\times\dfrac{25}{2}$

$\therefore \overline{DH}=6$

24 $\overline{AD}^2=\overline{BD}\times\overline{CD}$이므로

$4^2=\overline{BD}\times 8$ $\therefore \overline{BD}=2(cm)$

$\overline{BC}=10\ cm$이고, 점 M은 직각삼각형 ABC의 외심

이므로 $\overline{AM}=\overline{BM}=\overline{CM}=5\ cm$

또 $\overline{DM}=\overline{BM}-\overline{BD}=5-2=3(cm)$

따라서 $\triangle ADM$에서 $\overline{AD}\times\overline{DM}=\overline{DH}\times\overline{AM}$이므로

$4\times 3=\overline{DH}\times 5$ $\therefore \overline{DH}=\dfrac{12}{5}(cm)$

25 $\triangle BDF\backsim\triangle AEF\backsim\triangle ADC$

$\backsim\triangle BEC$ (AA 닮음)이므로

$\triangle BDF$와 닮은 삼각형은 3개

이다.

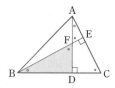

26 $\triangle ACD$와 $\triangle BCE$에서

∠C는 공통, ∠ADC=∠BEC=90°이므로

$\triangle ACD\backsim\triangle BCE$ (AA 닮음)

따라서 $\overline{AC}:\overline{BC}=\overline{CD}:\overline{CE}$이므로

$16:12=8:\overline{CE}$ $\therefore \overline{CE}=6$

$\therefore \overline{AE}=\overline{AC}-\overline{CE}=16-6=10$

27 $\triangle ABD$와 $\triangle ACE$에서

∠A는 공통, ∠ADB=∠AEC=90°이므로

$\triangle ABD\backsim\triangle ACE$ (AA 닮음)

따라서 $\overline{AB}:\overline{AC}=\overline{AD}:\overline{AE}$이므로

$10:9=6:\overline{AE}$

$\therefore \overline{AE}=\dfrac{27}{5}(cm)$

$\therefore \overline{BE}=\overline{AB}-\overline{AE}=10-\dfrac{27}{5}=\dfrac{23}{5}(cm)$

28 $\overline{AF}=15-3=12(cm)$

$\triangle AFD$와 $\triangle EFC$에서

∠AFD=∠EFC (맞꼭지각),

∠ADF=∠ECF=90°이므로

$\triangle AFD\backsim\triangle EFC$ (AA 닮음)

따라서 $\overline{AF}:\overline{EF}=\overline{FD}:\overline{FC}$이므로

$12:\overline{EF}=4:3$

$\therefore \overline{EF}=9(cm)$

29 오른쪽 그림과 같이 꼭짓점 C가 점 E에 오도록 접었으므로

∠CBD=∠EBD

(접은 각)

또 $\overline{AD}/\!/\overline{BC}$이므로

∠CBD=∠ADB (엇각)

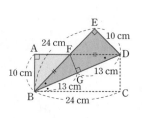

따라서 $\angle FBD=\angle FDB$이므로 $\triangle FBD$는
$\overline{FB}=\overline{FD}$인 이등변삼각형이다.

$\therefore \overline{BG}=\overline{GD}=\dfrac{1}{2}\times 26=13(cm)$

또한 $\triangle FBG\backsim\triangle DBC(\because AA$ 닮음$)$이므로

$\overline{BG}:\overline{BC}=\overline{FG}:\overline{DC}$

$13:24=\overline{FG}:10$　$\therefore \overline{FG}=\dfrac{65}{12}$ cm

다른 풀이 $\triangle FBG\backsim\triangle DBE(AA$ 닮음$)$임을 이용
해도 된다.

즉 $\overline{BG}:\overline{BE}=\overline{FG}:\overline{DE}$이므로

$13:24=\overline{FG}:10$　$\therefore \overline{FG}=\dfrac{65}{12}(cm)$

30 오른쪽 그림과 같이 꼭짓점 B
를 점 B′에 오도록 접었으므로
$\angle ACB=\angle ACB'($접은 각$)$
$\overline{AD}\,/\!/\,\overline{BC}$이므로
$\angle ACB=\angle CAD($엇각$)$

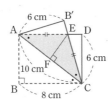

따라서 $\angle EAC=\angle ECA$이므로 $\triangle EAC$는
$\overline{EA}=\overline{EC}$인 이등변삼각형이다.

$\therefore \overline{AF}=\overline{FC}=\dfrac{1}{2}\times 10=5(cm)$

또 $\triangle CEF\backsim\triangle CAB(AA$ 닮음$)$이므로

$\overline{CF}:\overline{CB}=\overline{EF}:\overline{AB}$

$5:8=\overline{EF}:6$　$\therefore \overline{EF}=\dfrac{15}{4}(cm)$

$\therefore \triangle EAC=\dfrac{1}{2}\times\overline{AC}\times\overline{EF}$

$\qquad\qquad =\dfrac{1}{2}\times 10\times\dfrac{15}{4}=\dfrac{75}{4}(cm^2)$

31 $\triangle ADC\equiv\triangle ADE(RHA$ 합동$)$이므로
$\overline{DE}=\overline{DC}=x$ cm라 하면 $\overline{BD}=8-x(cm)$
$\triangle BDE\backsim\triangle BAC(AA$ 닮음$)$이므로
$\overline{BD}:\overline{BA}=\overline{DE}:\overline{AC}$에서
$(8-x):10=x:6$, $16x=48$
$\therefore x=3$
따라서 $\overline{DE}$의 길이는 3 cm이다.

32 오른쪽 그림과 같이 꼭짓점
C가 점 C′에 오도록 접었으
므로
$\overline{BC'}=\overline{BC}=10$ cm,
$\overline{PC}=\overline{PC'}$
또 $\angle ABC'+\angle AC'B=90°$이고

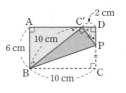

$\angle PC'D+\angle AC'B=90°$이므로
$\angle ABC'=\angle PC'D$
$\therefore \triangle ABC'\backsim\triangle DC'P(AA$ 닮음$)$
따라서 $\overline{C'B}:\overline{PC'}=\overline{AB}:\overline{DC'}$에서
$10:\overline{PC'}=6:2$　$\therefore \overline{PC'}=\dfrac{10}{3}(cm)$

$\therefore \overline{PC}=\overline{PC'}=\dfrac{10}{3}$ cm

33 오른쪽 그림과 같이 꼭짓점 C가
점 C′에 오도록 접었으므로
$\overline{BC'}=\overline{BC}$
$\triangle BAC'\backsim\triangle C'DP(AA$ 닮음$)$
이므로 $\overline{BA}:\overline{C'D}=\overline{AC'}:\overline{DP}$에서

$8:4=\overline{AC'}:3$　$\therefore \overline{AC'}=6$
$\therefore \overline{BC'}=\overline{BC}=\overline{AD}=\overline{AC'}+\overline{C'D}=6+4=10$

34 오른쪽 그림과 같이 꼭짓점 A가
점 E에 오도록 접었으므로
$\overline{DE}=\overline{DA}$, $\overline{FE}=\overline{FA}=21$,
$\angle A=\angle B=\angle C=60°$이므로
$\angle DEF=\angle A=60°$

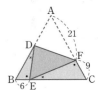

그런데 $\triangle DBE$와 $\triangle ECF$에서
$\angle BED+\angle BDE=120°$이고,
$\angle BED+\angle CEF=120°$이므로 $\angle BDE=\angle CEF$
따라서 $\triangle DBE\backsim\triangle ECF(AA$ 닮음$)$이므로
$\overline{BE}:\overline{CF}=\overline{DE}:\overline{EF}$, $6:9=\overline{DE}:21$
$\therefore \overline{DE}=14$
$\therefore \overline{AD}=\overline{DE}=14$

35 $\triangle DBE\backsim\triangle ECF(AA$ 닮음$)$
이므로 $\overline{BE}:\overline{CF}=\overline{DB}:\overline{EC}$
$\overline{BE}=15-10=5(cm)$이므로
$5:\overline{CF}=8:10$

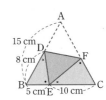

$\therefore \overline{CF}=\dfrac{25}{4}(cm)$

참고 $\triangle DBE$와 $\triangle ECF$에서
$\angle BED+\angle BDE=120°$이고,
$\angle BED+\angle CEF=120°$이므로
$\angle BDE=\angle CEF$
$\therefore \triangle DBE\backsim\triangle ECF(AA$ 닮음$)$

36 $\triangle ABF\backsim\triangle EFC(AA$ 닮음$)$에서
$\overline{AB}:\overline{EF}=\overline{AF}:\overline{EC}$이고

△AFE∽△ECD (AA 닮음)에서
$\overline{AF}:\overline{EC}=\overline{EF}:\overline{DC}$
따라서 $\overline{AB}:\overline{EF}=\overline{EF}:\overline{DC}$이므로
$2:\overline{EF}=\overline{EF}:8$
$\overline{EF}^2=16$ ∴ $\overline{EF}=4$

37 △AFE∽△ADC (AA 닮음)에서
$\overline{AF}:\overline{AD}=\overline{FE}:\overline{DC}$
△FDE∽△DBC (AA 닮음)에서
$\overline{FE}:\overline{DC}=\overline{DE}:\overline{BC}$
△ADE∽△ABC (AA 닮음)에서
$\overline{DE}:\overline{BC}=\overline{AD}:\overline{AB}$
따라서 $\overline{AF}:\overline{AD}=\overline{AD}:\overline{AB}$이므로
$x:6=6:10$ ∴ $x=\dfrac{18}{5}$

38 $\overline{DC}=14$ cm이고 $\overline{DF}:\overline{FC}=2:5$이므로
$\overline{DF}=\dfrac{2}{2+5}\overline{DC}=\dfrac{2}{7}\times14=4$(cm)
$\overline{FC}=14-4=10$(cm)
또 △CFE∽△CDB (AA 닮음)이므로
$\overline{EF}:\overline{BD}=\overline{CF}:\overline{CD}=10:14=5:7$
△DEF∽△ABD (AA 닮음)에서
$\overline{EF}:\overline{BD}=\overline{FD}:\overline{DA}$이므로
$5:7=4:\overline{DA}$
∴ $\overline{AD}=\dfrac{28}{5}$(cm)
다른 풀이 $\overline{BD}/\!/\overline{EF}$이므로
△CFE∽△CDB (AA 닮음)이고
$\overline{DF}:\overline{FC}=2:5$이므로
$\overline{CE}:\overline{EB}=\overline{CF}:\overline{FD}=5:2$
$\overline{AB}/\!/\overline{DE}$이므로
△CDE∽△CAB (AA 닮음)이고
$\overline{CD}:\overline{DA}=\overline{CE}:\overline{EB}=5:2$에서
$14:\overline{DA}=5:2$ ∴ $\overline{DA}=\dfrac{28}{5}$(cm)

39 △BED∽△BCA (AA 닮음)에서
$\overline{BD}:\overline{BA}=\overline{DE}:\overline{AC}$
△DHE∽△ADC (AA 닮음)에서
$\overline{DE}:\overline{AC}=\overline{EH}:\overline{CD}$
따라서 $\overline{BD}:\overline{BA}=\overline{EH}:\overline{CD}$이므로
$6:(6+3)=4:\overline{CD}$ ∴ $\overline{CD}=6$(cm)

40 △OBQ∽△CBD (AA 닮음)
이므로
$\overline{OB}:\overline{CB}=\overline{OQ}:\overline{CD}$
$5:8=\overline{OQ}:6$
∴ $\overline{OQ}=\dfrac{15}{4}$
이때 △POD≡△QOB (ASA 합동)이므로
$\overline{OP}=\overline{OQ}$
∴ $\overline{PQ}=2\overline{OQ}=2\times\dfrac{15}{4}=\dfrac{15}{2}$

41 $\overline{AB}/\!/\overline{DC}$이므로 △RAQ∽△RCD (AA 닮음)이
고, 닮음비는 $\overline{RQ}:\overline{RD}=9:12=3:4$이다.
$\overline{AQ}=3k$, $\overline{CD}=4k$라 하면 $\overline{AB}=\overline{CD}$이므로
$\overline{QB}=\overline{AB}-\overline{AQ}=\overline{CD}-\overline{AQ}$
 $=4k-3k=k$
또 $\overline{QB}/\!/\overline{DC}$이므로 △QPB∽△DPC (AA 닮음)
이고, 닮음비는 $\overline{QB}:\overline{DC}=k:4k=1:4$이다.
따라서 $\overline{PQ}:\overline{PD}=\overline{PQ}:(\overline{PQ}+9+12)=1:4$이
므로
$\overline{PQ}+21=4\overline{PQ}$ ∴ $\overline{PQ}=7$

42 정사각형 ABCD의 한 변의 길이를 d라 하면
□ABCD의 넓이는 d^2이다.
△DPH와 △DQC에서
∠PDB$=45°-$∠BDQ$=$∠QDC이고
∠PHD$=$∠QCD$=90°$이므로
△DPH∽△DQC (AA 닮음)
∴ $\overline{PD}:\overline{QD}=\overline{DH}:\overline{DC}=11:d$ ······ ㉠
△APD와 △GQD에서
∠PDA$=45°-$∠PDB$=$∠QDG,
∠PAD$=$∠QGD$=90°$이므로
△APD∽△GQD (AA 닮음)
∴ $\overline{PD}:\overline{QD}=\overline{AD}:\overline{GD}=d:7$ ······ ㉡
㉠, ㉡에서 $11:d=d:7$이므로
$d^2=7\times11=77$
따라서 □ABCD의 넓이는 77이다.

43 △CED는 이등변삼각형이므로
∠CDE$=$∠CED
∠AEC$=180°-$∠CED이고
∠ADB$=180°-$∠CDE이므로
∠AEC$=$∠ADB

그런데 △ABD와 △ACE에서

∠BAD=∠CAE이므로

△ABD∽△ACE (AA 닮음)

따라서 $\overline{AB} : \overline{AC} = \overline{AD} : \overline{AE}$이므로

$12 : 9 = 8 : \overline{AE}$ ∴ $\overline{AE} = 6$

∴ $\overline{DE} = \overline{AD} - \overline{AE} = 8 - 6 = 2$

44 ∠AED = $180° - (20° + 75°) = 85°$이고,

△ABC∽△AED이므로

∠ABC=∠AED=85°

∠BAC=∠EAD=20°

∴ ∠BAE=20°+∠CAE=∠CAD

그런데 △ABE와 △ACD에서

$\overline{AB} : \overline{AC} = \overline{AE} : \overline{AD}$이므로

△ABE∽△ACD (SAS 닮음)

따라서 ∠ABE=∠ACE=30°이므로

∠CBE=∠ABC-∠ABE

$= 85° - 30° = 55°$

---

01 ③	**02** ③	**03** 3 cm	**04** $\frac{7}{2}$ cm	**05** 3	**06** 3 cm	**07** $\frac{24}{5}$	**08** 40
09 ②, ③	**10** ②, ④	**11** ④	**12** ④	**13** 27 cm	**14** ②	**15** $\frac{36}{5}$ cm	**16** ②
17 ⑤	**18** $\frac{3}{2}$	**19** ③	**20** $\frac{40}{3}$	**21** 4	**22** ②	**23** 2 : 3	**24** 10
25 60 cm²	**26** ①	**27** 8	**28** ①	**29** $\frac{23}{2}$	**30** ⑤	**31** ③	**32** ②
33 12	**34** $\frac{40}{3}$	**35** 15 cm	**36** 5 cm	**37** (1) 2 : 3 (2) 5 : 3 (3) 2 : 5			**38** ③
39 75 cm²	**40** 3 cm	**41** 2	**42** 6 m	**43** 19 cm	**44** 5 cm	**45** ②	**46** ④
47 9	**48** ①	**49** 6 cm	**50** 3 : 1	**51** 15 cm	**52** ①	**53** ②	**54** 14 cm
55 ⑤	**56** ③	**57** ③	**58** 30°	**59** ②	**60** 22 cm	**61** ③	**62** ②
63 40 cm²	**64** ④	**65** 24 cm	**66** ④	**67** ④	**68** 36 cm	**69** 24 cm	**70** ①
71 ③	**72** ①	**73** ④	**74** 8 cm²	**75** ⑤	**76** 4 cm²	**77** 10 cm²	**78** ③
79 72 cm²	**80** ④	**81** 8 cm²	**82** ③	**83** ③	**84** ⑤	**85** 20 cm²	**86** 16 cm²
87 8 cm							

---

01 $\overline{AD} : \overline{DB} = \overline{AE} : \overline{EC}$이므로

$8 : x = 6 : 3$ ∴ $x = 4$

$\overline{AE} : \overline{AC} = \overline{DE} : \overline{BC}$이므로

$6 : 9 = 4 : y$ ∴ $y = 6$

∴ $xy = 4 \times 6 = 24$

02 $\overline{CD} = x$ cm라 하면 $\overline{AC} = (14-x)$ cm이고

$\overline{AB} : \overline{DE} = \overline{AC} : \overline{DC}$이므로

$(14-x) : x = 10 : 4$

∴ $x = 4$

03 $\overline{AD} /\!/ \overline{EC}$이므로 $\overline{AF} : \overline{CF} = \overline{AD} : \overline{CE}$이므로

$10 : 8 = 15 : \overline{CE}$ ∴ $\overline{CE} = 12$(cm)

∴ $\overline{BE} = \overline{BC} - \overline{CE} = 15 - 12 = 3$(cm)

04 $\overline{AB} : \overline{AD} = \overline{BC} : \overline{DE}$이므로

$2 : \overline{AD} = 4 : 10$ ∴ $\overline{AD} = 5$(cm)

또 $\overline{EF} : \overline{ED} = \overline{GF} : \overline{AD}$이므로

$7 : 10 = \overline{GF} : 5$ ∴ $\overline{FG} = \frac{7}{2}$(cm)

05 △ABQ에서 $\overline{AP}:\overline{AQ}=\overline{DP}:\overline{BQ}=6:8=3:4$

△AQC에서 $\overline{AP}:\overline{AQ}=\overline{PE}:\overline{QC}$이므로

$3:4=\overline{PE}:4$　∴ $\overline{PE}=3$

06 □DBFE는 평행사변형이므로

$\overline{EF}=\overline{DB}=2$ cm, $\overline{BF}=\overline{DE}=6$ cm

△CAB에서 $\overline{FC}:\overline{BC}=\overline{EF}:\overline{AB}$이므로

$\overline{FC}:(6+\overline{FC})=2:6$, $4\overline{FC}=12$

∴ $\overline{FC}=3$(cm)

07 △EAD에서 $\overline{EF}:\overline{EA}=\overline{FG}:\overline{AD}$이므로

$3:5=\overline{FG}:6$　∴ $\overline{FG}=\dfrac{18}{5}$

또 △FHC에서 $\overline{FG}:\overline{GH}=\overline{FE}:\overline{EC}$이므로

$\dfrac{18}{5}:\overline{GH}=3:4$　∴ $\overline{GH}=\dfrac{24}{5}$

08 오른쪽 그림과 같이 점 D를 지
나면서 $\overline{AC}$와 평행한 직선이
$\overline{BP}$와 만나는 점을 Q라 하면

△MQD≡△MPA
　　　　　(ASA 합동)

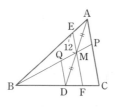

이므로

$\overline{AP}=\overline{DQ}$, $\overline{PM}=\overline{QM}$

△BCP에서 $\overline{BQ}:\overline{QP}=\overline{BD}:\overline{CD}=3:2$이므로

$\overline{BM}:\overline{PM}=(\overline{BQ}+\overline{QM}):(\overline{QP}-\overline{QM})=4:1$

△ABP에서 $\overline{EM}:\overline{AP}=\overline{BM}:\overline{BP}=4:5$이므로

$12:\overline{AP}=4:5$

∴ $\overline{AP}=15$

$\overline{DQ}=\overline{AP}=15$이고

△BCP에서 $\overline{DQ}:\overline{CP}=\overline{BD}:\overline{BC}=3:5$이므로

$15:\overline{CP}=3:5$

∴ $\overline{CP}=25$

∴ $\overline{AC}=\overline{AP}+\overline{CP}=15+25=40$

09 ① $\overline{AD}:\overline{AB}\neq\overline{AE}:\overline{AC}$이므로 $\overline{BC}$와 $\overline{DE}$는 평행
하지 않다.

② $\overline{AD}:\overline{AB}=\overline{AE}:\overline{AC}=2:3$이므로 $\overline{DE}/\!/\overline{BC}$

③ $\overline{AD}:\overline{DB}=\overline{AE}:\overline{EC}=1:2$이므로 $\overline{DE}/\!/\overline{BC}$

④ $\overline{AE}:\overline{EC}\neq\overline{AD}:\overline{DB}$이므로 $\overline{BC}$와 $\overline{DE}$는 평행
하지 않다.

⑤ $\overline{AD}:\overline{AB}\neq\overline{DE}:\overline{BC}$이므로 $\overline{BC}$와 $\overline{DE}$는 평행
하지 않다.

10 $\overline{CF}:\overline{FA}=\overline{CE}:\overline{EB}=3:4$이므로 $\overline{AB}/\!/\overline{FE}$이고
△CFE∽△CAB이다.

∴ ∠BAC=∠EFC

따라서 옳은 것은 ②, ④이다.

11 ∠BAD=∠DAC인 △ABC에서 점 C를 지나고
$\overline{AD}$에 평행한 직선과 $\overline{BA}$의 연장선과의 교점을 E
라 하면

$\overline{DA}/\!/\overline{CE}$이므로

∠BAD= $\boxed{∠AEC}$ (동위각),

∠DAC= $\boxed{∠ACE}$ (엇각),

∠BAD= $\boxed{∠DAC}$ 이므로

$\boxed{∠AEC}$ = $\boxed{∠ACE}$

따라서 △ACE는 $\boxed{\text{이등변삼각형}}$ 이므로

$\overline{AC}=\boxed{\overline{AE}}$　　　　…… ㉠

또 $\overline{DA}/\!/\overline{CE}$이므로

$\overline{BA}:\overline{AE}=\overline{BD}:\overline{DC}$　　…… ㉡

따라서 ㉠, ㉡에서 $\overline{AB}:\overline{AC}=\overline{BD}:\overline{CD}$이다.

12 $\overline{AB}:\overline{AC}=\overline{BD}:\overline{CD}$이므로

$\overline{BD}:\overline{CD}=16:12=4:3$

∴ $\overline{BD}=\dfrac{4}{7}\overline{BC}=\dfrac{4}{7}\times 20=\dfrac{80}{7}$(cm)

또한 △ABD : △ACD=$\overline{BD}:\overline{CD}=4:3$

따라서 옳은 것은 ㄴ, ㄹ이다.

13 $\overline{AB}:\overline{AC}=\overline{BD}:\overline{CD}$이므로

$8:10=\overline{BD}:5$　∴ $\overline{BD}=4$(cm)

∴ (△ABC의 둘레의 길이)=8+10+4+5
　　　　　　　　　　　=27(cm)

14 $\overline{AB}:\overline{AC}=\overline{BD}:\overline{CD}$에서

$12:9=\overline{BD}:\overline{CD}$이므로

$\overline{BD}:\overline{CD}=4:3$

또 △ABC=△ABD+△ADC이고,

△ABD : △ADC=$\overline{BD}:\overline{CD}=4:3$이므로

$△ABD=\dfrac{4}{4+3}△ABC$

$=\dfrac{4}{7}\times 35=20$(cm²)

15 $\overline{AB}:\overline{AC}=\overline{BE}:\overline{EC}$에서

$18:12=\overline{BE}:\overline{EC}$이므로 $\overline{BE}:\overline{EC}=3:2$

또 △BCA에서 $\overline{BE}:\overline{BC}=\overline{DE}:\overline{AC}$이므로

$3 : 5 = \overline{DE} : 12 \qquad \therefore \overline{DE} = \dfrac{36}{5} \text{(cm)}$

16 $\overline{AB} : \overline{AC} = \overline{BD} : \overline{CD}$이므로

$14 : \overline{AC} = 4 : 3 \qquad \therefore \overline{AC} = \dfrac{21}{2}$

$\overline{AE} = x$라 하면 $\overline{BA} : \overline{BC} = \overline{AE} : \overline{CE}$이므로

$14 : 7 = x : \left(\dfrac{21}{2} - x \right) \qquad \therefore x = 7$

17 점 I가 $\triangle ABC$의 내심이므로 $\overline{AD}$는 $\angle A$의 이등분선이다.

$\overline{AB} : \overline{AC} = \overline{BD} : \overline{CD}$이므로

$9 : 6 = \overline{BD} : (12 - \overline{BD})$

$\therefore \overline{BD} = \dfrac{36}{5} \text{(cm)}$

또 $\overline{BE}$는 $\angle B$의 이등분선이므로

$\overline{BA} : \overline{BD} = \overline{AI} : \overline{ID}$에서

$9 : \dfrac{36}{5} = \overline{AI} : \overline{ID}$

$\therefore \overline{AI} : \overline{ID} = 5 : 4$

18 $\triangle ABC \backsim \triangle EAC$ (AA 닮음)이고 닮음비는

$\overline{BC} : \overline{AC} = 6 : 3 = 2 : 1$이므로

$\overline{AC} : \overline{EC} = 2 : 1, \ 3 : \overline{EC} = 2 : 1 \qquad \therefore \overline{EC} = \dfrac{3}{2}$

$\therefore \overline{BE} = 6 - \dfrac{3}{2} = \dfrac{9}{2}$

$\triangle ABE$에서 $\overline{AB} : \overline{AE} = 2 : 1$이고

$\overline{AD}$가 $\angle BAE$의 이등분선이므로

$\overline{BD} : \overline{DE} = 2 : 1$

$\therefore \overline{DE} = \dfrac{1}{3} \overline{BE} = \dfrac{1}{3} \times \dfrac{9}{2} = \dfrac{3}{2}$

19 점 C를 지나고 $\overline{AD}$에 평행한 직선이 $\overline{AB}$와 만나는 점을 F라 하면

$\overline{AD} /\!/ \overline{FC}$이므로

$\angle EAD = \boxed{\angle AFC}$ (동위각),

$\angle DAC = \boxed{\angle ACF}$ (엇각),

$\angle EAD = \angle DAC$이므로

$\boxed{\angle AFC} = \boxed{\angle ACF}$

따라서 $\triangle AFC$는 이등변삼각형이므로

$\overline{AF} = \overline{AC} \qquad\qquad \cdots\cdots \ \bigcirc$

또 $\triangle ABD$에서 $\overline{AD} /\!/ \overline{FC}$이므로

$\overline{AB} : \boxed{\overline{AF}} = \overline{BD} : \overline{CD} \qquad \cdots\cdots \ \bigcirc$

따라서 $\bigcirc$, $\bigcirc$에서 $\overline{AB} : \overline{AC} = \overline{BD} : \overline{CD}$이다.

20 $\overline{AB} : \overline{AC} = \overline{BD} : \overline{CD}$이므로

$20 : x = 48 : (48 - 16) = 3 : 2$

$\therefore x = \dfrac{40}{3}$

21 $\overline{AB} : \overline{AC} = \overline{BD} : \overline{CD}$이므로

$6 : 3 = (4 + \overline{CD}) : \overline{CD}$

$\therefore \overline{CD} = 4$

22 $\overline{AD}$가 $\angle A$의 외각의 이등분선이므로

$\overline{AC} : \overline{AB} = \overline{CD} : \overline{BD}$에서

$8 : 6 = (\overline{BC} + 7) : 7$

$\therefore \overline{BC} = \dfrac{7}{3}$

23 $\overline{BD} : \overline{CD} = \overline{AB} : \overline{AC} = 20 : 12 = 5 : 3$

$\therefore \triangle ABC : \triangle ACD = \overline{BC} : \overline{CD} = 2 : 3$

24 $\triangle ABC$에서 $\overline{AP}$가 $\angle BAC$의 이등분선이므로

$\overline{AB} : \overline{AC} = \overline{BP} : \overline{CP}$에서

$6 : 4 = 3 : \overline{CP} \qquad \therefore \overline{CP} = 2$

또 $\overline{AQ}$가 $\angle A$의 외각의 이등분선이므로

$\overline{AB} : \overline{AC} = \overline{BQ} : \overline{CQ}$에서

$6 : 4 = (5 + \overline{CQ}) : \overline{CQ} \qquad \therefore \overline{CQ} = 10$

25 $\triangle ABC$에서 $\overline{AD}$가 $\angle A$의 이등분선이므로

$\overline{AB} : \overline{AC} = \overline{BD} : \overline{CD}$에서

$12 : 8 = \overline{BD} : 4 \qquad \therefore \overline{BD} = 6 \text{(cm)}$

또 $\overline{AE}$가 $\angle A$의 외각의 이등분선이므로

$\overline{AB} : \overline{AC} = \overline{BE} : \overline{CE}$에서

$12 : 8 = (10 + \overline{CE}) : \overline{CE} \qquad \therefore \overline{CE} = 20 \text{(cm)}$

따라서 $\triangle ABD : \triangle ADE = \overline{BD} : \overline{DE}$이므로

$15 : \triangle ADE = 6 : 24$

$\therefore \triangle ADE = 60 \text{(cm}^2)$

26 $\triangle ABC$에서 $\overline{AP}$가 $\angle A$의 이등분선이므로

$\overline{AB} : \overline{AC} = \overline{BP} : \overline{CP}$에서

$9 : 12 = \overline{BP} : 2 \qquad \therefore \overline{BP} = \dfrac{3}{2}$

또 $\overline{AQ}$가 $\angle A$의 외각의 이등분선이므로

$\overline{AC} : \overline{AB} = \overline{CQ} : \overline{BQ}$에서

$12 : 9 = \left(\dfrac{7}{2} + \overline{BQ} \right) : \overline{BQ}$

$\therefore \overline{BQ} = \dfrac{21}{2}$

$$\therefore \overline{PQ}=\overline{BP}+\overline{BQ}=\frac{3}{2}+\frac{21}{2}=12$$

27 △ABC에서 $\overline{AD}$가 ∠A의 외각의 이등분선이므로
$$\overline{BD}:\overline{CD}=\overline{AB}:\overline{AC}=8:4=2:1$$
따라서 $\overline{BC}=\overline{CD}$이므로 $\triangle ABC=\frac{1}{2}\triangle ABD$

$\overline{AE}$가 ∠BAC의 이등분선이므로
$$\overline{AB}:\overline{AC}=\overline{BE}:\overline{EC}$$에서
$$8:4=4:\overline{EC}\qquad\therefore \overline{EC}=2$$
또 $\overline{BF}$가 ∠B의 이등분선이므로
$$\overline{AF}:\overline{CF}=\overline{AB}:\overline{BC}=8:(4+2)=4:3$$
따라서 $\triangle ABC:\triangle ABF=\overline{CA}:\overline{AF}=7:4$이므로
$$\triangle ABF=\frac{4}{7}\triangle ABC$$
$$=\frac{4}{7}\times\frac{1}{2}\triangle ABD$$
$$=\frac{2}{7}\triangle ABD$$
$$=\frac{2}{7}\times 28=8$$

28 직선 a를 a'으로 평행이동하면
$$8:4=x:3$$
$$\therefore x=6$$

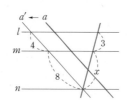

29 직선 a를 a'으로 평행이동하면
$$3:x=4:6$$이므로
$$4x=18\qquad\therefore x=\frac{9}{2}$$
$$4:(4+6)=(y-5):5$$이므로
$$10y=70\qquad\therefore y=7$$
$$\therefore x+y=\frac{9}{2}+7=\frac{23}{2}$$

다른 풀이 공식에 의해
$$y=\frac{4\times 10+6\times 5}{4+6}=\frac{70}{10}=7$$

30 직선 a를 a'로 평행이동하면
$$8:6=y:7$$이므로
$$6y=56\qquad\therefore y=\frac{28}{3}$$
$$8:14=2:(x-3)$$이므로
$$8x=52\qquad\therefore x=\frac{13}{2}$$
$$\therefore 3xy=3\times\frac{13}{2}\times\frac{28}{3}=182$$

다른 풀이 공식에 의해
$$\frac{8\times x+6\times 3}{8+6}=5\qquad\therefore x=\frac{13}{2}$$

31 $\overline{AB}=\overline{AM}+\overline{MB}$
$$=\left(\frac{1}{2}\times 54\right)+\left(\frac{1}{2}\times 48\right)$$
$$=27+24=51\,(\text{cm})$$

32 점 A에서 $\overline{DC}$에 평행한 선을 그어 $\overline{EF}$, $\overline{BC}$와 만나는 점을 각각 P, Q라 하면 □PQCF는 평행사변형이므로
$$\overline{PF}=\overline{QC}=\overline{AD}=30$$
△ABQ에서 $\overline{AE}:\overline{AB}=\overline{EP}:\overline{BQ}$이므로
$$20:60=\overline{EP}:30\qquad\therefore \overline{EP}=10$$
$$\therefore \overline{EF}=\overline{EP}+\overline{PF}=10+30=40$$

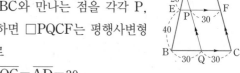

다른 풀이 대각선 AC를 그으면 △ABC에서
$$\overline{AE}:\overline{AB}=\overline{EP}:\overline{BC}$$이므로
$$20:60=\overline{EP}:60$$
$$\therefore \overline{EP}=20$$
또 △CDA에서 $\overline{CF}:\overline{CD}=\overline{PF}:\overline{AD}$이고
$$\overline{CF}:\overline{CD}=\overline{BE}:\overline{BA}=40:60=2:3$$이므로
$$\overline{PF}:30=2:3\qquad\therefore \overline{PF}=20$$
$$\therefore \overline{EF}=\overline{EP}+\overline{PF}=20+20=40$$

다른 풀이 공식에 의해
$$\overline{EF}=\frac{20\times 60+40\times 30}{20+40}=40$$

33 $\overline{CF}:\overline{FD}=\overline{BE}:\overline{EA}=2:1$
대각선 AC를 그으면 △CDA에서
$$\overline{CF}:\overline{CD}=\overline{PF}:\overline{AD}$$이므로
$$2:3=\overline{PF}:6\qquad\therefore \overline{PF}=4$$
$$\therefore \overline{PE}=\overline{EF}-\overline{PF}=8-4=4$$
또 △ABC에서
$$\overline{AE}:\overline{AB}=\overline{EP}:\overline{BC}$$이므로
$$1:3=4:\overline{BC}\qquad\therefore \overline{BC}=12$$

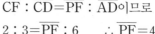

다른 풀이 점 A에서 $\overline{DC}$에 평행한 선을 그어 $\overline{EF}$, $\overline{BC}$와 만나는 점을 각각 P, Q라 하면 □PQCF는 평행사변형이므로
$$\overline{PF}=\overline{QC}=\overline{AD}=6,$$
$$\overline{EP}=\overline{EF}-\overline{PF}=8-6=2$$

△ABQ에서
$\overline{AE}:\overline{AB}=\overline{EP}:\overline{BQ}$이므로
$1:3=2:\overline{BQ}$ ∴ $\overline{BQ}=6$
∴ $\overline{BC}=\overline{BQ}+\overline{QC}=6+6=12$
다른 풀이 공식에 의해
$\dfrac{1\times\overline{BC}+2\times6}{1+2}=8$ ∴ $\overline{BC}=12$

34 △ODA∽△OBC (AA닮음)이고,
닮음비는 $10:20=1:2$이다.
△ABC에서 $\overline{AO}:\overline{AC}=\overline{PO}:\overline{BC}$이므로
$1:3=\overline{PO}:20$ ∴ $\overline{PO}=\dfrac{20}{3}$
△DBC에서 $\overline{DO}:\overline{DB}=\overline{OQ}:\overline{BC}$이므로
$1:3=\overline{OQ}:20$ ∴ $\overline{OQ}=\dfrac{20}{3}$
∴ $\overline{PQ}=\overline{PO}+\overline{OQ}=\dfrac{20}{3}+\dfrac{20}{3}=\dfrac{40}{3}$
다른 풀이 $\overline{AO}:\overline{CO}=\overline{AD}:\overline{CB}=10:20=1:2$
이므로
$\overline{AP}:\overline{PB}=\overline{AO}:\overline{CO}=1:2$
∴ $\overline{PQ}=\dfrac{1\times20+2\times10}{1+2}=\dfrac{40}{3}$

35 △ABC에서
$\overline{AE}:\overline{AB}=\overline{EO}:\overline{BC}=6:18=1:3$
△BDA에서
$\overline{EB}:\overline{AB}=\overline{EO}:\overline{AD}$이므로
$2:3=6:\overline{AD}$ ∴ $\overline{AD}=9(cm)$
또 △DBC에서
$\overline{OF}:\overline{BC}=\overline{DO}:\overline{DB}=\overline{AE}:\overline{AB}=1:3$
$\overline{OF}:18=1:3$ ∴ $\overline{OF}=6(cm)$
∴ $\overline{AD}+\overline{OF}=9+6=15(cm)$

36 △ABC에서
$\overline{AE}:\overline{AB}=\overline{EH}:\overline{BC}$이므로
$3:5=\overline{EH}:15$ ∴ $\overline{EH}=9(cm)$
또 △BDA에서
$\overline{BE}:\overline{BA}=\overline{EG}:\overline{AD}$이므로
$2:5=\overline{EG}:10$ ∴ $\overline{EG}=4(cm)$
∴ $\overline{GH}=\overline{EH}-\overline{EG}=9-4=5(cm)$
다른 풀이 공식에 의해
$\overline{EF}=\dfrac{3\times15+2\times10}{3+2}=13(cm)$
△BDA에서

$\overline{BE}:\overline{BA}=\overline{EG}:\overline{AD}$이므로
$2:5=\overline{EG}:10$ ∴ $\overline{EG}=4(cm)$
△CDA에서
$\overline{CF}:\overline{CD}=\overline{HF}:\overline{AD}$이므로
$2:5=\overline{HF}:10$ ∴ $\overline{HF}=4(cm)$
∴ $\overline{GH}=\overline{EF}-\overline{EG}-\overline{HF}$
   $=13-4-4=5(cm)$

37 (1) $\overline{BE}:\overline{DE}=\overline{AB}:\overline{CD}$
       $=12:18=2:3$
(2) $\overline{CA}:\overline{CE}=\overline{CB}:\overline{CF}=\overline{DB}:\overline{DE}$
       $=(2+3):3=5:3$
(3) $\overline{BF}:\overline{BC}=\overline{BE}:\overline{BD}=2:5$

38 △ACB에서
$\overline{CP}:\overline{CA}=\overline{PQ}:\overline{AB}=9:12=3:4$
∴ $\overline{CP}:\overline{PA}=3:1$
△ACD에서
$\overline{AP}:\overline{AC}=\overline{PQ}:\overline{CD}$이므로
$1:4=9:\overline{CD}$
∴ $\overline{CD}=36$
다른 풀이 $\overline{DC}=x$라 하면 공식에 의해
$\overline{PQ}=\dfrac{12\times x}{12+x}=9$에서 $x=36$

39 점 P에서 $\overline{BC}$에 내린 수
선의 발을 H라 하면
$\overline{AB}/\!/\overline{PH}/\!/\overline{DC}$이므로
$\overline{BP}:\overline{DP}=\overline{AB}:\overline{CD}$
       $=10:15=2:3$
즉 △BCD에서 $\overline{BP}:\overline{BD}=\overline{PH}:\overline{DC}$이므로
$2:5=\overline{PH}:15$
∴ $\overline{PH}=6(cm)$
∴ △PBC$=\dfrac{1}{2}\times25\times6=75(cm^2)$
다른 풀이 $\overline{PH}=\dfrac{10\times15}{10+15}=6(cm)$
∴ △PBC$=\dfrac{1}{2}\times25\times6=75(cm^2)$

40 점 E에서 $\overline{BC}$에 수직인 작
선을 그어 $\overline{AC}$와 만나는
점을 H라 하면
$\overline{AB}/\!/\overline{HE}/\!/\overline{GF}/\!/\overline{DC}$이므

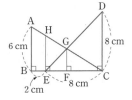

로 △ABC에서

$\overline{HE} : \overline{AB} = \overline{CE} : \overline{CB}$

$\overline{HE} : 6 = 8 : 10$

$\therefore \overline{HE} = \frac{24}{5}$(cm)

$\overline{EG} : \overline{DG} = \overline{HE} : \overline{CD} = \frac{24}{5} : 8 = 3 : 5$이므로

$\overline{EG} : \overline{ED} = \overline{GF} : \overline{DC}$에서 $3 : 8 = \overline{GF} : 8$

$\therefore \overline{GF} = 3$(cm)

41 점 G를 지나고 $\overline{CD}$에 평행한 직선이 $\overline{AD}$와 만나는 점을 H라 하면 $\overline{AG} : \overline{AC} = \overline{GH} : \overline{CD}$이므로

$6 : 10 = \overline{GH} : 10$

$\therefore \overline{GH} = 6$

$\overline{GF} : \overline{FB} = \overline{GH} : \overline{BA} = 6 : 3 = 2 : 1$이므로

$\overline{GF} : \overline{GB} = \overline{EF} : \overline{AB}$에서 $2 : 3 = \overline{EF} : 3$

$\therefore \overline{EF} = 2$

42 오른쪽 그림과 같이 A 지점의 가로등의 꼭대기를 D, B 지점

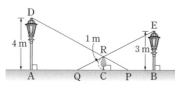

의 가로등의 꼭대기를 E, 나무의 꼭대기를 R라 하고, A 지점의 가로등에 의해 생기는 그림자의 끝을 P, B 지점의 가로등에 의해 생기는 그림자의 끝을 Q라 하자.

$\overline{CP} = \overline{CQ}$이므로 $\overline{CP} = \overline{CQ} = d$라 하면

$\overline{AD} /\!/ \overline{CR} /\!/ \overline{BE}$이므로

$\overline{CP} : \overline{AP} = \overline{CR} : \overline{AD} = 1 : 4$에서

$d : \overline{AP} = 1 : 4 \qquad \therefore \overline{AP} = 4d$

$\therefore \overline{AC} = \overline{AP} - \overline{CP} = 4d - d = 3d$

$\overline{CQ} : \overline{BQ} = \overline{CR} : \overline{BE} = 1 : 3$에서

$d : \overline{BQ} = 1 : 3 \qquad \therefore \overline{BQ} = 3d$

$\therefore \overline{BC} = \overline{BQ} - \overline{CQ} = 3d - d = 2d$

$\overline{AB} = \overline{AC} + \overline{BC} = 3d + 2d = 5d$이고, $\overline{AB} = 10$이므로

$5d = 10 \qquad \therefore d = 2$

$\therefore \overline{AC} = 3d = 3 \times 2 = 6$

따라서 A 지점에서 C 지점까지의 거리는 6 m이다.

43 삼각형의 두 변의 중점을 연결한 선분의 성질에 의해

$\overline{DE} = \frac{1}{2}\overline{AC} = \frac{1}{2} \times 12 = 6$(cm)

$\overline{DF} = \frac{1}{2}\overline{BC} = \frac{1}{2} \times 16 = 8$(cm)

$\overline{EF} = \frac{1}{2}\overline{AB} = \frac{1}{2} \times 10 = 5$(cm)

$\therefore$ (△DEF의 둘레의 길이)

$= \overline{DF} + \overline{DE} + \overline{EF}$

$= 8 + 6 + 5 = 19$(cm)

44 △ABC에서 삼각형의 두 변의 중점을 연결한 선분의 성질에 의해

$\overline{BC} = 2\overline{MN} = 2 \times 5 = 10$(cm)

따라서 △DBC에서 삼각형의 두 변의 중점을 연결한 선분의 성질에 의해

$\overline{PQ} = \frac{1}{2}\overline{BC} = \frac{1}{2} \times 10 = 5$(cm)

45 삼각형의 두 변의 중점을 연결한 선분의 성질에 의해

$\overline{AB} = 2\overline{EF} = 2 \times 2 = 4$(cm)

□ADEF는 평행사변형이므로

$\overline{AD} = \overline{EF} = 2$ cm

$\therefore \overline{BD} = \overline{AB} - \overline{AD} = 4 - 2 = 2$(cm)

46 △BDF에서 삼각형의 두 변의 중점을 연결한 선분의 성질에 의해

$\overline{DF} = 2\overline{CG} = 2 \times 6 = 12$(cm)

또 △AGC에서 $\overline{EF} /\!/ \overline{CG}$이고, $\overline{AE} : \overline{EC} = 2 : 1$이므로

$\overline{AE} : \overline{AC} = \overline{EF} : \overline{CG}$, $2 : 3 = \overline{EF} : 6$

$\therefore \overline{EF} = 4$(cm)

$\therefore \overline{ED} = \overline{DF} - \overline{EF} = 12 - 4 = 8$(cm)

47 $\overline{FD}$를 그으면 △AFD에서 삼각형의 두 변의 중점을 연결한 선분의 성질에 의해

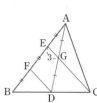

$\overline{EG} /\!/ \overline{FD}$

$\overline{FD} = 2\overline{EG} = 2 \times 3 = 6$

△BCE에서 삼각형의 두 변의 중점을 연결한 선분의 성질의 응용에 의해

$\overline{EC} = 2\overline{FD} = 2 \times 6 = 12$

$\therefore \overline{GC} = \overline{EC} - \overline{EG} = 12 - 3 = 9$

48 점 A에서 $\overline{BC}$에 평행한 선을 그어 $\overline{DE}$와 만나는 점을 F라 하면

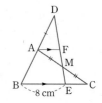

△AMF ≡ △CME (ASA 합동)

이므로 $\overline{AF} = \overline{CE}$

△DBE에서 삼각형의 두 변의

중점을 연결한 선분의 성질에 의해

$$\overline{AF}=\frac{1}{2}\overline{BE}=\frac{1}{2}\times 8=4(cm)$$

$$\therefore \overline{BC}=\overline{BE}+\overline{CE}=\overline{BE}+\overline{AF}=8+4=12(cm)$$

49 점 E를 지나고 $\overline{BC}$에 평행한
직선이 $\overline{AB}$와 만나는 점을 G라
하면
△FDB≡△FEG (ASA 합동)
이므로 $\overline{BD}=\overline{GE}$
$\overline{BD}=\overline{GE}=x$ cm라 하면
△ABC에서
$\overline{BC}=2\overline{GE}=2x$ cm이므로
△ABC에서
$\overline{DC}=3x=18$　　$\therefore x=6$
$\therefore \overline{BD}=6$ cm

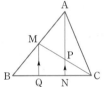

50 점 M을 지나면서 $\overline{AN}$과 평행
한 직선이 $\overline{BC}$와 만나는 점을
Q라 하면 △ABN에서 삼각형
의 두 변의 중점을 연결한 선분
의 성질의 응용에 의해
$\overline{BQ}=\overline{QN}$이고, $\overline{AN}=2\overline{QM}$
△MQC에서 $\overline{QN}:\overline{NC}=1:1$이고, $\overline{MQ}/\!/\overline{PN}$이므로
$$\overline{PN}=\frac{1}{2}\overline{QM}$$

$$\therefore \overline{AP}=\overline{AN}-\overline{PN}=2\overline{QM}-\frac{1}{2}\overline{QM}=\frac{3}{2}\overline{QM}$$

$$\therefore \overline{AP}:\overline{PN}=\frac{3}{2}\overline{QM}:\frac{1}{2}\overline{QM}=3:1$$

51 $\overline{AD}/\!/\overline{MN}/\!/\overline{BC}$이므로 $\overline{BD}$를
그으면 △ABD와 △DBC에서
삼각형의 두 변의 중점을 연결한
선분의 성질의 응용에 의해

$$\overline{PM}=\frac{1}{2}\overline{AD}=\frac{1}{2}\times 12=6(cm)$$

$$\overline{PN}=\frac{1}{2}\overline{BC}=\frac{1}{2}\times 18=9(cm)$$

$$\therefore \overline{MN}=\overline{PM}+\overline{PN}=6+9=15(cm)$$

다른 풀이 공식에 의해

$$\overline{MN}=\frac{1}{2}(\overline{AD}+\overline{BC})=\frac{1}{2}(12+18)=15(cm)$$

52 $\overline{AD}/\!/\overline{MN}/\!/\overline{BC}$이므로 △ABC에서 삼각형의 두
변의 중점을 연결한 선분의 성질의 응용에 의해

$$\overline{MQ}=\frac{1}{2}\overline{BC}=\frac{1}{2}\times 8=4(cm)$$

또 △BDA에서 삼각형의 두 변의 중점을 연결한 성
분의 성질의 응용에 의해

$$\overline{MP}=\frac{1}{2}\overline{AD}=\frac{1}{2}\times 6=3(cm)$$

$$\therefore \overline{PQ}=\overline{MQ}-\overline{MP}=4-3=1(cm)$$

53 $\overline{AD}/\!/\overline{MN}/\!/\overline{BC}$이므로 △ABD에서 삼각형의 두
변의 중점을 연결한 선분의 성질의 응용에 의해

$$\overline{ME}=\frac{1}{2}\overline{AD}=\frac{1}{2}\times 6=3(cm)$$

$$\overline{EN}=6\ cm$$

따라서 △BCD에서 삼각형의 두 변의 중점을 연결
한 선분의 성질의 응용에 의해

$$\overline{BC}=2\overline{EN}=2\times 6=12(cm)$$

54 $\overline{AD}/\!/\overline{MN}/\!/\overline{BC}$이므로 △ABD에서 삼각형의 두
변의 중점을 연결한 선분의 성질의 응용에 의해

$$\overline{MP}=\frac{1}{2}\overline{AD}=\frac{1}{2}\times 8=4(cm)$$

또 △ABC에서 삼각형의 두 변의 중점을 연결한 선
분의 성질의 응용에 의해

$$\overline{BC}=2\overline{MQ}=2\times 7=14(cm)$$

55 $\overline{AD}/\!/\overline{RS}/\!/\overline{BC}$이므로 $\overline{BD}$를 그
으면 △ABD와 △DBC에서 삼
각형의 두 변의 중점을 연결한
선분의 성질의 응용에 의해

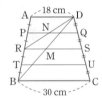

$$\overline{RM}=\frac{1}{2}\overline{AD}=\frac{1}{2}\times 18=9(cm)$$

$$\overline{MS}=\frac{1}{2}\overline{BC}=\frac{1}{2}\times 30=15(cm)$$

$$\therefore \overline{RS}=\overline{RM}+\overline{MS}=9+15=24(cm)$$

$\overline{AD}/\!/\overline{PQ}/\!/\overline{RS}$이므로 $\overline{RD}$를 그으면 △ARD와
△DRS에서 삼각형의 두 변의 중점을 연결한 선분
의 성질의 응용에 의해

$$\overline{PN}=\frac{1}{2}\overline{AD}=\frac{1}{2}\times 18=9(cm)$$

$$\overline{NQ}=\frac{1}{2}\overline{RS}=\frac{1}{2}\times 24=12(cm)$$

$$\therefore \overline{PQ}=\overline{PN}+\overline{NQ}=9+12=21(cm)$$

다른 풀이 □ABCD에서

$$\overline{RS}=\frac{1}{2}(\overline{AD}+\overline{BC})=\frac{1}{2}(18+30)=24(cm)$$

□ARSD에서

$$\overline{PQ}=\frac{1}{2}(\overline{AD}+\overline{RS})=\frac{1}{2}(18+24)=21(cm)$$

56 $\triangle ABC$에서 삼각형의 두 변의 중점을 연결한 선분의 성질에 의해

$\overline{EN}=\dfrac{1}{2}\overline{BC}=\dfrac{1}{2}\times14=7$

$\overline{AD}/\!/\overline{EN}/\!/\overline{BC}$이므로 $\triangle ABD$에서 삼각형의 두 변의 중점을 연결한 선분의 성질의 응용에 의해

$\overline{EM}=\dfrac{1}{2}\overline{AD}=\dfrac{1}{2}\times8=4$

$\therefore \overline{MN}=\overline{EN}-\overline{EM}=7-4=3$

57 $\triangle ABC$와 $\triangle ACD$에서 삼각형의 두 변의 중점을 연결한 선분의 성질에 의해

$\overline{QR}=\dfrac{1}{2}\overline{AB}, \overline{PQ}=\dfrac{1}{2}\overline{CD}$

$\overline{AB}=\overline{CD}$이므로 $\triangle QPR$는 $\overline{QP}=\overline{QR}$인 이등변삼각형이다.

$\therefore \angle PQR=180°-2\times20°=140°$

58 $\triangle ABC$와 $\triangle ACD$에서 삼각형의 두 변의 중점을 연결한 선분의 성질에 의해

$\overline{PR}=\dfrac{1}{2}\overline{AB}, \overline{PQ}=\dfrac{1}{2}\overline{CD}$

$\overline{AB}=\overline{CD}$이므로 $\overline{PR}=\overline{PQ}$

즉 $\triangle PQR$는 이등변삼각형이다.

$\overline{PR}/\!/\overline{AB}$이므로 $\angle RPC=\angle BAC=85°$ (동위각)

$\therefore \angle APR=180°-85°=95°$

또 $\overline{QP}/\!/\overline{DC}$이므로 $\angle APQ=\angle ACD=25°$ (동위각)

따라서 $\triangle PQR$에서

$\angle QPR=\angle APQ+\angle APR=25°+95°=120°$이므로

$\angle PQR=\dfrac{1}{2}\times(180°-120°)=30°$

59 $\square ABCD$에 대각선 AC를 그으면 $\triangle ABC$에서 점 E, F는 각각 $\overline{AB}, \overline{BC}$의 중점이므로

$\overline{EF}/\!/\boxed{\overline{AC}}, \overline{EF}=\boxed{\dfrac{1}{2}}\overline{AC}$ ⋯⋯ ㉠

$\triangle ACD$에서 점 G, H는 각각 $\overline{CD}, \overline{DA}$의 중점이므로

$\boxed{\overline{HG}}/\!/\overline{AC}, \overline{HG}=\boxed{\dfrac{1}{2}\overline{AC}}$ ⋯⋯ ㉡

따라서 ㉠, ㉡에서 $\overline{EF}\boxed{/\!/}\overline{HG}, \overline{EF}=\overline{HG}$이므로 $\square EFGH$는 평행사변형이다.

60 $\triangle ABD$와 $\triangle CDB$에서

$\overline{PS}=\overline{QR}=\dfrac{1}{2}\overline{BD}=\dfrac{1}{2}\times12=6(cm)$

$\triangle BCA$와 $\triangle DAC$에서

$\overline{PQ}=\overline{SR}=\dfrac{1}{2}\overline{AC}=\dfrac{1}{2}\times10=5(cm)$

$\therefore (\square PQRS의 둘레의 길이)=2\times(5+6)$
$\qquad\qquad\qquad\qquad\qquad\ =22(cm)$

61 $\triangle ABD$와 $\triangle CDA$에서

$\overline{PS}=\overline{QR}=\dfrac{1}{2}\overline{AD}, \overline{PS}/\!/\overline{AD}/\!/\overline{QR}$

따라서 $\square PRQS$는 평행사변형이다.

62 $\triangle ABD$와 $\triangle CDB$에서

$\overline{EH}=\overline{FG}=\dfrac{1}{2}\overline{BD}$

$\quad=\dfrac{1}{2}\times10=5(cm)$

$\square ABCD$에 대각선 AC를 그으면 $\square ABCD$가 등변사다리꼴이므로 두 대각선의 길이는 같다.

즉 $\overline{AC}=\overline{BD}=10 cm$이고, $\triangle BCA$와 $\triangle DAC$에서

$\overline{EF}=\overline{HG}=\dfrac{1}{2}\overline{AC}=\dfrac{1}{2}\times10=5(cm)$

따라서 $\square EFGH$는 한 변의 길이가 5 cm인 마름모이고, 둘레의 길이는 $4\times5=20(cm)$

63 $\triangle ABD$와 $\triangle CDB$에서

$\overline{EH}=\overline{FG}=\dfrac{1}{2}\overline{BD}=\dfrac{1}{2}\times16=8(cm)$

$\triangle BCA$와 $\triangle DAC$에서

$\overline{EF}=\overline{HG}=\dfrac{1}{2}\overline{AC}=\dfrac{1}{2}\times10=5(cm)$

또 $\overline{AC}\perp\overline{BD}$이고 $\overline{EH}/\!/\overline{BD}/\!/\overline{FG}, \overline{EF}/\!/\overline{AC}/\!/\overline{HG}$이므로

$\angle HEF=90°$

따라서 $\square EFGH$는 한 내각의 크기가 $90°$인 평행사변형이므로 직사각형이다.

$\therefore \square EFGH=8\times5=40(cm^2)$

64 $\square AECG=\dfrac{1}{2}\square ABCD=\dfrac{1}{2}\times40=20(cm^2)$

$\overline{EQ}=a cm$라 하면

$\triangle ABP$에서 $\overline{AP}=2\overline{EQ}=2a cm$

$\triangle ASD$에서 $\overline{PS}=\overline{AP}=2a cm$

$\square PQRS$는 $\overline{PQ}/\!/\overline{SR}, \overline{PS}/\!/\overline{QR}$이므로 평행사변형이다.

$\overline{QR}=\overline{PS}=2a cm$

$\triangle CQB$에서 $\overline{RC}=\overline{QR}=2a cm$

따라서 $\overline{EQ}:\overline{QR}:\overline{RC}=a:2a:2a=1:2:2$이므로 $\square AEQP$와 $\square SRCG$를 붙인 사각형과

□PQRS의 넓이의 비는 3 : 2이다.

∴ □PQRS=$\frac{2}{5}\times20=8(\text{cm}^2)$

65 점 G′이 △GBC의 무게중심이므로 $\overline{\text{GM}}$은 △GBC의 중선이다.

∴ $\overline{\text{BM}}=\overline{\text{MC}}=\frac{1}{2}\times18=9(\text{cm})$

또 △GBC는 직각삼각형이고 점 M이 빗변의 중점이므로 외심이다.

$\overline{\text{MG}}=\overline{\text{MB}}=\overline{\text{MC}}=9\text{ cm}$

∴ $\overline{\text{GG}'}=\frac{2}{3}\overline{\text{GM}}=\frac{2}{3}\times9=6(\text{cm})$

점 G가 △ABC의 무게중심이므로

$\overline{\text{AG}}=2\overline{\text{GM}}=2\times9=18(\text{cm})$

∴ $\overline{\text{AG}'}=\overline{\text{AG}}+\overline{\text{GG}'}=18+6=24(\text{cm})$

66 △ABC에서

$\overline{\text{GD}}=\frac{1}{3}\overline{\text{AD}}=\frac{1}{3}\times18=6(\text{cm})$

△GBC에서

$\overline{\text{GG}'}=\frac{2}{3}\overline{\text{GD}}=\frac{2}{3}\times6=4(\text{cm})$

67 $\overline{\text{GD}}=\frac{1}{3}\overline{\text{AD}}=\frac{1}{3}\times27=9(\text{cm})$

△GFE∽△GDC (AA 닮음)이므로

$\overline{\text{GE}}:\overline{\text{GC}}=\overline{\text{GF}}:\overline{\text{GD}}$에서 $1:2=\overline{\text{GF}}:9$

∴ $\overline{\text{GF}}=\frac{9}{2}(\text{cm})$

68 △GFB∽△GME (AA 닮음)이므로

$\overline{\text{GB}}:\overline{\text{GE}}=\overline{\text{GF}}:\overline{\text{GM}}$에서

$2:1=\overline{\text{GF}}:6$ ∴ $\overline{\text{GF}}=12(\text{cm})$

따라서 $\overline{\text{GC}}=2\overline{\text{GF}}=2\times12=24(\text{cm})$이므로

$\overline{\text{FC}}=\overline{\text{FG}}+\overline{\text{GC}}=12+24=36(\text{cm})$

69 △AGG′과 △AEF에서

$\overline{\text{AG}}:\overline{\text{AE}}=\overline{\text{AG}'}:\overline{\text{AF}}=2:3$이고 ∠A는 공통이므로 △AGG′∽△AEF (SAS 닮음)

따라서 $\overline{\text{AG}}:\overline{\text{AE}}=\overline{\text{GG}'}:\overline{\text{EF}}$이므로

$2:3=8:\overline{\text{EF}}$ ∴ $\overline{\text{EF}}=12(\text{cm})$

또 $\overline{\text{BE}}=\overline{\text{ED}}$, $\overline{\text{DF}}=\overline{\text{FC}}$이므로

$\overline{\text{BC}}=2\overline{\text{EF}}=2\times12=24(\text{cm})$

70 $\overline{\text{GE}}=\frac{1}{2}\overline{\text{BG}}=\frac{1}{2}\times8=4(\text{cm})$

$\overline{\text{BE}}=\overline{\text{BG}}+\overline{\text{GE}}=8+4=12(\text{cm})$

△BCE에서 삼각형의 두 변의 중점을 연결한 선분의 성질에 의해

$\overline{\text{DF}}=\frac{1}{2}\overline{\text{BE}}=\frac{1}{2}\times12=6(\text{cm})$

71 △ABD에서 $\overline{\text{AD}}=2\overline{\text{EF}}=2\times6=12(\text{cm})$

점 G가 △ABC의 무게중심이므로

$\overline{\text{AG}}:\overline{\text{GD}}=2:1$

∴ $\overline{\text{AG}}=\frac{2}{3}\overline{\text{AD}}=\frac{2}{3}\times12=8(\text{cm})$

72 점 D가 직각삼각형 ABC의 외심이므로

$\overline{\text{AD}}=\overline{\text{BD}}=\overline{\text{CD}}=\frac{1}{2}\overline{\text{BC}}=\frac{1}{2}\times30=15(\text{cm})$

∴ $\overline{\text{AG}}=\frac{2}{3}\overline{\text{AD}}=\frac{2}{3}\times15=10(\text{cm})$

73 ④ $\overline{\text{GF}}=\overline{\text{GE}}$인지 알 수 없다.

74 □DBFG=△DBG+△BFG

$=\frac{1}{6}△ABC+\frac{1}{6}△ABC$

$=\frac{1}{3}△ABC$

$=\frac{1}{3}\times24=8(\text{cm}^2)$

75 △ABC=6△GBD=6×4=24(cm²)

76 △GBD=$\frac{1}{6}$△ABC=$\frac{1}{6}\times72=12(\text{cm}^2)$

$\overline{\text{GM}}:\overline{\text{BM}}=1:2$이므로

△GMD : △MBD=1 : 2

∴ △GMD=$\frac{1}{3}$△GBD

$=\frac{1}{3}\times12=4(\text{cm}^2)$

77 $\overline{\text{AG}}$를 그으면

△GAB=△GBC=△GCA

$=\frac{1}{3}$△ABC

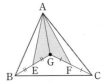

이므로

△AEG=$\frac{1}{2}$△GAB

$=\frac{1}{2}\times\frac{1}{3}$△ABC=$\frac{1}{6}$△ABC

$$\triangle AGF = \frac{1}{2} \triangle GCA = \frac{1}{2} \times \frac{1}{3} \triangle ABC$$
$$= \frac{1}{6} \triangle ABC$$

∴ (어두운 부분의 넓이) = △AEG + △AGF

$$= \frac{1}{6} \triangle ABC + \frac{1}{6} \triangle ABC$$
$$= \frac{1}{3} \triangle ABC$$
$$= \frac{1}{3} \times 30 = 10 (cm^2)$$

78 $\triangle GBG' = \frac{2}{3} \triangle GBD$이므로

$$\triangle GBD = \frac{3}{2} \triangle GBG' = \frac{3}{2} \times 8 = 12 (cm^2)$$

$\triangle ABC = 6 \triangle GBD = 6 \times 12 = 72 (cm^2)$이므로

$$\triangle GCA = \frac{1}{3} \triangle ABC = \frac{1}{3} \times 72 = 24 (cm^2)$$

79 $\triangle BCE = \frac{1}{2} \triangle ABC$

$$\triangle EBD = \frac{1}{2} \triangle BCE = \frac{1}{2} \times \frac{1}{2} \triangle ABC = \frac{1}{4} \triangle ABC$$

점 G는 △ABC의 무게중심이므로 △EBD에서

$\overline{BG} : \overline{GE} = 2 : 1$

$$\triangle GDE = \frac{1}{3} \triangle EBD = \frac{1}{3} \times \frac{1}{4} \triangle ABC$$
$$= \frac{1}{12} \triangle ABC = 6$$

∴ $\triangle ABC = 72 (cm^2)$

80 △AED에서 $\overline{AG} : \overline{GD} = 2 : 1$이므로

$$\triangle EDG = \frac{1}{3} \triangle AED = 5$$

∴ $\triangle AED = 15 (cm^2)$

△ABD에서 $\overline{AE} : \overline{EB} = \overline{AG} : \overline{GD} = 2 : 1$이므로

$\triangle AED : \triangle EBD = 2 : 1$

$15 : \triangle EBD = 2 : 1$

∴ $\triangle EBD = \frac{15}{2} (cm^2)$

81 $\triangle ABD = \frac{1}{2} \triangle ABC = \frac{1}{2} \times 72 = 36 (cm^2)$

점 G는 △ABC의 무게중심이므로

$\triangle APD : \triangle PBD = \overline{AP} : \overline{PB} = \overline{AG} : \overline{GD} = 2 : 1$

∴ $\triangle APD = \frac{2}{3} \triangle ABD = \frac{2}{3} \times 36 = 24 (cm^2)$

또 $\triangle APG : \triangle GPD = 2 : 1$이므로

$$\triangle GPD = \frac{1}{3} \triangle APD = \frac{1}{3} \times 24 = 8 (cm^2)$$

82 □ABCD가 평행사변형이므로 $\overline{OA} = \overline{OC}$

즉 점 E는 중선의 교점이므로 △ACD의 무게중심이다.

따라서 $\overline{OD} = \overline{OB} = 15$, $\overline{DE} : \overline{OE} = 2 : 1$이므로

$$\overline{OE} = \frac{1}{3} \overline{OD} = \frac{1}{3} \times 15 = 5$$

83 대각선 AC를 긋고 $\overline{AC}$와 $\overline{BD}$의 교점을 O라 하면 점 P, Q는 각각 △ABC, △ACD의 무게중심이므로

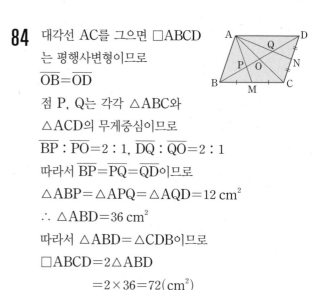

$\overline{BP} : \overline{PO} = 2 : 1$,

$\overline{DQ} : \overline{QO} = 2 : 1$, $\overline{OB} = \overline{OD}$이므로

$\overline{BP} = \overline{PQ} = \overline{QD} = 4$ ∴ $\overline{BD} = 12$

따라서 △CDB에서 삼각형의 두 변의 중점을 연결한 선분의 성질에 의해

$$\overline{MN} = \frac{1}{2} \overline{BD} = \frac{1}{2} \times 12 = 6$$

84 대각선 AC를 그으면 □ABCD는 평행사변형이므로

$\overline{OB} = \overline{OD}$

점 P, Q는 각각 △ABC와 △ACD의 무게중심이므로

$\overline{BP} : \overline{PO} = 2 : 1$, $\overline{DQ} : \overline{QO} = 2 : 1$

따라서 $\overline{BP} = \overline{PQ} = \overline{QD}$이므로

$\triangle ABP = \triangle APQ = \triangle AQD = 12 cm^2$

∴ $\triangle ABD = 36 cm^2$

따라서 △ABD = △CDB이므로

$\square ABCD = 2 \triangle ABD$
$$= 2 \times 36 = 72 (cm^2)$$

85 점 P, Q는 각각 △ABC, △ACD의 무게중심이므로

$\square PMCO = \triangle PMC + \triangle PCO$

$$= \frac{1}{6} \triangle ABC + \frac{1}{6} \triangle ABC$$
$$= \frac{1}{3} \triangle ABC = \frac{1}{3} \times \frac{1}{2} \square ABCD$$
$$= \frac{1}{6} \square ABCD$$
$$= \frac{1}{6} \times 60 = 10 (cm^2)$$

마찬가지로 $\square QOCN = 10 cm^2$

∴ (어두운 부분의 넓이) = □PMCO + □QOCN
$$= 10 + 10 = 20 (cm^2)$$

86 $\triangle ABD = \dfrac{1}{2}\square ABCD$

$\qquad\qquad = \dfrac{1}{2} \times 12 \times 8 = 48(\text{cm}^2)$

$\overline{AE} = \overline{ED}$, $\overline{BO} = \overline{OD}$이므로 점 G는 $\triangle ABD$의 무게중심이다.

$\therefore \square GODE = \triangle GDE + \triangle GOD$

$\qquad\qquad = \dfrac{1}{6}\triangle ABD + \dfrac{1}{6}\triangle ABD$

$\qquad\qquad = \dfrac{1}{3}\triangle ABD$

$\qquad\qquad = \dfrac{1}{3} \times 48 = 16(\text{cm}^2)$

87 오른쪽 그림과 같이 $\overline{DF}$와 $\overline{BG}$의 교점을 R라 하자.
점 R는 $\triangle DBC$의 무게중심이므로

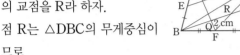

$\overline{FR} : \overline{RD} = 1 : 2$

$\square EBGD$는 $\overline{EB} /\!/ \overline{DG}$, $\overline{EB} = \overline{DG}$이므로 평행사변형이다.

$\therefore \overline{ED} /\!/ \overline{BG}$

$\triangle PFD$에서 $\overline{FQ} : \overline{QP} = \overline{FR} : \overline{RD} = 1 : 2$

또한 $\triangle ABQ$에서 $\overline{AE} = \overline{EB}$이고 $\overline{EP} /\!/ \overline{BQ}$이므로

$\overline{AP} = \overline{PQ}$

따라서 $\overline{AP} : \overline{PQ} : \overline{QF} = 2 : 2 : 1$이므로

$\overline{AQ} : \overline{QF} = 4 : 1$, $\overline{AQ} : 2 = 4 : 1$

$\therefore \overline{AQ} = 8(\text{cm})$

3	닮음의 활용	본문 105~111쪽

주제별 실력다지기

01 ④	02 ③	03 25 : 9	04 12 cm²	05 135 cm²	06 48 cm²	07 ④	08 ⑤
09 ⑤	10 2 : 1	11 ⑤	12 ③	13 ⑤	14 1 : 3	15 130	16 27 : 64
17 ③	18 ③	19 ②	20 ②	21 ①	22 ①	23 10.5 m	24 ③
25 6 m	26 ③	27 ②	28 ④				

01 $\triangle ABC \sim \triangle AED$ (AA닮음)이고, 닮음비는

$\overline{AC} : \overline{AD} = 12 : 6 = 2 : 1$이므로

$\triangle ABC : \triangle AED = 2^2 : 1^2 = 4 : 1$

$\triangle ABC : 9 = 4 : 1$

$\therefore \triangle ABC = 36(\text{cm}^2)$

$\therefore \square DBCE = \triangle ABC - \triangle AED$

$\qquad\qquad = 36 - 9 = 27(\text{cm}^2)$

02 $\triangle ABC \sim \triangle ACD$ (AA닮음)이고, 닮음비는

$\overline{AC} : \overline{AD} = 10 : 6 = 5 : 3$이므로

$\triangle ABC : \triangle ACD = 5^2 : 3^2 = 25 : 9$

$\triangle ABC : 24 = 25 : 9$

$\therefore \triangle ABC = \dfrac{200}{3}(\text{cm}^2)$

$\therefore \triangle DBC = \triangle ABC - \triangle ACD$

$\qquad\qquad = \dfrac{200}{3} - 24 = \dfrac{128}{3}(\text{cm}^2)$

03 $\triangle ABC \sim \triangle CBD$ (AA 닮음)이고, 닮음비는 $\overline{AB} : \overline{CB} = 5 : 3$이므로

$\triangle ABC : \triangle CBD = 5^2 : 3^2$

$\qquad\qquad\qquad\quad = 25 : 9$

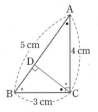

04 △ABC에서 삼각형의 두 변의 중점을 연결한 선분의 성질에 의해

$\overline{AC} /\!/ \overline{MN}$, $\overline{MN} = \frac{1}{2}\overline{AC}$ ...... ㉠

$\overline{AC} /\!/ \overline{MP}$이므로 $\angle MPA = \angle CAQ$ (엇각)

즉 △MPA는 이등변삼각형이므로

$\overline{MP} = \overline{MA} = \overline{MB} = \overline{AC}$ ...... ㉡

㉠, ㉡에 의하여 $\overline{NP} = \frac{1}{2}\overline{AC}$

△NPQ∽△CAQ (AA 닮음)이고 닮음비는

$\overline{NP} : \overline{CA} = 1 : 2$이므로

△NPQ : △CAQ $= 1^2 : 2^2 = 1 : 4$

$1 : \triangle CAQ = 1 : 4$ ∴ △CAQ $= 4(cm^2)$

$\overline{BQ} : \overline{QC} = \overline{AB} : \overline{AC} = 2 : 1$이므로

△ABQ $= 2\triangle CAQ = 2 \times 4 = 8(cm^2)$

∴ △ABC $= \triangle ABQ + \triangle CAQ = 8 + 4 = 12(cm^2)$

05 △OAD∽△OCB (AA 닮음)이고, 닮음비는

$\overline{AD} : \overline{CB} = 8 : 16 = 1 : 2$

△DAC에서

△OAD : △OCD $= \overline{AO} : \overline{OC} = 1 : 2$이므로

△OAD : 30 $= 1 : 2$

∴ △OAD $= 15(cm^2)$

또 $\overline{AD} /\!/ \overline{BC}$이므로 △ABD = △DCA에서

△OAB = △OCD $= 30\,cm^2$

△OAD : △OBC $= 1^2 : 2^2 = 1 : 4$

$15 : \triangle OBC = 1 : 4$

∴ △OBC $= 60(cm^2)$

∴ □ABCD

$= \triangle OAD + \triangle OAB + \triangle OBC + \triangle OCD$

$= 15 + 30 + 60 + 30$

$= 135(cm^2)$

06 △PAD∽△PCB (AA 닮음)에서

$\overline{PD} : \overline{PB} = \overline{AD} : \overline{CB} = 8 : 10 = 4 : 5$이므로

$\overline{PD} = 4k$, $\overline{PB} = 5k\,(k > 0)$라 하면 $\overline{BD} = 9k$이다.

또 △BMQ∽△BAD (AA 닮음)이므로

$\overline{BQ} : \overline{BD} = \overline{BM} : \overline{BA} = 1 : 3$

이때 $\overline{BQ} = \frac{1}{3}\overline{BD} = \frac{1}{3} \times 9k = 3k$이므로

$\overline{PQ} = \overline{PB} - \overline{BQ} = 5k - 3k = 2k$

따라서 △PQR∽△PDA (AA 닮음)이고, 닮음비가

$\overline{PQ} : \overline{PD} = 2k : 4k = 1 : 2$이므로

△PQR : △PDA $= 1^2 : 2^2 = 1 : 4$

$12 : \triangle PDA = 1 : 4$

∴ △APD $= 48(cm^2)$

07 △ABE와 △BCF에서

$\overline{AB} = \overline{BC}$, $\overline{BE} = \overline{CF}$, $\angle B = \angle C$

이므로 △ABE≡△BCF (SAS 합동)

이때 △GBE와 △CBF에서 $\angle GEB = \angle CFB$이고

$\angle B$는 공통이므로

△GBE∽△CBF (AA 닮음)이고, 닮음비는

$\overline{BE} : \overline{BF} = 3 : 5$이다.

△CBF $= \frac{1}{2} \times 4 \times 3 = 6(cm^2)$이므로

△GBE : △CBF $= 3^2 : 5^2 = 9 : 25$에서

△GBE : 6 $= 9 : 25$

∴ △GBE $= \frac{54}{25}(cm^2)$

08 △ABC에서 점 Q는 △ABC의 무게중심이므로

$\overline{PQ} : \overline{PB} = 1 : 3$

△BCD에서 점 R는 △BCD의 무게중심이므로

$\overline{PR} : \overline{PC} = 1 : 3$

△PQR와 △PBC에서

$\overline{PQ} : \overline{PB} = \overline{PR} : \overline{PC} = 1 : 3$이고,

$\angle BPC$가 공통이므로

△PQR∽△PBC (SAS 닮음)

△PQR : △PBC $= 1^2 : 3^2 = 1 : 9$

$4 : \triangle PBC = 1 : 9$ ∴ △PBC $= 36(cm^2)$

∴ □ABCD $= 4\triangle PBC$

$= 4 \times 36 = 144(cm^2)$

09 두 직사각형 모양의 액자의 가로, 세로의 길이의 비가 $40 : 30 = 120 : 90 = 4 : 3$이므로 두 액자는 닮음이고, 닮음비는 $40 : 120 = 1 : 3$이다.

따라서 두 액자의 넓이의 비는 $1^2 : 3^2 = 1 : 9$이므로

$5 :$ (큰 액자의 가격)$= 1 : 9$

∴ (큰 액자의 가격)$= 45$(만 원)

10 오른쪽 그림에서 A4 용지의 가로와 세로의 길이를 각각 a, b라 하면

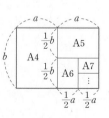

A4∽A6이고, 닮음비는

$a : \frac{1}{2}a = b : \frac{1}{2}b$

$= 2 : 1$

11 두 정사면체의 닮음비는 $1:\dfrac{2}{3}=3:2$이므로

겉넓이의 비는 $3^2:2^2=9:4$이다.

따라서 정사면체 A$-$BCD의 겉넓이를 S_1, 정사면체 A$-$EFG의 겉넓이를 S_2라 하면

$S_1:S_2=9:4,\ 60:S_2=9:4$

$\therefore S_2=\dfrac{80}{3}(\text{cm}^2)$

따라서 정사면체 A$-$EFG의 겉넓이는 $\dfrac{80}{3}\,\text{cm}^2$이다.

12 두 정육면체 A, B의 닮음비가 $1:3$이므로 겉넓이의 비는 $1^2:3^2$, 즉 $1:9$이다.

(A에 사용되는 색종이의 넓이) : (B에 사용되는 색종이의 넓이)$=1:9$이므로

$15:$ (B에 사용되는 색종이의 넓이)$=1:9$

$\therefore$ (B에 사용되는 색종이의 넓이)$=135(\text{cm}^2)$

13 두 정육면체 A와 B의 부피의 비가 $8:27=2^3:3^3$이므로 닮음비는 $2:3$이다.

또 두 정육면체 B와 C의 겉넓이의 비가

$16:9=4^2:3^2$이므로 닮음비는 $4:3$이다.

따라서 세 정육면체 A, B, C의 닮음비는 $8:12:9$이므로 A와 C의 닮음비는 $8:9$이다.

14 A 상자와 B 상자에 들어 있는 구슬 한 개의 반지름의 길이를 각각 r_1, r_2라 하면 두 정육면체의 한 변의 길이는 같으므로 $2r_1=6r_2$이다.

즉 $r_1:r_2=3:1$이므로 A 상자와 B 상자에 들어 있는 구슬 1개의 겉넓이의 비는 $3^2:1^2=9:1$이다.

그런데 A 상자와 B 상자에 들어 있는 구슬은 각각 1개, 27개이므로 두 상자 A, B에 들어 있는 구슬 전체의 겉넓이의 비는

$(9\times1):(1\times27)=9:27=1:3$

15 큰 금구슬과 작은 금구슬의 닮음비가 $5:1$이므로 부피의 비는 $5^3:1^3=125:1$이다.

즉 반지름의 길이가 5 cm인 금구슬 1개로 반지름의 길이가 1 cm인 금구슬 125개를 만들 수 있으므로

$a=125$

또 반지름의 길이가 5 cm인 금구슬의 겉넓이는

$4\pi\times5^2=100\pi(\text{cm}^2)$

이고, 반지름의 길이가 1 cm인 금구슬 125개의 겉넓이는 $(4\pi\times1^2)\times125=500\pi(\text{cm}^2)$이므로

$b=\dfrac{500\pi}{100\pi}=5$

$\therefore a+b=125+5=130$

16 두 원뿔 A, B의 겉넓이의 비가 $9:16=3^2:4^2$이므로 닮음비는 $3:4$이다.

따라서 두 원뿔 A, B의 부피의 비는

$3^3:4^3=27:64$

17 $\triangle$ABC를 $\overline{\text{AC}}$를 축으로 1회전하여 생기는 회전체는 원뿔이고 오른쪽 그림과 같다.

$\overline{\text{AD}}$를 모선으로 하는 원뿔과 $\overline{\text{AB}}$를 모선으로 하는 원뿔은 닮음이고, 닮음비가 $\overline{\text{AD}}:\overline{\text{AB}}=6:9=2:3$이므로 부피의 비는 $2^3:3^3=8:27$

즉 $\overline{\text{AD}}$를 모선으로 하는 원뿔의 부피를 V_1, $\overline{\text{AB}}$를 모선으로 하는 원뿔의 부피를 V_2라 하면

$V_1:V_2=8:27$이므로 $V_1:54=8:27$

$\therefore V_1=16(\text{cm}^3)$

따라서 구하는 부피는

$V_2-V_1=54-16=38(\text{cm}^3)$

18 오른쪽 그림에서 나누어진 세 부분의 부피를 각각 V_1, V_2, V_3라 하면 V_1, (V_1+V_2), $(V_1+V_2+V_3)$의 닮음비가 $1:2:3$이므로 부피의 비는

$1^3:2^3:3^3=1:8:27$이다.

따라서 V_1, V_2, V_3의 부피의 비는

$1:(8-1):(27-8)=1:7:19$

이고, 처음 원뿔의 부피가 81 cm³이므로 원뿔대 V_2의 부피는

$V_2=\dfrac{7}{27}\times81=21(\text{cm}^3)$

19 작은 원뿔과 큰 원뿔은 서로 닮음이고, 닮음비가

$8:20=2:5$이므로 부피의 비는 $2^3:5^3=8:125$이다.

(작은 원뿔을 채우는 데 걸리는 시간)

: (큰 원뿔을 채우는 데 걸리는 시간)

$=$ (작은 원뿔의 부피) : (큰 원뿔의 부피)

$=8:125$

이므로

16 : (큰 원뿔을 채우는 데 걸리는 시간)=8 : 125
∴ (큰 원뿔을 채우는 데 걸리는 시간)=250(초)
따라서 남은 부분을 채우는 데 걸리는 시간은
250−16=234(초), 즉 3분 54초이다.

20 작은 원뿔과 큰 원뿔은 서로 닮음이고, 닮음비는
$\dfrac{3}{4}$: 1=3 : 4이므로 부피의 비는 3^3 : 4^3=27 : 64이다.
현재 들어 있는 물의 부피와 더 채워야 하는 물의 부피의 비가 27 : (64−27)=27 : 37이므로 물을 가득 채우는 데 더 걸리는 시간을 x분이라 하면
27 : 37=54 : x
∴ $x=74$
따라서 그릇에 물을 가득 채우려면 74분이 더 걸린다.

21 △CAB∽△CED (AA 닮음)이므로
$\overline{CB}$: $\overline{CD}$=$\overline{AB}$: $\overline{ED}$
12 : 4=$\overline{AB}$: 3
∴ $\overline{AB}$=9(m)

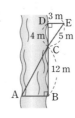

22 △OAB∽△ODC (AA 닮음)이므로
$\overline{OB}$: $\overline{OC}$=$\overline{AB}$: $\overline{DC}$
15 : 6=$\overline{AB}$: 8   ∴ $\overline{AB}$=20(m)

23 △ABC∽△DEF (AA 닮음)이므로
$\overline{BC}$: $\overline{EF}$=$\overline{AC}$: $\overline{DF}$에서
1500 : 5=$\overline{AC}$: 3
∴ $\overline{AC}$=900(cm)=9(m)
따라서 건물의 실제 높이는
(나연이의 눈높이)+$\overline{AC}$=1.5+9=10.5(m)

24 나무의 끝과 막대의 끝을 선분으로 연결하면 오른쪽 그림과 같이 그림자의 끝과 만난다.
△APB∽△CPD (AA 닮음)
이므로
$\overline{PB}$: $\overline{PD}$=$\overline{AB}$: $\overline{CD}$
2 : 8=0.8 : $\overline{CD}$
∴ $\overline{CD}$=3.2(m)
따라서 나무의 높이는 3.2 m이다.

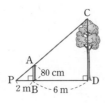

25 오른쪽 그림과 같이 나무의 꼭대기를 A, 나무의 바닥을 B, 벽에 생긴 나무 그림자의 꼭대기를 C, 벽의 바닥을 D, $\overline{AC}$의 연장선이 지면과 만나는 점을 P라 하면
△PCD∽△PAB (AA 닮음)
막대와 막대의 그림자의 길이의 비가 4 : 5이므로
$\overline{CD}$: $\overline{DP}$=4 : 5, 2 : $\overline{DP}$=4 : 5
∴ $\overline{DP}$=2.5(m)
즉 $\overline{BP}$=$\overline{BD}$+$\overline{DP}$=5+2.5=7.5(m)이고
$\overline{AB}$: $\overline{BP}$=4 : 5이므로
$\overline{AB}$: 7.5=4 : 5   ∴ $\overline{AB}$=6(m)
따라서 나무의 높이는 6 m이다.

26 축척은 (지도에서의 거리) : (실제 거리) 또는
$\dfrac{(지도에서의 거리)}{(실제 거리)}$로 표시되므로 두 지점 A, B 사이의 지도에서의 거리를 $\overline{AB}$라 하면
20 km=2000000 cm이므로
1 : 100000=$\overline{AB}$: 2000000
∴ $\overline{AB}$=20(cm)

27 축척이 $\dfrac{1}{20000}$이므로
(지도에서의 거리) : (실제 거리)=1 : 20000에서
4 : (실제 거리)=1 : 20000
∴ (실제 거리)=80000 cm=800 m=0.8 km
따라서 구하는 시간은
$\dfrac{0.8}{3}$시간=$\dfrac{4}{15}$시간=16분

28 축척이 $\dfrac{1}{5000}$이므로 닮음비는 1 : 5000이고, 넓이의 비는 1^2 : 5000^2=1 : 25000000이다.
즉 실제 넓이가
2.5 km²=(25×10^5) m²=(25×10^9) cm²이고,
(지도에서의 넓이) : (실제 넓이)=1 : 25000000
이므로
(지도에서의 넓이) : 25×10^9=1 : 25000000
∴ (지도에서의 넓이)=1000(cm²)

단원 종합 문제

01 ②	02 128	03 3 cm	04 12 cm	05 ②	06 ②	07 3	08 $\frac{1}{4}$
09 ③	10 18 cm²	11 (가) 1 : 2 (나) SAS (다) $\overline{DE}$ // $\overline{BC}$ (라) $\frac{1}{2}$				12 ③	13 ②
14 12	15 12 cm	16 ④	17 ③, ⑤	18 ①	19 100 cm²	20 ③	21 ①
22 ⑤	23 144 m	24 36 cm²	25 32 cm²	26 ①	27 405 cm³	28 3배	29 ③
30 ①							

01 △ABC와 △EDA에서

$\overline{AD}$ // $\overline{BC}$이므로

∠DAE = ∠ACB (엇각)

$\overline{AB}$ // $\overline{DE}$이므로

∠BAC = ∠DEA (엇각)

따라서 △ABC ∽ △EDA (AA 닮음)이므로

$\overline{AC}$: $\overline{EA}$ = $\overline{BC}$: $\overline{DA}$에서

$(\overline{AE}+2)$: $\overline{AE}$ = 8 : 6   ∴ $\overline{AE}$ = 6

02 $\overline{AE}$: $\overline{AC}$ = $\overline{DE}$: $\overline{BC}$이므로

8 : 12 = x : 16   ∴ $x = \frac{32}{3}$

$\overline{AE}$: $\overline{EC}$ = $\overline{AD}$: $\overline{DB}$이므로

8 : 4 = y : 6   ∴ $y = 12$

∴ $xy = \frac{32}{3} \times 12 = 128$

03 △FAE와 △FCB에서 $\overline{AD}$ // $\overline{BC}$이므로

∠FAE = ∠FCB (엇각), ∠FEA = ∠FBC (엇각)

∴ △FAE ∽ △FCB (AA 닮음)

$\overline{FA}$: $\overline{FC}$ = $\overline{AE}$: $\overline{CB}$에서

6 : 8 = $\overline{AE}$: 12   ∴ $\overline{AE}$ = 9(cm)

∴ $\overline{DE}$ = $\overline{AD}$ − $\overline{AE}$ = 12 − 9 = 3(cm)

04 △EBF와 △ECD에서

$\overline{AF}$ // $\overline{CD}$이므로

∠BFE = ∠CDE (엇각)

또 ∠BEF = ∠CED

(맞꼭지각)이므로

△EBF ∽ △ECD (AA 닮음)

∴ $\overline{BE}$: $\overline{CE}$ = $\overline{BF}$: $\overline{CD}$

$\overline{EC}$ = x cm라 하면 $\overline{BE}$ = (18−x) cm이므로

(18−x) : x = 5 : 10, 15x = 180

∴ x = 12

따라서 $\overline{EC}$ = 12 cm이다.

05 $\overline{AB}^2$ = $\overline{BD} \times \overline{BC}$이므로

$6^2 = 4 \times \overline{BC}$ ∴ $\overline{BC}$ = 9(cm)

∴ $\overline{CD}$ = $\overline{BC}$ − $\overline{BD}$ = 9 − 4 = 5(cm)

06 ② △ACE와 △ABD에서

∠A는 공통, ∠AEC = ∠ADB = 90°이므로

△ACE ∽ △ABD (AA 닮음)

07 $\overline{AB}$: $\overline{AC}$ = $\overline{BD}$: $\overline{CD}$이므로

8 : 6 = 4 : x ∴ x = 3

08 $\overline{AB}$: $\overline{AC}$ = $\overline{BD}$: $\overline{CD}$이므로

4 : 3 = $(\overline{BC}+5)$: 5

$3\overline{BC}$ = 5   ∴ $\overline{BC}$ = $\frac{5}{3}$

따라서 $\overline{BD}$ = $\frac{5}{3}$ + 5 = $\frac{20}{3}$이므로

$\frac{\overline{BC}}{\overline{BD}}$ = $\frac{5}{3}$ ÷ $\frac{20}{3}$ = $\frac{5}{3} \times \frac{3}{20}$ = $\frac{1}{4}$

09 △ABM = 2△ABD = 2 × 9 = 18

∴ △ABC = 2△ABM = 2 × 18 = 36

10 △ABM = $\frac{1}{2}$△ABC = $\frac{1}{2}$ × 60 = 30(cm²)

△BPM = △CPM = 12 cm²

∴ △ABP = △ABM − △BPM

= 30 − 12 = 18(cm²)

11 $\overline{AD}$ = $\overline{DB}$, $\overline{AE}$ = $\overline{EC}$인 △ABC의

△ADE와 △ABC에서

$\overline{AD}$: $\overline{AB}$ = $\overline{AE}$: $\overline{AC}$ = ⌐1 : 2¬이고,

∠A는 공통이므로

△ADE∽△ABC ($\boxed{\text{SAS}}$ 닮음)

따라서 ∠ADE=∠ABC (동위각)이므로

$\boxed{\overline{DE}/\!/\overline{BC}}$ 이고,

$\overline{DE}:\overline{BC}=\boxed{1:2}$ 이므로 $\overline{DE}=\boxed{\dfrac{1}{2}}\times\overline{BC}$

12 $\overline{AD}=\overline{DB}$, $\overline{AE}=\overline{EC}$이므로 삼각형의 두 변의 중점을 연결한 선분의 성질에 의해

$\overline{DE}/\!/\overline{BC}$, $\overline{DE}=\dfrac{1}{2}\overline{BC}$

따라서 △GED∽△GBC(AA 닮음)이고, 닮음비는 1 : 2이므로

△GED : △GBC=1^2 : 2^2=1 : 4

6 : △GBC=1 : 4

∴ △GBC=24(cm²)

13 삼각형의 두 변의 중점을 연결한 선분의 성질에 의해

$\overline{DE}=\dfrac{1}{2}\overline{AC}$, $\overline{EF}=\dfrac{1}{2}\overline{AB}$, $\overline{DF}=\dfrac{1}{2}\overline{BC}$

∴ (△DEF의 둘레의 길이)

$\quad=\overline{DE}+\overline{EF}+\overline{DF}$

$\quad=\dfrac{1}{2}(\overline{AC}+\overline{AB}+\overline{BC})$

$\quad=\dfrac{1}{2}\times 16=8(\text{cm})$

14 △BCD에서 삼각형의 두 변의 중점을 연결한 선분의 성질에 의해

$\overline{BD}/\!/\overline{EF}$, $\overline{BD}=2\overline{EF}=2\times 9=18$

△AEF에서 $\overline{AG}:\overline{GE}=2:1$이므로

$\overline{AG}:\overline{AE}=\overline{GD}:\overline{EF}$

2 : 3=$\overline{GD}$: 9   ∴ $\overline{GD}=6$

∴ $\overline{BG}=\overline{BD}-\overline{GD}=18-6=12$

15 오른쪽 그림과 같이 대각선 AC를 그어 $\overline{MN}$과 만나는 점을 P라 하면 $\overline{AD}/\!/\overline{MN}/\!/\overline{BC}$이므로 △ABC에서 삼각형의 두 변의 중점을 연결한 선분의 성질의 응용에 의해

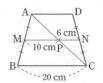

$\overline{MP}=\dfrac{1}{2}\overline{BC}=\dfrac{1}{2}\times 20=10(\text{cm})$

따라서 $\overline{PN}=\overline{MN}-\overline{MP}=16-10=6(\text{cm})$이므로 △CDA에서 삼각형의 두 변의 중점을 연결한 선분의 성질의 응용에 의해

$\overline{AD}=2\overline{PN}=2\times 6=12(\text{cm})$

다른 풀이 사다리꼴의 두 변의 중점을 연결한 선분의 성질에 의해

$\overline{MN}=\dfrac{1}{2}(\overline{AD}+\overline{BC})$이므로

$16=\dfrac{1}{2}\times(\overline{AD}+20)$ ∴ $\overline{AD}=12(\text{cm})$

16 오른쪽 그림과 같이 $\overline{AC}$를 그어 $\overline{EF}$와 만나는 점을 G라 하면 △ABC에서

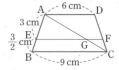

$\overline{AE}:\overline{AB}=\overline{EG}:\overline{BC}$

이므로

$3:\dfrac{9}{2}=\overline{EG}:9$

∴ $\overline{EG}=6(\text{cm})$

또 △CDA에서 $\overline{CG}:\overline{CA}=\overline{GF}:\overline{AD}$이고,

$\overline{CG}:\overline{CA}=\overline{BE}:\overline{BA}=\dfrac{3}{2}:\dfrac{9}{2}=1:3$이므로

$1:3=\overline{GF}:6$ ∴ $\overline{GF}=2(\text{cm})$

∴ $\overline{EF}=\overline{EG}+\overline{GF}=6+2=8(\text{cm})$

다른 풀이 오른쪽 그림과 같이 $\overline{AD}/\!/\overline{EF}/\!/\overline{BC}$인 사다리꼴 ABCD에서

$\overline{EF}=\dfrac{mb+na}{m+n}$이므로

$\overline{EF}=\dfrac{3\times 9+\dfrac{3}{2}\times 6}{3+\dfrac{3}{2}}=\dfrac{36}{\dfrac{9}{2}}=8(\text{cm})$

17 △ABD와 △CDB에서 삼각형의 두 변의 중점을 연결한 선분의 성질에 의해

$\overline{PS}=\overline{QR}=\dfrac{1}{2}\overline{BD}$, $\overline{PS}/\!/\overline{BD}/\!/\overline{QR}$

이므로 □PQRS는 평행사변형이다.

18 △ABP∽△DCP(AA 닮음)이므로

$\overline{BP}:\overline{CP}=\overline{AB}:\overline{DC}=10:15=2:3$

또 △BDC에서 $\overline{BP}:\overline{BC}=\overline{PQ}:\overline{CD}$이므로

2 : 5=$\overline{PQ}$: 15   ∴ $\overline{PQ}=6$

19 △ODA∽△OBC(AA 닮음)이고, 닮음비는

$\overline{AD}:\overline{CB}=6:15=2:5$이므로

△ODA : △OBC=2^2 : 5^2=4 : 25

16 : △OBC=4 : 25

∴ △OBC=100(cm²)

20 □ABCD는 평행사변형이므로 $\overline{OB}=\overline{OD}$

점 P, Q는 각각 △ABC와 △ACD의 무게중심이므로

$\overline{BP}:\overline{PO}=2:1,\ \overline{DQ}:\overline{QO}=2:1$

따라서 $\overline{BP}=\overline{PQ}=\overline{QD}$이고, $\overline{PO}=\overline{QO}$이므로

$\overline{BD}=6\overline{PO}=6\times2=12\,(cm)$

21 ① 닮은 두 입체도형에서 대응하는 면은 닮은 도형이므로 대응각의 크기는 각각 같다.

22 △ABB′∽△ACC′∽△ADD′(AA 닮음)이고, 닮음비는 $3:(3+2):(3+2+1)=3:5:6$이므로

넓이의 비는 $3^2:5^2:6^2=9:25:36$

23 △ABC∽△DEF이므로

$\overline{AC}:\overline{DF}=\overline{BC}:\overline{EF}$에서

$\overline{AC}:6=12000:5$

$\therefore \overline{AC}=14400\,cm=144\,m$

24 작은 원과 큰 원은 서로 닮음이고, 닮음비는 $1:2$이므로 넓이의 비는 $1^2:2^2=1:4$이다.

(작은 원의 넓이) : (큰 원의 넓이)$=1:4$이므로

$12:$(큰 원의 넓이)$=1:4$

$\therefore$ (큰 원의 넓이)$=48\,(cm^2)$

$\therefore$ (어두운 부분의 넓이)

$=$ (큰 원의 넓이)$-$(작은 원의 넓이)

$=48-12$

$=36\,(cm^2)$

25 그림을 80 % 축소하면 닮음비는 $1:0.8$

즉 $5:4$이므로

(원래 그림의 넓이) : (축소 복사된 그림의 넓이)

$=5^2:4^2=25:16$

에서

$50:$(축소 복사된 그림의 넓이)$=25:16$

$\therefore$ (축소 복사된 그림의 넓이)$=32\,(cm^2)$

26 $800\,m=80000\,cm$이므로

(실제 거리) : (지도에서의 거리)$=80000:4$

$\qquad\qquad\qquad\qquad\qquad\quad =20000:1$

$\therefore$ (실제 넓이) : (지도에서의 넓이)

$\qquad =20000^2:1^2$

$\qquad =400000000:1$

지도 위의 직사각형의 넓이가 $2\times6=12\,(cm^2)$이므로

(실제 넓이) : $12=400000000:1$

$\therefore$ (실제 넓이)$=4800000000\,cm^2$

$\qquad\qquad\qquad =480000\,m^2$

$\qquad\qquad\qquad =0.48\,km^2$

27 닮음비가 $2:3$이므로 부피의 비는 $2^3:3^3=8:27$

따라서 (A의 부피) : (B의 부피)$=8:27$에서

$120:$(B의 부피)$=8:27$

$\therefore$ (B의 부피)$=405\,(cm^3)$

28 큰 쇠구슬과 작은 쇠구슬의 닮음비는 $1:\dfrac{1}{3}=3:1$

이므로 부피의 비는 $3^3:1^3=27:1$이다.

즉 큰 쇠구슬 1개로 작은 쇠구슬 27개를 만들 수 있다.

또 큰 쇠구슬과 작은 쇠구슬의 겉넓이의 비는

$3^2:1^2=9:1$이므로 큰 쇠구슬 1개의 겉넓이를 $9S$라 하면 작은 쇠구슬 1개의 겉넓이는 S이다.

따라서 27개의 작은 쇠구슬의 겉넓이의 합은 $27S$이므로 큰 쇠구슬의 겉넓이 $9S$의 3배가 된다.

29 $\overline{OA},\ \overline{OB},\ \overline{OC}$를 각각 높이로 하는 세 원뿔의 닮음비가 $1:2:3$이므로 부피의 비는

$1^3:2^3:3^3=1:8:27$

따라서 잘려진 세 부분의 부피의 비는

$1:(8-1):(27-8)=1:7:19$

30 작은 원뿔과 큰 원뿔은 서로 닮음이고, 닮음비가

$18:30=3:5$이므로 부피의 비는

$3^3:5^3=27:125$

즉 (물의 부피) : (그릇의 부피)$=27:125$이므로

(물의 부피)$=\dfrac{27}{125}\times$(그릇의 부피)

따라서 물의 부피는 그릇의 부피의 $\dfrac{27}{125}$배이다.

1 피타고라스 정리
주제별 실력다지기

본문 123~148쪽

01 248	**02** ④	**03** ④	**04** ③	**05** 15 cm	**06** ⑤	**07** 6 m	**08** 4개
09 30 cm²	**10** ①	**11** ②	**12** ③, ⑤	**13** ③	**14** ㄷ, ㅂ	**15** 196 cm²	**16** 72 cm²

17 ③ **18** 50 cm² **19** 40 cm² **20** (가) □AGHB (나) □CDEF (다) $\frac{1}{2}ab$ (라) c^2

21 ② **22** (1) 정사각형 (2) 49 cm² **23** ③ **24** (1) 90° (2) 50 cm² **25** ③

26 ⑤	**27** ②	**28** ①	**29** 5	**30** 3	**31** ②	**32** ③	**33** ④
34 ②	**35** ②	**36** 80	**37** 56	**38** 55	**39** 6	**40** 3	**41** ⑤
42 12	**43** ①, ④	**44** ②	**45** ①	**46** 5	**47** ④	**48** 8 cm	**49** ④
50 ③	**51** 45	**52** 68	**53** 8π cm²	**54** ④	**55** ④	**56** 24 cm²	**57** ④

58 ④ **59** ㄴ, ㄷ, ㅂ **60** ③ **61** $\frac{25}{2}$ **62** $A\left(\frac{16}{5}, \frac{12}{5}\right)$ **63** ① **64** ③, ④

65 ①, ⑤	**66** ④	**67** ④	**68** ③	**69** 2개	**70** ④	**71** ①	**72** ③

73 20 **74** ① **75** $\frac{84}{25}$ cm² **76** ④ **77** ⑤ **78** ② **79** ③ **80** ⑤

81 15 cm **82** 48 cm² **83** $\frac{120}{13}$ cm **84** 5 **85** ㄱ, ㄹ **86** ① **87** ㄱ, ㅂ **88** ②, ⑤

89 ∠B=90°인 직각이등변삼각형, 5 **90** ③ **91** ② **92** 84 cm² **93** 52 **94** ④

95 125 **96** 10 **97** 13 cm **98** 17 cm **99** ③ **100** 26 cm **101** 10π cm

102 ① **103** 13π cm **104** 20 cm **105** 75π cm² **106** $\frac{256}{3}π$ cm³ **107** ③

---

01 $x^2=2^2+3^2=13$, $y^2=3^2+1^2=10$
$17^2=8^2+z^2$에서 $z^2=289-64=225$
∴ $x^2+y^2+z^2=13+10+225=248$

02 △ABC에서 $x^2=5^2+12^2=169$ ∴ $x=13$
△DEF에서 $5^2=3^2+y^2$, $y^2=16$ ∴ $y=4$
따라서 $x+y=13+4=17$

03 △ABC에서 $\overline{AC}^2=3^2+4^2=9+16=25$이므로
△ACD에서 $x^2=\overline{AC}^2+12^2=25+144=169$
∴ $x=13$

04 오른쪽 그림과 같이 대각선
BD를 그으면 △BCD에서
$\overline{BD}^2=3^2+1^2=10$
따라서 △ABD에서
$\overline{AB}^2=\overline{BD}^2-\overline{AD}^2=10-2^2=6$

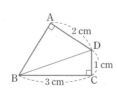

05 오른쪽 그림과 같이
□CDEB가 직사각형이
되도록 보조선을 그으면
$\overline{DE}=\overline{CB}=12$ cm,

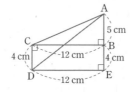

$\overline{BE}=\overline{CD}=4$ cm이므로
△ADE에서
$\overline{AD}^2=12^2+(5+4)^2=144+81=225$
∴ $\overline{AD}=15$(cm)

06 $y^2=6^2+x^2$이고 $y^2=x^2+4x+4$이므로
$x^2+4x+4=36+x^2$, $4x=32$ ∴ $x=8$

07 피타고라스의 수 중에서 한 변의 길이가 8 m가 되는
경우는 (6, 8, 10)과 (8, 15, 17)의 두 가지이고, 이
중 나머지 두 변의 길이의 합이 16 m인 경우는 6, 8,
10이다.
따라서 벽면의 C지점에서 A지점까지의 거리는 6 m
이다.

08 ㄱ. $4^2≠2^2+3^2$ ㄴ. $6^2≠4^2+5^2$
ㄷ. $13^2=5^2+12^2$ ㄹ. $15^2=9^2+12^2$
ㅁ. $17^2=8^2+15^2$ ㅂ. $25^2=7^2+24^2$
따라서 직각삼각형인 것은 ㄷ, ㄹ, ㅁ, ㅂ의 4개이다.

09 $13^2=5^2+12^2$이므로 이 삼각형은 빗변의 길이가 13 cm인 직각삼각형이다.

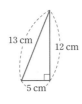

따라서 구하는 삼각형의 넓이는

$\dfrac{1}{2}\times5\times12=30(\text{cm}^2)$

10 $\angle\text{B}=90°$이면 $\overline{\text{AC}}^2=\overline{\text{AB}}^2+\overline{\text{BC}}^2$이므로

$y^2=8^2+x^2$에서 $x^2+8x+16=64+x^2$

$8x=48$ $\quad\therefore x=6$

11 추가하는 선분의 길이를 x cm라 하면

(i) 가장 긴 선분의 길이가 x cm일 때

$\quad x^2=4^2+6^2=52$

(ii) 가장 긴 선분의 길이가 6 cm일 때

$\quad 6^2=x^2+4^2,\ x^2=6^2-4^2=20$

(i), (ii)에 의하여 직각삼각형이 될 수 있는 것은 ㄱ, ㄷ이다.

12 (i) 가장 긴 변의 길이가 x cm일 때

$\quad x^2=3^2+5^2=34$

(ii) 가장 긴 변의 길이가 5 cm일 때

$\quad 5^2=x^2+3^2,\ x^2=5^2-3^2=16$

(i), (ii)에 의하여 $x^2=34$ 또는 $x^2=16$

13 ③ $\triangle\text{LAF}$

14 ㄱ. $\triangle\text{BCH}\equiv\triangle\text{GCA}$ (SAS 합동)이므로

$\quad\triangle\text{BCH}=\triangle\text{GCA}$

ㄴ. $\triangle\text{ACH}=\triangle\text{BCH}=\triangle\text{GCA}=\triangle\text{GCL}$이므로

$\quad\square\text{ACHI}=\square\text{LMGC}$

ㄹ. $\triangle\text{AIH}=\triangle\text{ACH}=\triangle\text{CGL}=\triangle\text{CGM}$

ㅁ. $\triangle\text{BCE}=\triangle\text{BFA}=\triangle\text{BFL}=\dfrac{1}{2}\square\text{BFML}$

따라서 옳지 않은 것은 ㄷ, ㅂ이다.

15 $\square\text{ADEB}+\square\text{ACFG}=\overline{\text{AB}}^2+\overline{\text{AC}}^2=\overline{\text{BC}}^2$

$\qquad\qquad\qquad\qquad\quad =14^2=196(\text{cm}^2)$

16 $\triangle\text{ABC}$에서 $\overline{\text{AB}}^2=13^2-5^2=144$

$\quad\therefore\overline{\text{AB}}=12(\text{cm})$

$\square\text{ADEB}=\square\text{BFML}$이므로

$\triangle\text{LFM}=\dfrac{1}{2}\square\text{BFML}=\dfrac{1}{2}\square\text{ADEB}$

$\qquad\quad =\dfrac{1}{2}\times12=72(\text{cm}^2)$

17 $\triangle\text{ABF}\equiv\triangle\text{EBC}$이고 $\triangle\text{EBC}=\triangle\text{EBA}$이므로

$\square\text{ADEB}=2\times\triangle\text{EBA}=2\times\triangle\text{ABF}=48(\text{cm}^2)$

또 $\square\text{ACHI}=\overline{\text{AC}}^2=16(\text{cm}^2)$이므로

$\square\text{BFGC}=\square\text{ADEB}+\square\text{ACHI}$

$\qquad\qquad =48+16=64(\text{cm}^2)$

다른 풀이 오른쪽 그림에서

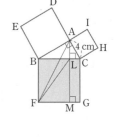

$\triangle\text{ABF}=\triangle\text{LBF}$

$\qquad =\dfrac{1}{2}\square\text{BFML}$

$\qquad =24\,\text{cm}^2$

$\therefore\square\text{BFML}=48(\text{cm}^2)$

또 $\square\text{LMGC}=\square\text{ACHI}$

$\qquad\qquad =4^2=16(\text{cm}^2)$이므로

$\square\text{BFGC}=\square\text{BFML}+\square\text{LMGC}$

$\qquad\qquad =48+16=64(\text{cm}^2)$

18 $\triangle\text{ABC}$에서 $\overline{\text{BC}}^2=6^2+8^2=100$

$\quad\therefore\overline{\text{BC}}=10(\text{cm})$

$\triangle\text{ABD}=\triangle\text{FBD}=\dfrac{1}{2}\square\text{BDGF}$

$\triangle\text{ACE}=\triangle\text{FCE}=\dfrac{1}{2}\square\text{CFGE}$

$\therefore\triangle\text{ABD}+\triangle\text{ACE}=\dfrac{1}{2}\square\text{BDGF}+\dfrac{1}{2}\square\text{CFGE}$

$\qquad\qquad\qquad\qquad =\dfrac{1}{2}\square\text{BDEC}=\dfrac{1}{2}\times\overline{\text{BC}}^2$

$\qquad\qquad\qquad\qquad =\dfrac{1}{2}\times10^2=50(\text{cm}^2)$

19 $\square\text{DLME}+\square\text{DKJF}=\square\text{ABEF}$

$\square\text{GPQH}+\square\text{GINO}=\square\text{ACIH}$

$\therefore$ (어두운 부분의 넓이)$=2\square\text{ABEF}+2\square\text{ACIH}$

$\qquad\qquad\qquad\qquad =2\times\overline{\text{AB}}^2+2\times\overline{\text{AC}}^2$

$\qquad\qquad\qquad\qquad =2\times2^2+2\times4^2=40(\text{cm}^2)$

21 $\triangle\text{AEH}\equiv\triangle\text{BFE}\equiv\triangle\text{CGF}$

$\qquad \equiv\triangle\text{DHG}$ (SAS 합동)

이므로 오른쪽 그림에서

$\square\text{EFGH}$는 정사각형이다.

$\square\text{EFGH}=25\,\text{cm}^2$에서

$\overline{\text{EF}}^2=25$ $\quad\therefore\overline{\text{EF}}=5(\text{cm})$

$\triangle\text{BFE}$에서

$\overline{\text{BF}}^2=5^2-3^2=16$ $\quad\therefore\overline{\text{BF}}=4(\text{cm})$

따라서 □ABCD의 한 변의 길이는
$\overline{BF}+\overline{FC}=4+3=7(cm)$

22 (1) (i) 네 내각의 크기가 모두 90°로 같다.
　　(ii) △ABC≡△FCD≡△GDE≡△HEB이므로
　　　　$\overline{AC}=\overline{FD}=\overline{GE}=\overline{HB}$이고
　　　　$\overline{AB}=\overline{FC}=\overline{GD}=\overline{HE}$
　　　　즉 $\overline{AC}-\overline{FC}=\overline{FD}-\overline{GD}=\overline{GE}-\overline{HE}$
　　　　　　　　　　$=\overline{HB}-\overline{AB}$
　　　　이므로 $\overline{AF}=\overline{FG}=\overline{GH}=\overline{HA}$
　　(i), (ii)에 의해 □AFGH는 정사각형이다.
(2) △ABC에서
　　$\overline{AC}^2=13^2-5^2=144$　　$\therefore \overline{AC}=12(cm)$
　　또 $\overline{FC}=\overline{AB}=5\,cm$이므로
　　$\overline{AF}=\overline{AC}-\overline{FC}=12-5=7(cm)$
　　$\therefore □AFGH=\overline{AF}^2=7^2=49(cm^2)$

23 ① △ABC에서 $\overline{AC}=\overline{DG}=b$, $\overline{AB}=\overline{BD}=c$이므로
　　피타고라스 정리에 의해 $a^2+b^2=c^2$
② $\overline{BF}=\overline{DG}=b$이므로 $\overline{CF}=a-b$
③ □CFGH의 넓이가 점점 커지도록 작도하면
　　△ABC의 넓이는 점점 작아진다.
　　따라서 □CFGH와 △ABC의 넓이가 항상 같지
　　는 않다.
④ □CFGH에서
　　$\overline{CF}=\overline{FG}=\overline{GH}=\overline{HC}=a-b$이고
　　$\angle C=\angle F=\angle G=\angle H=90°$이므로
　　□CFGH는 정사각형이다.
⑤ △ABC≡△BDF≡△DEG≡△EAH
　　$\therefore □ABDE=□CFGH+△ABC\times4$
따라서 옳지 않은 것은 ③이다.

24 (1) △ABC에서
　　$\angle CAB+\angle ACB=90°$
　　이고,
　　△ABC≡△CDE이므로
　　$\angle CAB=\angle ECD$
　　따라서 $\angle ECD+\angle ACB=90°$이므로
　　$\angle ACE=90°$
(2) △ABC≡△CDE이므로
　　$\overline{BC}=\overline{DE}=8\,cm$
　　△ABC에서

$\overline{AC}^2=\overline{AB}^2+\overline{BC}^2=6^2+8^2=100$
　　$\therefore \overline{AC}=10(cm)$
　　따라서 $\overline{AC}=\overline{CE}=10\,cm$, $\angle ACE=90°$이므로
　　$\triangle ACE=\dfrac{1}{2}\times10\times10=50(cm^2)$

25 $\triangle ACE=\dfrac{1}{2}\times\overline{AC}^2$
　　　　$=\dfrac{25}{2}$
이므로 $\overline{AC}^2=25$
$\therefore \overline{AC}=5(cm)$
△ABC에서
$\overline{AB}^2=\overline{AC}^2-\overline{BC}^2$
　　$=5^2-4^2=9$
$\therefore \overline{AB}=3(cm)$
따라서 $\overline{CD}=\overline{AB}=3\,cm$, $\overline{DE}=\overline{BC}=4\,cm$이므로
$□ABDE=\dfrac{1}{2}\times(3+4)\times7=\dfrac{49}{2}(cm^2)$

26 $\overline{AD}^2+\overline{BC}^2=5^2+7^2=74$

27 $x^2+7^2=5^2+y^2$이므로
$x^2-y^2=5^2-7^2=-24$

28 △OBC에서 $\overline{BC}^2=3^2+4^2=25$
□ABCD에서 $8^2+\overline{CD}^2=25+10^2$
$\therefore \overline{CD}^2=61$

29 $\overline{AB}^2+8^2=3^2+9^2$에서 $\overline{AB}^2=26$
△ABO에서 $\overline{AB}^2=x^2+1$, $26=x^2+1$
$x^2=25$　　$\therefore x=5$

30 △COD에서 $\overline{CD}^2=5^2+6^2=61$
□ABCD에서 $\overline{AB}^2+61=\overline{AD}^2+8^2$
$\therefore \overline{AB}^2-\overline{AD}^2=8^2-61=3$

31 $\overline{PA}^2+54=9^2+3^2$이므로
$\overline{PA}^2=36$　　$\therefore \overline{PA}=6$

32 $6^2+y^2=x^2+2^2$이므로
$x^2-y^2=6^2-2^2=32$

33 $\overline{CD}=\overline{AB}=5$이므로
△DPC에서

$\overline{PC}^2=5^2-3^2=16$ $\therefore \overline{PC}=4$

□ABCD에서 $\overline{PA}^2+\overline{PC}^2=\overline{PB}^2+\overline{PD}^2$이므로

$\overline{PA}^2+4^2=7^2+3^2$ $\therefore \overline{PA}^2=42$

34 $\overline{DE}^2+\overline{BC}^2=\overline{BE}^2+\overline{CD}^2$이므로

$\overline{DE}^2+8^2=5^2+7^2$ $\therefore \overline{DE}^2=10$

35 $\overline{DE}^2+\overline{BC}^2=\overline{BE}^2+\overline{CD}^2$이므로

$4^2+\overline{BC}^2=6^2+8^2$ $\therefore \overline{BC}^2=84$

36 삼각형의 두 변의 중점을 연결한 선분의 성질에 의해

$\overline{DE}=\dfrac{1}{2}\overline{BC}=\dfrac{1}{2}\times8=4$

또 $\overline{DE}^2+\overline{BC}^2=\overline{BE}^2+\overline{CD}^2$이므로

$4^2+8^2=\overline{BE}^2+\overline{CD}^2$

$\therefore \overline{BE}^2+\overline{CD}^2=80$

37 △CDE에서 $\overline{DE}^2=3^2+4^2=25$

또 $\overline{AB}^2+\overline{DE}^2=\overline{AD}^2+\overline{BE}^2$이므로

$\overline{AB}^2+25=9^2+\overline{BE}^2$에서

$\overline{AB}^2-\overline{BE}^2=81-25=56$

38 △ADE에서 $\overline{DE}^2=3^2+4^2=25$

△BDE의 넓이는 10이므로

$\dfrac{1}{2}\times\overline{BD}\times\overline{AE}=10$

$\dfrac{1}{2}\times\overline{BD}\times4=10$ $\therefore \overline{BD}=5$

△ABE에서

$\overline{BE}^2=\overline{AB}^2+\overline{AE}^2=8^2+4^2=80$

따라서 $\overline{DE}^2+\overline{BC}^2=\overline{BE}^2+\overline{CD}^2$이므로

$\overline{BC}^2-\overline{CD}^2=\overline{BE}^2-\overline{DE}^2=80-5=55$

다른 풀이 △ABC에서 $\overline{BC}^2=\overline{AB}^2+\overline{AC}^2$이고,

△ACD에서 $\overline{CD}^2=\overline{AD}^2+\overline{AC}^2$이므로

$\overline{BC}^2-\overline{CD}^2=(\overline{AB}^2+\overline{AC}^2)-(\overline{AD}^2+\overline{AC}^2)$

$\qquad\qquad\quad=\overline{AB}^2-\overline{AD}^2$

$\qquad\qquad\quad=8^2-3^2=55$

39 △ABC에서 $\overline{AC}^2=1^2+1^2=2$

△ACD에서 $\overline{AD}^2=2+1^2=3$

△ADE에서 $\overline{AE}^2=3+1^2=4$

△AEF에서 $\overline{AF}^2=4+1^2=5$

△AFG에서 $\overline{AG}^2=5+1^2=6$

40 $\overline{AB}=a$라 하면

$\overline{AC}^2=2a^2$, $\overline{AD}^2=3a^2$, $\cdots$, $\overline{AH}^2=7a^2$이므로

$7a^2=63$, $a^2=9$ $\therefore a=3$

따라서 $\overline{AB}$의 길이는 3이다.

41 △ABC에서 $\overline{AC}^2=2^2+3^2=13$

$\overline{AD}^2=13+4^2=29$

△ADE에서 $\overline{AE}=29+5^2=54$

42 △ACD에서 $\overline{AC}^2=2^2+2^2=8$

$\therefore \overline{AF}^2=\overline{AC}^2=8$

△AEF에서 $\overline{AE}^2=8+2^2=12$

$\therefore \overline{AG}^2=\overline{AE}^2=12$

43 $\overline{OB}^2=\overline{OA}^2=1^2+1^2=2$, $\overline{OC}^2=\overline{OB'}^2=2+1^2=3$

$\overline{OD}^2=\overline{OC'}^2=3+1^2=4$, $\overline{OE}^2=\overline{OD'}^2=4+1^2=5$

$\overline{OE'}^2=5+1^2=6$

따라서 원점 O로부터 거리가 2인 점은 점 C′, 점 D

이다.

44 $\overline{OA}=\overline{OP}=a$라 하면

$\overline{OA'}^2=2a^2$, $\overline{OB'}^2=3a^2$, $\overline{OC'}^2=4a^2$, $\overline{OD'}^2=5a^2$

이므로

$\overline{OD'}^2=10$에서 $5a^2=10$ $\therefore a^2=2$

$\therefore \square OAA'P=a^2=2$

45 △ACD에서 $\overline{AD}^2=10^2-6^2=64$

△ABD에서 $\overline{BD}^2=9^2-64=17$

46 △ACH에서 $\overline{CH}=6^2-4^2=20$

△BCH에서 $\overline{BC}^2=\overline{CH}^2+\overline{BH}^2=20+5=25$

$\therefore \overline{BC}=5$

47 $\overline{BD}=x$, $\overline{DC}=a$라 하면

△ACD에서

$a^2=90-9^2=9$ $\therefore a=3$

△ABC에서

$(x+3)^2=15^2-9^2=144$이므로

$x+3=12$ $\therefore x=9$

따라서 $\overline{BD}$의 길이는 9이다.

48 점 O가 직각삼각형 ABC의 외심이므로

$\overline{BO}=\overline{CO}=\overline{AO}=5\,cm$

$\therefore \overline{BC}=5+5=10(cm)$

$\triangle ABC$에서 $\overline{AC}^2=10^2-6^2=64$

$\therefore \overline{AC}=8(cm)$

49 $\triangle ABC$에서 $\overline{BC}^2=12^2+16^2=400$

$\therefore \overline{BC}=20(cm)$

점 G가 $\triangle ABC$의 무게중심이므로 $\overline{BM}=\overline{CM}$

즉 점 M은 $\triangle ABC$의 외심이므로

$\overline{AM}=\overline{BM}=\overline{CM}=10\,cm$

$\therefore \overline{AG}=\dfrac{2}{3}\overline{AM}=\dfrac{2}{3}\times10=\dfrac{20}{3}(cm)$

50 $\triangle ABC$에서 $\overline{AC}^2=15^2-9^2=144$

$\therefore \overline{AC}=12(cm)$

$\therefore \overline{AE}=\overline{AC}-\overline{CE}=12-2=10(cm)$

이때 $\triangle ADE$와 $\triangle ACB$에서

$\angle ADE=\angle ACB=90°$, $\angle A$는 공통이므로

$\triangle ADE \backsim \triangle ACB$ (AA 닮음)

따라서 $\overline{AE}:\overline{AB}=\overline{AD}:\overline{AC}$에서

$10:15=\overline{AD}:12$

$\therefore \overline{AD}=8(cm)$

51 $\triangle ABC$에서 $\overline{BC}^2=10^2-6^2=64$ $\therefore \overline{BC}=8$

이때 $\overline{AD}$가 $\angle A$의 이등분선이므로

$\overline{AB}:\overline{AC}=\overline{BD}:\overline{CD}$에서

$\overline{BD}:\overline{CD}=6:10=3:5$

$\therefore \overline{BD}=\dfrac{3}{8}\overline{BC}=\dfrac{3}{8}\times8=3$

따라서 $\triangle ABD$에서 $\overline{AD}^2=6^2+3^2=45$

52 $\triangle ABP$와 $\triangle CAQ$에서

$\overline{AB}=\overline{CA}$, $\angle APB=\angle CQA=90°$

$\angle ABP=90°-\angle BAP=\angle CAQ$이므로

$\triangle ABP\equiv\triangle CAQ$ (RHA 합동)

$\overline{AQ}=\overline{BP}=8$, $\overline{AP}=\overline{CQ}=6$이므로

$\overline{PQ}=\overline{AQ}-\overline{AP}=8-6=2$

따라서 $\triangle PBQ$에서 $\overline{BQ}^2=8^2+2^2=68$

53 $P+Q=(\overline{BC}$를 지름으로 하는 반원의 넓이$)$

$=\dfrac{1}{2}\times\pi\times4^2=8\pi(cm^2)$

54 $(\overline{AC}$를 지름으로 하는 반원의 넓이$)=24\pi-6\pi$

$=18\pi(cm^2)$

이므로

$\dfrac{1}{2}\times\pi\times\left(\dfrac{1}{2}\overline{AC}\right)^2=18\pi$

$\overline{AC}^2=144$ $\therefore \overline{AC}=12(cm)$

55 (반원 Q의 넓이)$=\dfrac{1}{2}\times\pi\times2^2=2\pi(cm^2)$

따라서 (반원 P의 넓이)$+2\pi=32\pi$이므로

(반원 P의 넓이)$=32\pi-2\pi=30\pi(cm^2)$

56 $\triangle ABC$에서 $\overline{AB}^2=10^2-6^2=64$

$\therefore \overline{AB}=8(cm)$

$\therefore$ (어두운 부분의 넓이)$=\triangle ABC=\dfrac{1}{2}\times8\times6$

$=24(cm^2)$

57 $S_1+S_2=\triangle ABC=7\pi\,cm^2$이므로

(빗금친 부분의 넓이)

$=(\overline{BC}$를 지름으로 하는 반원의 넓이$)-\triangle ABC$

$=\dfrac{1}{2}\times\pi\times8^2-7\pi=25\pi(cm^2)$

58 $\triangle ABD$에서

$\overline{AD}^2=10^2-6^2=64$

$\therefore \overline{AD}=8(cm)$

두 직각삼각형 ABD와 BCD

에서

$S_1+S_2=\triangle ABD$

$S_3+S_4=\triangle BCD$

$\therefore S_1+S_2+S_3+S_4=\triangle ABD+\triangle BCD$

$=\square ABCD$

$=8\times6=48(cm^2)$

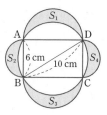

다른 풀이 (어두운 부분의 넓이)

$=2\times\{(\overline{AB}$를 지름으로 하는 반원의 넓이$)$

$+(\overline{AD}$를 지름으로 하는 반원의 넓이$)\}+\square ABCD$

$-(\overline{BD}$를 지름으로 하는 원의 넓이$)$

$=2\times\left(\dfrac{1}{2}\times9\pi+\dfrac{1}{2}\times16\pi\right)+48-25\pi$

$=48(cm^2)$

59 ㄴ. $b^2=ay$

ㄷ. $c^2=ax$

ㅂ. $h^2=xy$

따라서 옳지 않은 것은 ㄴ, ㄷ, ㅂ이다.

60 $\overline{\text{AD}}^2 = \overline{\text{BD}} \times \overline{\text{CD}}$이므로

$y^2 = 3 \times 2 = 6$

또 $\overline{\text{AB}}^2 = \overline{\text{BD}} \times \overline{\text{BC}}$이므로

$x^2 = 3 \times 5 = 15$

$\therefore (xy)^2 = x^2y^2 = 15 \times 6 = 90$

61 $\overline{\text{AB}} : \overline{\text{AC}} = 3 : 4$이므로 $\overline{\text{AB}} = 3a$라 하면 $\overline{\text{AC}} = 4a$

$\triangle$ABC에서 $\overline{\text{BC}}^2 = (3a)^2 + (4a)^2 = 25a^2$

$\therefore \overline{\text{BC}} = 5a$

$\overline{\text{AB}} \times \overline{\text{AC}} = \overline{\text{AH}} \times \overline{\text{BC}}$이므로

$3a \times 4a = 6 \times 5a$, $2a^2 - 5a = 0$에서 $a \neq 0$이므로

$2a - 5 = 0$ $\therefore a = \dfrac{5}{2}$

$\therefore \overline{\text{BC}} = 5a = 5 \times \dfrac{5}{2} = \dfrac{25}{2}$

62 $\triangle$AOB에서

$\overline{\text{OB}}^2 = \overline{\text{OA}}^2 + \overline{\text{AB}}^2$이므로

$\angle$A$= 90°$

점 A의 좌표를 A(a, b),

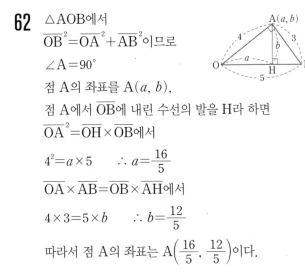

점 A에서 $\overline{\text{OB}}$에 내린 수선의 발을 H라 하면

$\overline{\text{OA}}^2 = \overline{\text{OH}} \times \overline{\text{OB}}$에서

$4^2 = a \times 5$ $\therefore a = \dfrac{16}{5}$

$\overline{\text{OA}} \times \overline{\text{AB}} = \overline{\text{OB}} \times \overline{\text{AH}}$에서

$4 \times 3 = 5 \times b$ $\therefore b = \dfrac{12}{5}$

따라서 점 A의 좌표는 A$\left(\dfrac{16}{5}, \dfrac{12}{5} \right)$이다.

63 점 M은 $\overline{\text{AC}}$의 중점이므로

$\overline{\text{AM}} = \overline{\text{MC}} = 5$ cm

$\overline{\text{AB}}^2 = \overline{\text{AH}} \times \overline{\text{AC}}$이므로

$6^2 = \overline{\text{AH}} \times 10$ $\therefore \overline{\text{AH}} = \dfrac{18}{5}$(cm)

$\therefore \overline{\text{HM}} = \overline{\text{AM}} - \overline{\text{AH}} = 5 - \dfrac{18}{5} = \dfrac{7}{5}$(cm)

또 $\triangle$ABH에서 $\overline{\text{BH}}^2 = 6^2 - \left(\dfrac{18}{5} \right)^2 = \dfrac{576}{25}$

$\therefore \overline{\text{BH}} = \dfrac{24}{5}$(cm)

$\therefore \triangle$BMH $= \dfrac{1}{2} \times \overline{\text{HM}} \times \overline{\text{BH}}$

$= \dfrac{1}{2} \times \dfrac{7}{5} \times \dfrac{24}{5} = \dfrac{84}{25}$(cm^2)

다른 풀이 $\triangle$ABC에서

$\overline{\text{BC}}^2 = 10^2 - 6^2 = 64$ $\therefore \overline{\text{BC}} = 8$(cm)

이때 $\triangle$ABC $= \dfrac{1}{2} \times 6 \times 8 = 24$(cm^2)이므로

$\triangle$BHM $= \triangle$ABC $\times \dfrac{\overline{\text{HM}}}{\overline{\text{AC}}}$

$= 24 \times \dfrac{\frac{7}{5}}{10} = 24 \times \dfrac{7}{5} \times \dfrac{1}{10} = \dfrac{84}{25}$(cm^2)

64 $\angle$A$> 90°$이므로 $a^2 > b^2 + c^2$

$\angle$B$< 90°$이므로 $b^2 < a^2 + c^2$

$\angle$C$< 90°$이므로 $c^2 < a^2 + b^2$

따라서 옳은 것은 ③, ④이다.

65 ① $\angle$A$> 90°$이면 $a^2 > b^2 + c^2$이다.

⑤ $c^2 < a^2 + b^2$이면 $\angle$C$< 90°$이다. 그러나 $\angle$C$< 90°$라 해서 $\triangle$ABC가 예각삼각형인 것은 아니다.

따라서 옳지 않은 것은 ①, ⑤이다.

66 ① $4^2 > 2^2 + 3^2$ $\therefore$ 둔각삼각형

② $5^2 = 3^2 + 4^2$ $\therefore$ 직각삼각형

③ $13^2 = 5^2 + 12^2$ $\therefore$ 직각삼각형

④ $11^2 < 7^2 + 9^2$ $\therefore$ 예각삼각형

⑤ $10^2 < 8^2 + 9^2$ $\therefore$ 예각삼각형

따라서 바르게 연결되지 않은 것은 ④이다.

67

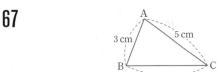

① $x = 4$이면 $3^2 + 4^2 = 5^2$이므로 $\angle$B$= 90°$

② $x = 5$이면 $5^2 < 3^2 + 5^2$이므로 $\angle$A$< 90°$

③ $x = 6$이면 $6^2 > 3^2 + 5^2$이므로 $\angle$A$> 90°$

④ $x = 2.5$이면 가장 긴 변의 길이가 5 cm이므로

$5^2 > 3^2 + 2.5^2$

즉 $\angle$B$> 90°$이므로 $\triangle$ABC는 둔각삼각형이다.

⑤ $x = 7$이면 가장 긴 변의 길이가 7 cm이므로

$7^2 > 3^2 + 5^2$

즉 $\angle$A$> 90°$이므로 $\triangle$ABC는 둔각삼각형이다.

따라서 옳지 않은 것은 ④이다.

68 ① $x = 3$이면 $8^2 > 6^2 + 3^2$이므로 $\angle$B$> 90°$, 즉 둔각삼각형이다.

② $x^2 = 28$이면 $8^2 = 6^2 + 28$이므로 $\angle$B$= 90°$, 즉 직각삼각형이다.

③ $x = 6$이면 $8^2 < 6^2 + 6^2$이므로 $\angle$B$< 90°$, 즉 예각

삼각형이다.

④ $x>8$이므로 $\overline{BC}$가 가장 긴 변이다.

따라서 예각삼각형이 될 조건은

$x^2<6^2+8^2$에서 $x^2<100$이므로 $x<10$

따라서 $8<x<10$일 때 주어진 삼각형은 예각삼각형이다.

⑤ $x>10$이므로 $\overline{BC}$가 가장 긴 변이다.

따라서 둔각삼각형이 될 조건은

$x^2>6^2+8^2$에서 $x^2>100$이므로 $x>10$

그런데 삼각형이 만들어지려면 가장 긴 변의 길이가 나머지 두 변의 길이의 합보다는 작아야 하므로 $x<6+8$ ∴ $x<14$

따라서 $10<x<14$일 때 주어진 삼각형은 둔각삼각형이다.

따라서 옳지 않은 것은 ③이다.

69 (i) 세 변의 길이가 $2\,cm$, $3\,cm$, $4\,cm$일 때, $4^2>2^2+3^2$이므로 둔각삼각형

(ii) 세 변의 길이가 $2\,cm$, $3\,cm$, $5\,cm$이면 삼각형이 만들어지지 않는다.

(iii) 세 변의 길이가 $2\,cm$, $4\,cm$, $5\,cm$일 때, $5^2>2^2+4^2$이므로 둔각삼각형

(iv) 세 변의 길이가 $3\,cm$, $4\,cm$, $5\,cm$일 때, $5^2=3^2+4^2$이므로 직각삼각형

따라서 만들 수 있는 둔각삼각형은 (i), (iii)의 2개이다.

70 □ABCD에서 $\overline{AC}^2=3^2+4^2=25$

∴ $\overline{AC}=5(cm)$

또 $\overline{CG}=12\,cm$, $\overline{CE}=5\,cm$이므로

□CEFG에서 $\overline{CF}^2=12^2+5^2=169$

∴ $\overline{CF}=13(cm)$

∴ $\overline{AC}+\overline{CF}=5+13=18(cm)$

71 직사각형에서 가장 긴 선분은 대각선이고, 직사각형의 가로, 세로의 길이가 각각 $80\,m$, $60\,m$이므로 대각선의 길이는

$80^2+60^2=10000$

따라서 대각선의 길이는 $100\,m$이다.

그러므로 최대 $100\,m$까지 직선 달리기를 할 수 있다.

72 가로의 길이를 $8a\,cm$라 하면 세로의 길이는

$15a\,cm$이므로

△ABC에서

$(8a)^2+(15a)^2=34^2$, $64a^2+225a^2=1156$,

$289a^2=1156$, $a^2=4$ ∴ $a=2$

따라서 직사각형 ABCD의 둘레의 길이는

$2(8a+15a)=46a=46\times2=92(cm)$

73 정사각형의 한 변의 길이를 a라 하면

$\overline{AP}^2=2a^2=4$ ∴ $a^2=2$

∴ $\overline{AQ}^2=(3a)^2+a^2=10a^2=10\times2=20$

74 △ABD에서

$\overline{BD}^2=6^2+8^2=100$

∴ $\overline{BD}=10(cm)$

△ABP≡△CDQ

(RHA 합동)이므로 $\overline{BP}=\overline{DQ}$

$\overline{AB}^2=\overline{BP}\times\overline{BD}$, $6^2=\overline{BP}\times10$ ∴ $\overline{BP}=3.6(cm)$

∴ $\overline{PQ}=\overline{BD}-2\times\overline{BP}=10-2\times3.6=2.8(cm)$

75 △ABD에서

$\overline{BD}^2=3^2+4^2=25$ ∴ $\overline{BD}=5(cm)$

$\overline{AB}^2=\overline{BE}\times\overline{BD}$에서

$3^2=\overline{BE}\times5$ ∴ $\overline{BE}=\dfrac{9}{5}(cm)$

$\overline{AB}\times\overline{AD}=\overline{AE}\times\overline{BD}$에서

$3\times4=\overline{AE}\times5$ ∴ $\overline{AE}=\dfrac{12}{5}(cm)$

△ABE≡△CDF (RHA 합동)에서 $\overline{BE}=\overline{DF}$이므로

$\overline{EF}=\overline{BD}-2\times\overline{BE}=5-2\times\dfrac{9}{5}=\dfrac{7}{5}(cm)$

∴ □AECF$=2\times△AEF$

$=2\times\left(\dfrac{1}{2}\times\dfrac{7}{5}\times\dfrac{12}{5}\right)=\dfrac{84}{25}(cm^2)$

76 주어진 정사각형의 한 변의 길이를 $a\,cm$라 하면

$2a^2=64$ ∴ $a^2=32$

또 원의 반지름의 길이는 $\dfrac{a}{2}\,cm$이므로

(원의 넓이)$=\pi\times\left(\dfrac{a}{2}\right)^2=\dfrac{a^2}{4}\pi=\dfrac{32}{4}\pi=8\pi(cm^2)$

77 버려지는 부분이 최소가 되려면 정사각형의 대각선과 원의 지름이 일치해야 한다.

나무의 단면인 원의 반지름을 $r\,cm$라 하면

$\pi r^2=25\pi$에서 $r^2=25$ ∴ $r=5$

또 정사각형의 한 변의 길이를 a cm라 하면

$2a^2 = 10^2$ $\therefore a^2 = 50$

따라서 정사각형의 넓이는 $a^2 = 50$ cm²이다.

78 $\overline{OA}$는 반원 O의 반지름이므로

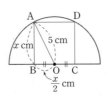

$\overline{OA} = \dfrac{1}{2} \times 10 = 5$ (cm)

$\overline{AB} = x$ cm라 하면

$\overline{BO} = \overline{OC} = \dfrac{x}{2}$ cm

△OAB에서 $5^2 = x^2 + \left(\dfrac{x}{2}\right)^2$, $x^2 = 20$

$\therefore \square ABCD = x^2 = 20$ (cm²)

79 $\overline{BH} = \overline{CH} = 5$ cm이므로

△ABH에서 $\overline{AH}^2 = 13^2 - 5^2 = 144$

$\therefore \overline{AH} = 12$ (cm)

80 △ABC $= \dfrac{1}{2} \times \overline{BC} \times \overline{AH}$

$= \dfrac{1}{2} \times 10 \times 12 = 60$ (cm²)

81 $\overline{BH} = \overline{HC} = 8$ cm이므로

△ABH에서 $\overline{AH}^2 = 17^2 - 8^2 = 225$

$\therefore \overline{AH} = 15$ (cm)

82 점 A에서 $\overline{BC}$에 내린 수선의 발

을 H라 하면

$\overline{BH} = \overline{HC} = 6$ cm

△ABH에서

$\overline{AH}^2 = 10^2 - 6^2 = 64$ $\therefore \overline{AH} = 8$ (cm)

$\therefore \triangle ABC = \dfrac{1}{2} \times 12 \times 8 = 48$ (cm²)

83 점 A에서 $\overline{BC}$에 내린

수선의 발을 H라 하

면

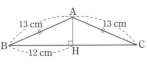

$\overline{BH} = \overline{CH} = 12$ cm이므로

$\overline{AH}^2 = 13^2 - 12^2 = 25$ $\therefore \overline{AH} = 5$ (cm)

$\therefore \triangle ABC = \dfrac{1}{2} \times 24 \times 5 = 60$ (cm²)

한편 오른쪽 그림과

같이 $\overline{AP}$를 그으면

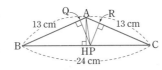

△ABC

$= \triangle ABP + \triangle ACP$

이므로

$60 = \dfrac{1}{2} \times 13 \times \overline{PQ} + \dfrac{1}{2} \times 13 \times \overline{PR}$

$= \dfrac{13}{2} (\overline{PQ} + \overline{PR})$

$\therefore \overline{PQ} + \overline{PR} = \dfrac{120}{13}$ (cm)

84 (두 점 사이의 거리)²

$= \{(a-3) - a\}^2 + \{(b+4) - b\}^2$

$= (-3)^2 + 4^2 = 25$

$\therefore$ (두 점 사이의 거리) $= 5$

85 ㄱ. $\overline{OA}^2 = (-2-0)^2 + (3-0)^2 = 13$

ㄴ. $\overline{BC}^2 = \{1 - (-3)\}^2 + (2-4)^2 = 20$

ㄷ. $\overline{DE}^2 = (-1-2)^2 + (0-5)^2 = 34$

ㄹ. $\overline{FG}^2 = (2-5)^2 + (-3-3)^2 = 45$

또 두 점 사이의 거리의 순서와 그 제곱한 값의 순서

는 일치한다.

따라서 두 점 사이의 거리가 가장 짧은 것은 ㄱ, 가

장 긴 것은 ㄹ이다.

86 $\overline{AB}^2 = (x+7)^2 + (2+3)^2 = 13^2$이므로

$(x+7)^2 = 144$, $x+7 = -12$ 또는 $x+7 = 12$

$\therefore x = 5$ 또는 $x = -19$

따라서 모든 x의 값의 합은

$5 + (-19) = -14$

87 $\overline{AB}^2 = (0+3)^2 + (-1-1)^2 = 13$

$\overline{BC}^2 = (2-0)^2 + (2+1)^2 = 13$

$\overline{CA}^2 = (-3-2)^2 + (1-2)^2 = 26$

이때 $\overline{AB} = \overline{BC}$이고 $\overline{CA}^2 = \overline{AB}^2 + \overline{BC}^2$이므로

△ABC는 $\angle B = 90°$인 직각이등변삼각형이다.

따라서 옳은 것은 ㄱ, ㅂ이다.

88 $\overline{AB}^2 = (1-0)^2 + (-1+3)^2 = 5$

$\overline{BC}^2 = (-2-1)^2 + (4+1)^2 = 34$

$\overline{CA}^2 = (0+2)^2 + (-3-4)^2 = 53$

이때 $\overline{CA}^2 > \overline{AB}^2 + \overline{BC}^2$이므로 △ABC는 둔각삼각

형이다.

89 $\overline{AB}^2 = (-1-2)^2 + (-3+2)^2 = 10$

$$\overline{BC}^2 = (-2+1)^2 + (0+3)^2 = 10$$
$$\overline{CA}^2 = (2+2)^2 + (-2-0)^2 = 20$$
이때 $\overline{AB} = \overline{BC}$이고 $\overline{CA}^2 = \overline{AB}^2 + \overline{BC}^2$이므로
$\triangle ABC$는 $\angle B = 90°$인 직각이등변삼각형이다.

$$\therefore \triangle ABC = \frac{1}{2} \times \overline{AB} \times \overline{BC} = \frac{1}{2} \times \overline{AB}^2$$
$$= \frac{1}{2} \times 10 = 5$$

90 오른쪽 그림과 같이 점 A에서 $\overline{BC}$에 내린 수선의 발을 E라 하면 □AECD는 직사각형이므로 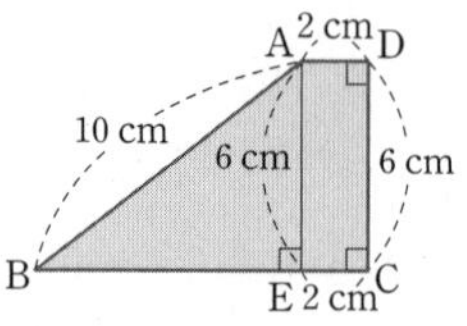
$\overline{AE} = \overline{DC} = 6\,\mathrm{cm}$, $\overline{EC} = \overline{AD} = 2\,\mathrm{cm}$
$\triangle ABE$에서
$$\overline{BE}^2 = \overline{AB}^2 - \overline{AE}^2 = 10^2 - 6^2 = 64$$
$$\therefore \overline{BE} = 8(\mathrm{cm})$$
따라서 $\overline{BC} = \overline{BE} + \overline{CE} = 8 + 2 = 10(\mathrm{cm})$이므로
$$\square ABCD = \frac{1}{2} \times (2+10) \times 6 = 36(\mathrm{cm}^2)$$

91 오른쪽 그림과 같이 점 C에서 $\overline{AD}$에 내린 수선의 발을 H라 하면 $\overline{AH} = \overline{BC} = 9\,\mathrm{cm}$이므로 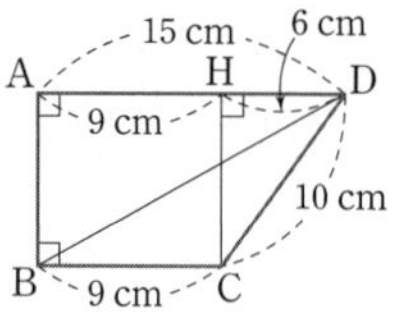
$$\overline{DH} = 15 - 9 = 6(\mathrm{cm})$$
$\triangle CDH$에서
$$\overline{CH}^2 = 10^2 - 6^2 = 64 \qquad \therefore \overline{CH} = 8(\mathrm{cm})$$
$\overline{AB} = \overline{CH} = 8\,\mathrm{cm}$이므로 $\triangle ABD$에서
$$\overline{BD}^2 = 8^2 + 15^2 = 289 \qquad \therefore \overline{BD} = 17(\mathrm{cm})$$
$$\therefore \overline{AB} + \overline{BD} = 8 + 17 = 25(\mathrm{cm})$$

92 오른쪽 그림과 같이 두 점 A, D에서 $\overline{BC}$에 내린 수선의 발을 각각 E, F라 하면 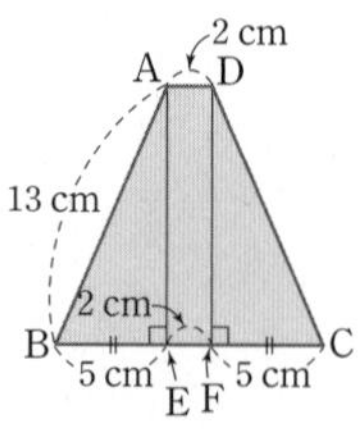
$$\overline{EF} = \overline{AD} = 2\,\mathrm{cm}$$
$$\overline{BE} = \overline{FC} = \frac{1}{2}(\overline{BC} - \overline{EF})$$
$$= 5\,\mathrm{cm}$$
$\triangle ABE$에서
$$\overline{AE}^2 = \overline{AB}^2 - \overline{BE}^2 = 13^2 - 5^2 = 144$$
$$\therefore \overline{AE} = 12(\mathrm{cm})$$
따라서 □ABCD의 넓이는
$$\frac{1}{2} \times (2+12) \times 12 = 84(\mathrm{cm}^2)$$

93 오른쪽 그림과 같이 두 점 A, D에서 $\overline{BC}$에 내린 수선의 발을 각각 P, Q라 하면 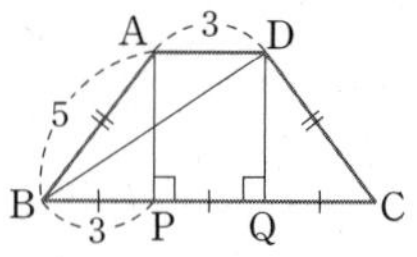
$$\overline{AD} = \overline{PQ} = 3$$
$$\overline{BP} = \overline{QC} = \frac{1}{2}(\overline{BC} - \overline{PQ}) = 3$$
또 $\triangle ABP$에서 $\overline{AP}^2 = 5^2 - 3^2 = 16$에서
$\overline{AP} = 4$이므로 $\overline{DQ} = \overline{AP} = 4$
따라서 $\triangle DBQ$에서 $\overline{BQ} = 6$, $\overline{DQ} = 4$이므로
$$\overline{BD}^2 = 4^2 + 6^2 = 52$$

94 $\overline{AE} = \overline{AD} = 13\,\mathrm{cm}$이므로 $\triangle ABE$에서 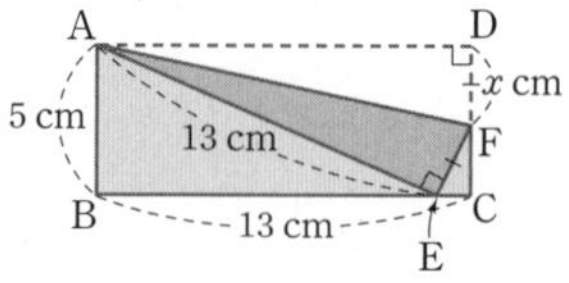
$$\overline{BE}^2 = 13^2 - 5^2$$
$$= 144$$
$$\therefore \overline{BE} = 12(\mathrm{cm})$$
$$\therefore \overline{CE} = \overline{BC} - \overline{BE} = 13 - 12 = 1(\mathrm{cm})$$
$\overline{DF} = x\,\mathrm{cm}$라 하면
$\overline{FC} = (5-x)\,\mathrm{cm}$, $\overline{EF} = x\,\mathrm{cm}$이고,
$\triangle ABE \infty \triangle ECF$이므로
$$x : (5-x) = 13 : 12, \quad 65 - 13x = 12x$$
$$25x = 65 \qquad \therefore x = \frac{13}{5}$$
따라서 직각삼각형 AEF의 넓이는
$$\triangle AEF = \frac{1}{2} \times \overline{AE} \times \overline{EF}$$
$$= \frac{1}{2} \times 13 \times \frac{13}{5} = \frac{169}{10}(\mathrm{cm}^2)$$

95 $\overline{DF} = \overline{EF} = x$, $\overline{AD} = \overline{AE} = y$라 하면
$\triangle ABE \infty \triangle ECF$이므로
$\overline{AB} : \overline{BE} = \overline{EC} : \overline{CF}$에서
$$8 : (y-4) = 4 : (8-x)$$
$$\therefore y = 20 - 2x \qquad \cdots\cdots ㉠$$
또 $\overline{AE} : \overline{AB} = \overline{EF} : \overline{EC}$에서
$$y : 8 = x : 4 \qquad \therefore y = 2x \qquad \cdots\cdots ㉡$$
㉠, ㉡을 연립하여 풀면 $x = 5$, $y = 10$
따라서 $\triangle AEF$에서 $\overline{AF}^2 = 10^2 + 5^2 = 125$

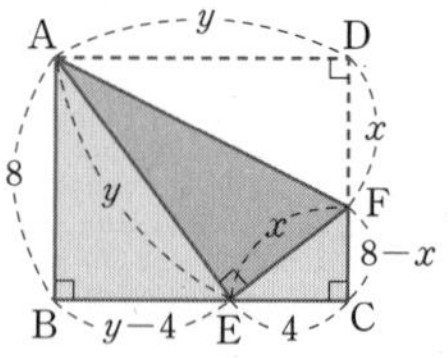

96 오른쪽 그림과 같이 점 B와 x축에 대하여 대칭인 점을 B′이라 하면 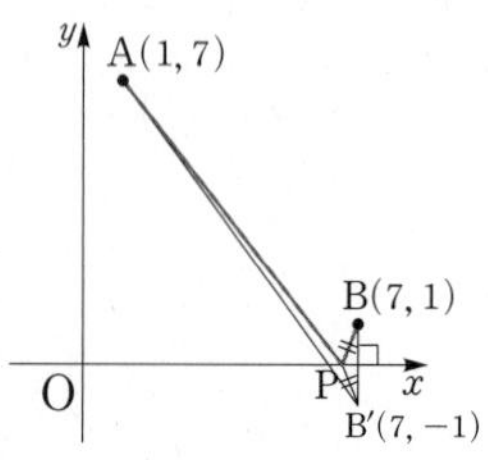
$$B'(7, -1)$$
$\overline{AP} + \overline{BP}$의 최솟값은

$\overline{AB'}$의 길이와 같으므로

$\overline{AB'}^2=(7-1)^2+(-1-7)^2=100$

$\therefore \overline{AB'}=10$

따라서 $\overline{AP}+\overline{BP}$의 최솟값은 10이다.

97 다음 그림과 같이 점 D와 $\overline{AB}$에 대하여 대칭인 점을 D$'$이라 하고 점 D$'$에서 $\overline{CA}$의 연장선에 내린 수선의 발을 H라 하면

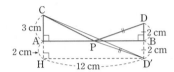

$\overline{CP}+\overline{PD}$의 최솟값은 $\overline{CD'}$의 길이와 같으므로

△CHD$'$에서

$\overline{CD'}^2=5^2+12^2=169$ $\therefore \overline{CD'}=13(\text{cm})$

따라서 $\overline{CP}+\overline{PD}$의 최솟값은 13 cm이다.

98 다음 그림과 같이 점 P와 S를 각각 $\overline{CD}$와 $\overline{AB}$에 대하여 대칭이동한 점을 P$'$, S$'$이라 하면 $\overline{SR}+\overline{RQ}+\overline{QP}$의 최솟값은 $\overline{S'P'}$의 길이와 같다. 점 S$'$에서 $\overline{BC}$의 연장선에 내린 수선의 발을 H라 하면

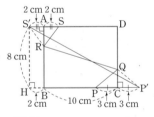

△S$'$HP$'$에서 $\overline{HP'}=2+10+3=15(\text{cm})$이므로

$\overline{S'P'}^2=8^2+15^2=289$ $\therefore \overline{S'P'}=17(\text{cm})$

따라서 $\overline{PQ}+\overline{QR}+\overline{RS}$의 최솟값은 17 cm이다.

99 오른쪽 그림의 전개도에서 구하는 최단 거리는 $\overline{AG}$의 길이이므로

$\overline{AG}^2=8^2+6^2=100$

$\therefore \overline{AG}=10(\text{cm})$

100 선이 지나는 부분의 전개도는 오른쪽 그림과 같다. 전개도에서 구하는 최단 거리는 $\overline{AD'}$의 길이이므로

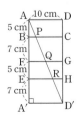

△AA$'$D$'$에서

$\overline{AD'}^2=24^2+10^2=676$

$\therefore \overline{AD'}=26(\text{cm})$

101 오른쪽 그림과 같은 전개도에서 구하는 실의 길이의 최솟값은 $\overline{AB'}$의 길이이다.

이때 $\overline{AA'}$은 원기둥의 밑면의 둘레의 길이와 같으므로

$\overline{AA'}=2\pi \times 4=8\pi(\text{cm})$

따라서 $\overline{AB'}^2=(8\pi)^2+(6\pi)^2=100\pi^2$이므로

$\overline{AB'}=10\pi(\text{cm})$

102 원기둥의 전개도에서 옆면의 가로의 길이 $\overline{AA'}$은 밑면인 원의 둘레의 길이인 $2\pi \times 2=4\pi(\text{cm})$이고, 최단 거리는 $\overline{AB'}$의 길이와 같다.

△AB$'$A$'$에서

$\overline{A'B'}^2=(5\pi)^2-(4\pi)^2=9\pi^2$

$\therefore \overline{A'B'}=3\pi(\text{cm})$

따라서 원기둥의 높이는 3π cm이다.

103 주어진 원기둥의 밑면인 원의 둘레의 길이는

$2\pi \times 3=6\pi(\text{cm})$

오른쪽 그림의 전개도에서 구하는 최단 거리는 $\overline{AB_2}$의 길이이다.

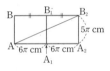

$\overline{AB_2}^2=(12\pi)^2+(5\pi)^2=169\pi^2$

$\therefore \overline{AB_2}=13\pi(\text{cm})$

따라서 최단 거리는 13π cm이다.

104

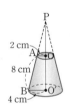 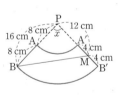

[그림 1]　　　　[그림 2]

[그림 1]과 같이 주어진 원뿔대로 원뿔을 만들면 △PAO∽△PBO$'$이고 닮음비가 $2:4=1:2$이므로

$\overline{PA}:(\overline{PA}+8)=1:2$ $\therefore \overline{PA}=8(\text{cm})$

[그림 2]와 같이 원뿔의 전개도를 그리면 $\overset{\frown}{BB'}$의 길이는 원뿔대의 밑면의 둘레의 길이와 같으므로 부채꼴 PBB$'$의 중심각의 크기를 $\angle x$라 하면

$2\pi \times 16 \times \dfrac{\angle x}{360^\circ}=2\pi \times 4$

$\therefore \angle x=90^\circ$

△PBM에서 $\overline{PM}=12 \text{ cm}$, $\overline{PB}=16 \text{ cm}$이므로

$\overline{BM}^2=16^2+12^2=400$ $\therefore \overline{BM}=20(\text{cm})$

따라서 구하는 최단 거리는 $20\,\text{cm}$이다.

105 $\triangle$OAB는 직각삼각형이므로

$\overline{AB}^2 = 10^2 - 5^2 = 75$

$\therefore$ (구하는 단면의 넓이)$= \pi \times \overline{AB}^2 = 75\pi\,(\text{cm}^2)$

106 오른쪽 그림과 같이 단면인 원 O'의 반지름의 길이를 $a\,\text{cm}$라 하면

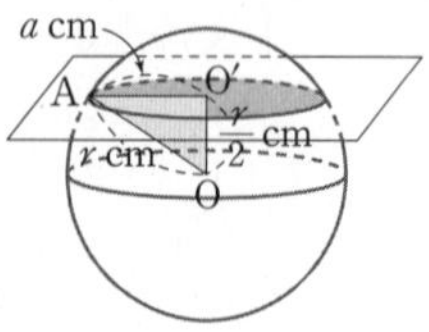

$\pi a^2 = 12\pi$ $\therefore a^2 = 12$

구 O의 반지름의 길이를 $r\,\text{cm}$라 하면

$\overline{OO'} = \dfrac{r}{2}\,\text{cm}$, $\overline{OA} = r\,\text{cm}$이므로

$\triangle$OAO'에서 $r^2 = \left(\dfrac{r}{2}\right)^2 + a^2 = \left(\dfrac{r}{2}\right)^2 + 12$

$r^2 = 16$ $\therefore r = 4$

$\therefore$ (구의 부피)$= \dfrac{4}{3}\pi \times 4^3 = \dfrac{256}{3}\pi\,(\text{cm}^3)$

107 $\overline{OA} = \overline{OC} = 5\,\text{cm}$이므로

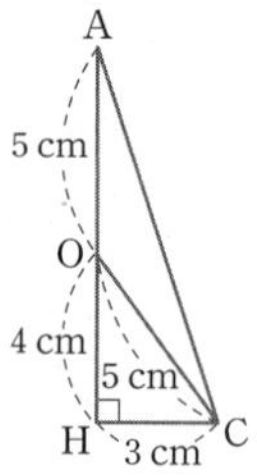

$\overline{OH} = 9 - 5 = 4\,(\text{cm})$

$\triangle$OHC에서

$\overline{CH}^2 = 5^2 - 4^2 = 9$ $\therefore \overline{CH} = 3\,(\text{cm})$

따라서 구하는 원뿔의 부피는

$\dfrac{1}{3} \times \pi \times 3^2 \times 9 = 27\pi\,(\text{cm}^3)$

단원 종합 문제

01 ②, ⑤	02 ③	03 ①	04 30	05 ③	06 $21\,\text{cm}^2$	07 ①	08 ④
09 $\dfrac{60}{13}\,\text{cm}$	10 ④	11 ④	12 $5\,\text{cm}$	13 ①	14 ④	15 $6800\,\text{m}^2$	

01 $\triangle$CDE $=\triangle$EAC

$\overline{AE} /\!/ \overline{DB}$이므로 $\triangle$EAC $=\triangle$EAB

$\triangle$EAB $\equiv \triangle$CAF(SAS 합동)

$\overline{AF} /\!/ \overline{CM}$이므로 $\triangle$CAF $=\triangle$LAF

$\triangle$LAF $=\triangle$FML

$\therefore \triangle$CDE $=\triangle$EAC $=\triangle$EAB $=\triangle$CAF

$\qquad\quad =\triangle$LAF $=\triangle$FML

따라서 $\triangle$CDE와 넓이가 같지 않은 것은 ②, ⑤이다.

02 $\triangle$ABC에서

$\overline{AB}^2 = 3^2 + 5^2 = 34$

$\therefore \square$AGHB $= \overline{AB}^2 = 34\,(\text{cm}^2)$

참고 $\triangle$ABC $\equiv \triangle$GAD $\equiv \triangle$HGE $\equiv \triangle$BHF이므로 $\overline{AB} = \overline{GA} = \overline{HG} = \overline{BH}$

또 $\triangle$ABC와 $\triangle$GAD에서 $\angle$ABC $=\angle$GAD이고

$\angle$ABC $+\angle$BAC $= 90°$이므로

$\angle$GAD $+\angle$BAC $= 90°$

$\therefore \angle$BAG $= 90°$

따라서 $\square$AGHB는 한 변의 길이가 $\overline{AB}$인 정사각형이다.

03 $2^2 + 6^2 = x^2 + y^2$이므로

$x^2 + y^2 = 40$

04 $\triangle$ABC에서 $\overline{AB}^2 = 6^2 + 8^2 = 100$

$\therefore \overline{AB} = 10\,(\text{cm})$

또 $\overline{AB}^2 + \overline{DE}^2 = \overline{AD}^2 + \overline{BE}^2$이므로

$10^2 + \overline{DE}^2 = 7^2 + 9^2$

$\therefore \overline{DE}^2 = 30$

05 $\triangle$ABC에서 $\overline{AC}^2 = 1^2 + 1^2 = 2$

$\triangle$ACD에서 $\overline{AD}^2 = 1^2 + 2 = 3$

$\triangle$ADE에서 $\overline{AE}^2 = 1^2 + 3 = 4$ $\therefore \overline{AE} = 2$

06 $\overline{BH} = \overline{HC} = 2\,\text{cm}$이므로

$\triangle$ABH에서

$\overline{AH}^2 = 5^2 - 2^2 = 21$

따라서 $\overline{AH}$를 한 변으로 하는 정사각형의 넓이는 $21\,\text{cm}^2$이다.

07 $\overline{AB}^2 = (-5-7)^2 + \{a - (-1)\}^2 = 13^2$에서

$(a+1)^2=25$, $a+1=-5$

$\therefore a=4$ 또는 $a=-6$

이때 $a<0$이므로 $a=-6$

08 $\overline{AB}^2=(0-2)^2+(-5-1)^2=40$

$\overline{BC}^2=(-4-0)^2+(-1+5)^2=32$

$\overline{CA}^2=(2+4)^2+(1+1)^2=40$

따라서 $\triangle ABC$는 $\overline{AB}=\overline{AC}$인 이등변삼각형이다.

09 $\triangle ABC$에서 $\overline{BC}^2=13^2-12^2=25$

$\therefore \overline{BC}=5(cm)$

$\overline{AC}\times\overline{BC}=\overline{AB}\times\overline{CH}$이므로

$12\times5=13\times\overline{CH}$

$\therefore \overline{CH}=\dfrac{60}{13}(cm)$

10 ㄴ. $\angle B<90°$이면 $b^2<a^2+c^2$

ㄹ. $\angle C>90°$이면 $\angle A<90°$이므로

$a^2<b^2+c^2$

따라서 옳은 것은 ㄱ, ㄷ, ㄹ, ㅁ의 4개이다.

11 오른쪽 그림에서 $11^2>6^2+8^2$

이므로 $\angle B>90°$

따라서 $\triangle ABC$는 $\angle B>90°$

인 둔각삼각형이다.

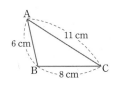

12 $\overline{DF}=\overline{AD}=10\,cm$이

므로

$\triangle CDF$에서 피타고

라스 정리에 의해

$\overline{CF}^2=\overline{DF}^2-\overline{CD}^2$

$=10^2-8^2=36$

$\therefore \overline{CF}=6(cm)$

$\therefore \overline{BF}=\overline{BC}-\overline{CF}=10-6=4(cm)$

이때 $\overline{EF}=x\,cm$라 하면 $\overline{AE}=x\,cm$이므로

$\overline{BE}=(8-x)\,cm$

$\triangle BEF \backsim \triangle CFD$이므로

$x:(8-x)=10:6$, $80-10x=6x$, $16x=80$

$\therefore x=5$

따라서 $\overline{EF}$의 길이는 $5\,cm$이다.

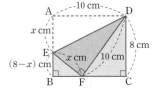

13 어두운 부분의 넓이는 직각삼각형 ABC의 넓이와

같으므로 구하는 넓이는 $\dfrac{1}{2}\times12\times5=30(cm^2)$

14 $\overline{BC}^2=4$에서 $\overline{BC}=2(cm)$

$\overline{CE}^2=36$에서 $\overline{CE}=\overline{EF}=6\,cm$

따라서 $\triangle BEF$에서 $\overline{BF}^2=8^2+6^2=100$

$\therefore \overline{BF}=10(cm)$

15 건물 (가), (나)의 밑면의 넓

이가 각각 $2500\,m^2$, $900\,m^2$

이므로 건물 (가), (나)의 밑

면의 한 변의 길이는 각각

$50\,m$, $30\,m$이다. 오른쪽 그

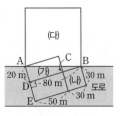

림과 같이 건물 (나)의 밑면의 한 변 $\overline{BC}$의 연장선이

건물 (가)의 밑면의 한 변과 만나는 점을 D라 하면

$\overline{AD}=\overline{AE}-\overline{DE}=50-30=20(m)$

$\overline{BD}=\overline{CD}+\overline{BC}=50+30=80(m)$

$\triangle ABD$에서

$\overline{AB}^2=\overline{AD}^2+\overline{BD}^2=20^2+80^2=6800$

따라서 건물 (다)의 밑면의 넓이는

$\overline{AB}^2=6800\,m^2$

1 경우의 수
주제별 실력다지기

본문 154~168쪽

01 10	02 ④	03 ①	04 288	05 ②	06 ③	07 ③	08 ④
09 120가지	10 ③	11 48	12 ⑤	13 8	14 32	15 ④	16 14번째
17 ③	18 ④	19 4	20 10	21 ③	22 ②	23 ③	24 20
25 27개	26 12	27 4	28 9	29 27	30 ④	31 ①	32 ⑤
33 ③	34 ④	35 42	36 ③	37 7개	38 ③	39 20개	40 24
41 ③	42 ③	43 12	44 72	45 ③	46 ①	47 ⑤	48 12
49 ②	50 ③	51 34	52 ③	53 ①	54 21번	55 ③	56 10
57 ⑤	58 ④	59 ⑤	60 24	61 ③	62 18	63 ⑤	64 ③
65 7	66 35	67 20	68 70개	69 19	70 36개	71 18개	72 80
73 6	74 ④	75 ②					

01 빨간색 또는 파란색 또는 검정색 펜 중에서 1자루를 사는 경우의 수는
$3+5+2=10$

02 1부터 20까지의 자연수 중 4의 배수는 4, 8, 12, 16, 20의 5가지이고, 9의 배수는 9, 18의 2가지이므로 구하는 경우의 수는
$5+2=7$

03 3의 배수는 3, 6, 9, 12, 15의 5가지, 4의 배수는 4, 8, 12의 3가지이고 3과 4의 공배수는 12의 1가지이므로 구하는 경우의 수는
$5+3-1=7$

04 동전 1개를 던지면 앞면, 뒷면의 2가지, 주사위 1개를 던지면 눈의 수가 1에서 6까지의 6가지가 나오므로 구하는 경우의 수는
$(2\times2\times2)\times(6\times6)=288$

05 순서쌍 (a, b)에서 a의 값은 3개이고, 그 각각의 경우에 대하여 b의 값이 4개가 올 수 있으므로 구하는 순서쌍은
$3\times4=12$(개)

06 1부터 10까지의 자연수 중 3의 배수는 3, 6, 9의 3가지이고, 4의 배수는 4, 8의 2가지이므로 구하는 경우의 수는
$3\times2=6$

07 서로 다른 두 개의 동전을 A, B라 하면 동전 A에서 나오는 경우는 앞면과 뒷면의 2가지이고, 이때 동전 B의 경우는 1가지로 정해진다. 이 각각의 경우에 대하여 주사위의 홀수의 눈이 나오는 경우는 1, 3, 5의 3가지이므로 구하는 경우의 수는 $2\times1\times3=6$

다른 풀이 서로 다른 두 개의 동전을 A, B, 주사위를 C라 하면

따라서 구하는 경우의 수는 6이다.

08 각 전구는 불이 켜진 경우와 꺼진 경우로 2가지가 있고, 불이 모두 꺼진 경우는 신호로 생각하지 않으므로 구하는 신호의 가짓수는
$(2\times2\times2\times2\times2)-1=31$(가지)

09 A에 칠할 수 있는 색은 5가지, 그 각각의 경우에 대하여 B, C, D에 칠할 수 있는 색은 차례로 4가지, 3가지, 2가지이므로 색칠할 수 있는 방법은
$5\times4\times3\times2=120$(가지)

10 A에 칠할 수 있는 색은 3가지, B에는 A에 칠하지 않은 2가지의 색을 칠할 수 있고, C에는 B에 칠하지 않은 2가지의 색을 칠할 수 있으므로 구하는 방법의 수는
$3\times2\times2=12$

11 A에 칠할 수 있는 색은 4가지, B에는 A에 칠하지 않은 3가지의 색을 칠할 수 있고, C에는 A, B에 칠하지 않은 2가지의 색을 칠할 수 있다. 또한 D에는 A, C에 칠하지 않은 2가지의 색을 칠할 수 있으므로 구하는 방법의 수는

$4 \times 3 \times 2 \times 2 = 48$

12 다, 나, 가, 라, 마에 칠할 수 있는 색은 차례로 5가지, 4가지, 3가지, 3가지, 3가지이므로 구하는 경우의 수는

$5 \times 4 \times 3 \times 3 \times 3 = 540$

13 (i) A → B로 가는 방법은 2가지
(ii) A → P → B로 가는 방법은 $3 \times 2 = 6$(가지)
(i), (ii)에 의하여 구하는 방법의 수는 $2 + 6 = 8$

14 (i) A → B → C로 가는 방법은
$4 \times 1 = 4$(가지)
(ii) A → B → D → C로 가는 방법은
$4 \times 2 \times 2 = 16$(가지)
(iii) A → D → C로 가는 방법은
$3 \times 2 = 6$(가지)
(iv) A → D → B → C로 가는 방법은
$3 \times 2 \times 1 = 6$(가지)
(i)~(iv)에 의하여 구하는 방법의 수는
$4 + 16 + 6 + 6 = 32$

15 두 수의 합이 짝수가 되는 경우는 (짝수)+(짝수), (홀수)+(홀수)일 때이다.
두 주사위 A, B를 동시에 던져서 나온 눈의 수를 순서쌍 (a, b)로 나타낼 때
(i) (짝수, 짝수)인 경우는 $3 \times 3 = 9$(가지)
(ii) (홀수, 홀수)인 경우는 $3 \times 3 = 9$(가지)
(i), (ii)에 의하여 구하는 경우의 수는
$9 + 9 = 18$

16 (i) $a \square \square \square$인 경우
$3 \times 2 \times 1 = 6$(가지)
(ii) $b \square \square \square$인 경우
$3 \times 2 \times 1 = 6$(가지)
(iii) $cabd$, $cadb$의 2가지
(i)~(iii)에 의하여 $6 + 6 + 2 = 14$이므로 $cadb$는 14번째에 오는 문자이다.

17 두 눈의 수의 합이 6이 되는 경우의 수는
$(1, 5)$, $(2, 4)$, $(3, 3)$, $(4, 2)$, $(5, 1)$이므로 5이다.

18 한 개의 동전이 앞면 또는 뒷면이 나오는 경우의 수는 2가지이고, 그 각각의 경우에 대하여 두 주사위의 눈의 수의 합이 8이 되는 경우는 $(2, 6)$, $(3, 5)$, $(4, 4)$, $(5, 3)$, $(6, 2)$의 5가지이므로 구하는 경우의 수는
$2 \times 5 = 10$

19 두 직선의 교점의 x좌표가 1이므로 $y = a + 1$, $y = 2 + b$에서 $a + 1 = 2 + b$ ∴ $a - b = 1$
$a - b = 1$을 만족하는 순서쌍 (a, b)는
$(2, 1)$, $(3, 2)$, $(4, 3)$, $(5, 4)$, $(6, 5)$이고, 이 중에서 $(2, 1)$일 때 두 직선은 일치한다.
따라서 구하는 경우의 수는 $(3, 2)$, $(4, 3)$, $(5, 4)$, $(6, 5)$의 4이다.

20 (i) 합이 13인 경우
$(3, 5, 5)$, $(5, 3, 5)$, $(5, 5, 3)$, $(4, 4, 5)$, $(4, 5, 4)$, $(5, 4, 4)$의 6가지
(ii) 합이 14인 경우
$(4, 5, 5)$, $(5, 4, 5)$, $(5, 5, 4)$의 3가지
(iii) 합이 15인 경우
$(5, 5, 5)$의 1가지
(i)~(iii)에 의하여 구하는 경우의 수는
$6 + 3 + 1 = 10$

21 세 사람이 가위바위보를 할 때, 일어나는 모든 경우의 수는 $3 \times 3 \times 3 = 27$
이때 비기는 경우는 다음과 같다.
(i) 세 사람이 모두 같은 것을 내는 경우
모두 가위 또는 모두 바위 또는 모두 보를 내는 경우의 3가지
(ii) 세 사람이 모두 다른 것을 내는 경우
첫 번째 사람이 낼 수 있는 경우 3가지에 대하여 두 번째, 세 번째 사람은 각각 2가지, 1가지를 낼 수 있으므로
$3 \times 2 \times 1 = 6$(가지)
따라서 승패가 결정되는 경우의 수는 모든 경우의 수에서 (i), (ii)의 경우를 뺀 것이므로
$27 - (3 + 6) = 18$

22 삼각형이 되려면 가장 긴 변의 길이가 나머지 두 변의 길이의 합보다 작아야 한다.

따라서 삼각형은 2 cm, 5 cm, 6 cm와 3 cm, 5 cm, 6 cm로 만들 수 있으므로 구하는 경우의 수는 2이다.

다른 풀이 4개의 선분 중 3개를 선택하는 경우는

$$\frac{4\times3\times2}{3\times2\times1}=4(가지)$$

이고, 이 중 2 cm, 3 cm, 5 cm와 2 cm, 3 cm, 6 cm로는 삼각형을 만들 수 없으므로 구하는 경우의 수는

$$4-2=2$$

23 $f(a)$, $f(b)$, $f(c)$의 값이 될 수 있는 수는 y의 값인 1, 2, 3이고 중복해서 사용해도 되므로 $f(a)+f(b)+f(c)=5$가 되는 경우는 다음과 같다.

$$
\begin{array}{ccc}
f(a) & f(b) & f(c)\\
\end{array}
$$

$$
1 \begin{cases} 1 - 3 \\ 2 - 2 \\ 3 - 1 \end{cases}
$$

$$
2 \begin{cases} 1 - 2 \\ 2 - 1 \end{cases}
$$

$$
3 - 1 - 1
$$

따라서 구하는 경우의 수는 6이다.

24 $x_1<x_2$이면 $f(x_1)<f(x_2)$이므로 x의 값이 다르면 함숫값도 다르다.

따라서 함숫값은 3개이고 선택된 함숫값들은 x의 값에 따라 정해진다.

예를 들어 함숫값이 2, 4, 5가 되는 경우는

$f(1)=2$, $f(2)=4$, $f(3)=5$로 1가지이다.

그러므로 위의 조건을 만족하는 함수의 개수는 6개의 y의 값 중 3개를 순서에 상관없이 뽑는 경우의 수와 같으므로

$$\frac{6\times5\times4}{3\times2\times1}=20$$

25 (i) 같은 숫자가 1인 경우

$11a$, $1a1$의 2가지이고, 그 각각에 대하여 a는 0, 2, 3, 4, 5, 6, 7, 8, 9의 9가지

∴ $2\times9=18$

(ii) 같은 숫자가 1이 아닌 경우

$1aa$의 1가지이고, a는 0, 2, 3, 4, 5, 6, 7, 8, 9의 9가지

∴ $1\times9=9$

(i), (ii)에 의하여 구하는 자연수는

$$18+9=27(개)$$

26 $\dfrac{10a+b}{75}=\dfrac{10a+b}{3\times5^2}$이므로 유한소수가 되기 위해서는 $10a+b$가 3의 배수가 되어야 한다.

$10a+b=9a+(a+b)$이므로 $10a+b$가 3의 배수가 되기 위해서는 $a+b$가 3의 배수가 되어야 한다.

$1\le a\le6$, $1\le b\le6$이므로 $2\le a+b\le12$에서 가능한 $a+b$의 값은 3, 6, 9, 12이다.

(i) $a+b=3$일 때,

(a, b)는 $(1, 2)$, $(2, 1)$의 2가지

(ii) $a+b=6$일 때,

(a, b)는 $(1, 5)$, $(2, 4)$, $(3, 3)$, $(4, 2)$, $(5, 1)$의 5가지

(iii) $a+b=9$일 때,

(a, b)는 $(3, 6)$, $(4, 5)$, $(5, 4)$, $(6, 3)$의 4가지

(iv) $a+b=12$일 때,

(a, b)는 $(6, 6)$의 1가지

(i)~(iv)에 의하여 $\dfrac{10a+b}{75}$를 유한소수로 나타낼 수 있는 경우의 수는 $2+5+4+1=12$

27 문섭이와 강식이가 자장면을 받으면 기훈이와 승우는 짬뽕을 받게 되어 4명이 모두 자신이 주문한 음식을 받게 된다. 2명만이 자신이 주문한 음식을 받으려면 문섭이와 강식이 중 한 명만이 자장면을 받아야 하고, 기훈이와 승우 중 한 명만이 짬뽕을 받아야 한다. 따라서 문섭 또는 강식이가 자장면을 받는 사람인 경우는 2가지, 기훈 또는 승우가 짬뽕을 받는 사람인 경우는 2가지이므로 구하는 경우의 수는

$$2\times2=4$$

28 수험생 4명을 A, B, C, D라 하고, 4명의 이름이 적힌 4개의 의자를 차례로 a, b, c, d라 하면 모두 자신의 자리가 아닌 의자에 앉게 되는 경우는 다음과 같다.

$$
\begin{array}{cccc}
A & B & C & D
\end{array}
$$

$$
b \begin{cases} a - d - c \\ c - d - a \\ d - a - c \end{cases}
$$

$$
c \begin{cases} a - d - b \\ d \begin{cases} a - b \\ b - a \end{cases} \end{cases}
$$

$$
d \begin{cases} a - b - c \\ c \begin{cases} a - b \\ b - a \end{cases} \end{cases}
$$

따라서 구하는 경우의 수는 9이다.

29 각각의 동전을 적어도 1개 이상 사용하여 돈을 지불하는 방법은 각 동전마다 1개, 2개, 3개를 사용하는 3가지씩이다.

따라서 구하는 방법의 수는

$3 \times 3 \times 3 = 27$

30 500원짜리 동전을 지불하는 방법은 0개, 1개, 2개의 3가지이고, 100원짜리 동전을 지불하는 방법은 0개, 1개, 2개, 3개의 4가지이므로 지불할 수 있는 금액은

$3 \times 4 = 12$(가지)

그런데 문제에서 지불하는 금액이 0원인 경우는 제외한다고 했으므로 지불할 수 있는 금액은

$12 - 1 = 11$(가지)

다른 풀이 지불할 수 있는 금액은 다음 표와 같다.

100원짜리 500원짜리	0개	1개	2개	3개
0개	0원	100원	200원	300원
1개	500원	600원	700원	800원
2개	1000원	1100원	1200원	1300원

이때 지불하는 금액이 0원인 경우를 제외하면 모두 11가지이다.

31 주어진 동전을 이용하여 700원을 지불할 수 있는 방법을 표로 나타내면 다음과 같다.

100원짜리 동전의 개수	7	6	6	5	5	4
50원짜리 동전의 개수	0	2	1	4	3	5
10원짜리 동전의 개수	0	0	5	0	5	5

따라서 지불할 수 있는 경우의 수는 6이다.

32 천의 자리, 백의 자리, 십의 자리, 일의 자리에 차례로 5가지, 4가지, 3가지, 2가지의 숫자가 올 수 있으므로 만들 수 있는 네 자리의 정수는

$5 \times 4 \times 3 \times 2 = 120$(개)

33 짝수이려면 일의 자리의 수가 짝수, 즉 2 또는 4이어야 한다.

(i) □2인 경우는 12, 32, 42의 3개

(ii) □4인 경우는 14, 24, 34의 3개

(i), (ii)에 의하여 구하는 짝수는

$3 + 3 = 6$(개)

34 350보다 작은 세 자리의 정수는 다음과 같다.

(i) 1□□인 경우는 $4 \times 3 = 12$(개)

(ii) 2□□인 경우는 $4 \times 3 = 12$(개)

(iii) 31□, 32□, 34□인 경우는 각각 3개

(i)~(iii)에 의하여 구하는 정수는

$12 + 12 + 3 + 3 + 3 = 33$(개)

35 한 개의 주사위에서 나올 수 있는 눈의 수는 1, 2, 3, 4, 5, 6으로 모두 6가지이다. 두 개의 주사위를 동시에 던져서 나온 눈의 수는 중복될 수 있으므로

(i) 1□인 경우는 6개

(ii) 2□인 경우는 6개

(iii) 3□인 경우는 6개

(iv) 41, 42의 2개

(i)~(iv)에 의하여 20번째로 작은 수는 42이다.

36 백의 자리에는 0을 제외한 1, 2, 3, 4, 5의 5가지가 올 수 있고, 십의 자리에는 0을 포함하고 백의 자리에 사용한 숫자를 제외한 5가지가 올 수 있고, 일의 자리에는 0을 포함하고 백의 자리와 십의 자리에 사용한 숫자를 제외한 4가지가 올 수 있다.

□ □ □
↓ ↓ ↓
5가지 5가지 4가지

따라서 만들 수 있는 세 자리의 정수는

$5 \times 5 \times 4 = 100$(개)

37 짝수이려면 일의 자리의 수가 0, 2, 6이어야 한다.

(i) □0인 경우는 20, 50, 60의 3개

(ii) □2인 경우는 52, 62의 2개

(iii) □6인 경우는 26, 56의 2개

(i)~(iii)에 의하여 구하는 짝수는

$3 + 2 + 2 = 7$(개)

38 43 이하인 두 자리의 정수는 다음과 같다.

(i) 1□인 경우는 5개

(ii) 2□인 경우는 5개

(iii) 3□인 경우는 5개

(iv) 40, 41, 42, 43의 4개

(i)~(iv)에 의하여 구하는 정수는

$5 + 5 + 5 + 4 = 19$(개)

39 3의 배수가 되려면 각 자리의 숫자의 합이 3의 배수가 되어야 한다.

(i) (0, 1, 2)로 만들 수 있는 세 자리의 정수는

$2 \times 2 \times 1 = 4$(개)

(ii) (0, 2, 4)로 만들 수 있는 세 자리의 정수는

$2 \times 2 \times 1 = 4$(개)

(iii) (1, 2, 3)으로 만들 수 있는 세 자리의 정수는
$3 \times 2 \times 1 = 6$(개)

(iv) (2, 3, 4)로 만들 수 있는 세 자리의 정수는
$3 \times 2 \times 1 = 6$(개)

(i)~(iv)에 의하여 구하는 정수는
$4 + 4 + 6 + 6 = 20$(개)

40 남학생을 A, B, 여학생을 C, D, E라 하고, 남학생과 여학생을 각각 한 묶음으로 생각하면
$\boxed{\text{A, B}}$, $\boxed{\text{C, D, E}}$를 한 줄로 세우는 경우의 수는
$2 \times 1 = 2$
남학생끼리의 묶음 안에서 자리를 바꾸는 경우의 수는 $2 \times 1 = 2$
여학생끼리의 묶음 안에서 자리를 바꾸는 경우의 수는 $3 \times 2 \times 1 = 6$
따라서 구하는 경우의 수는
$2 \times 2 \times 6 = 24$

41 곰 인형을 A, B, C, D, 강아지 인형을 E, F라 하면 구하는 경우의 수는 E, F를 1개로 묶어서
A, B, C, D, $\boxed{\text{E, F}}$의 5개를 한 줄로 세우는 경우의 수에 E, F의 위치가 바뀌는 경우의 수 2를 곱한 것과 같다.
따라서 구하는 경우의 수는
$(5 \times 4 \times 3 \times 2 \times 1) \times 2 = 240$

42 할아버지, 할머니, 아버지, 어머니를 각각 A, B, C, D라 하고 자녀 2명을 E, F라 하자. A, B와 C, D를 각각 묶어 $\boxed{\text{A, B}}$, $\boxed{\text{C, D}}$, E, F의 4명을 한 줄로 세우는 경우의 수는
$4 \times 3 \times 2 \times 1 = 24$
2개의 묶음 안에서 자리를 바꾸어 서는 경우의 수는
$(2 \times 1) \times (2 \times 1) = 4$
따라서 구하는 경우의 수는
$24 \times 4 = 96$

43 민주와 은빛이를 제외한 보라와 정원이를 다음 그림과 같이 먼저 세운다.

$\boxed{}\;\boxed{\text{보라}}\;\boxed{}\;\boxed{\text{정원}}\;\boxed{}$

이때 보라와 정원이가 한 줄로 서는 경우의 수는
$2 \times 1 = 2$
세 개의 $\boxed{}$ 중 두 군데에 민주와 은빛이가 서는

경우의 수는
$3 \times 2 = 6$
따라서 구하는 경우의 수는
$2 \times 6 = 12$

다른 풀이 전체의 경우의 수에서 민주와 은빛이가 이웃하여 서는 경우의 수를 빼면 된다.
모든 경우의 수는
$4 \times 3 \times 2 \times 1 = 24$
민주와 은빛이가 이웃하여 서는 경우의 수는
$(3 \times 2 \times 1) \times (2 \times 1) = 12$
따라서 구하는 경우의 수는
$24 - 12 = 12$

44 다음 그림과 같이 한자리씩 띄워 배열된 세 군데의 ○에 홀수인 수 1, 3, 5를 먼저 배열한 후 그 사이사이인 네 군데의 × 중 두 군데에 짝수인 수 2, 4를 배열한다.

$\times \; \bigcirc \; \times \; \bigcirc \; \times \; \bigcirc \; \times$

따라서 구하는 정수의 개수는
$(3 \times 2 \times 1) \times (4 \times 3) = 72$

45 현정이를 가운데 서도록 고정한 후 나머지 4명 중 2명을 뽑아 한 줄로 세우는 경우와 같으므로 구하는 경우의 수는
$4 \times 3 = 12$

$\boxed{}\;\;\text{현정}\;\;\boxed{}$
$\uparrow \qquad\qquad \uparrow$
4가지 $\qquad$ 3가지

46 문제의 조건을 그림으로 나타내면 다음과 같다.

$\boxed{\text{빨간색 CD}}\;\;\square\;\square\;\square\;\square\;\square\;\;\boxed{\text{보라색 CD}}$

따라서 구하는 경우의 수는 다섯 군데의 □에 남은 5가지 색깔의 CD를 한 줄로 세우는 경우의 수와 같으므로
$5 \times 4 \times 3 \times 2 \times 1 = 120$

47 (i) □□□□K인 경우는
$4 \times 3 \times 2 \times 1 = 24$(가지)

(ii) □□□□E인 경우는
$4 \times 3 \times 2 \times 1 = 24$(가지)

(i), (ii)에 의하여 K 또는 E가 맨 뒤에 오는 경우의 수는
$24 + 24 = 48$

48 (i) A○○○인 경우

$3 \times 2 \times 1 = 6$(가지)

(ii) ○A○○인 경우

B가 A 앞에 설 수 없으므로 A 앞자리에는 C 또는 D만 설 수 있다.

∴ $2 \times 2 \times 1 = 4$(가지)

(iii) ○○A○인 경우

B가 A 앞에 설 수 없으므로 A 뒷자리에 B가 서게 된다.

∴ $2 \times 1 = 2$(가지)

(i)~(iii)에 의하여 구하는 경우의 수는

$6 + 4 + 2 = 12$

49 오른쪽 그림에서

(i) A에서 C까지 최단 거리로 가는 방법은 3가지

(ii) C에서 B까지 최단 거리로 가는 방법은 10가지

(i), (ii)에 의하여 A에서 C를 거쳐 B까지 최단 거리로 가는 방법의 수는

$3 \times 10 = 30$

다른 풀이 오른쪽 그림과 같은 방법을 사용하면 구하는 경우의 수는 30이다.

50 오른쪽 그림에서

(i) 나연이네 집에서 서점까지 최단 거리로 가는 방법은 6가지

(ii) 서점에서 현정이네 집까지 최단 거리로 가는 방법은 3가지

(i), (ii)에 의하여 나연이네 집에서 서점을 들러 현정이네 집까지 최단 거리로 가는 방법의 수는

$6 \times 3 = 18$

51 오른쪽 그림에서

(i) 집에서 학원까지 최단 거리로 가는 방법은 70가지

(ii) 집에서 PC방까지 최단 거리로 가는 방법은 6가지이고, PC방에서 학원까

지 최단 거리로 가는 방법이 6가지이므로 집에서 PC방을 지나 학원까지 최단 거리로 가는 방법은

$6 \times 6 = 36$(가지)

(i), (ii)에 의하여 집에서 PC방을 지나지 않고 학원까지 최단 거리로 가는 방법의 수는

(전체 방법의 수)$-$(PC방을 지나는 방법의 수)

$= 70 - 36 = 34$

52 다음 그림과 같이 윷짝의 등과 배를 각각 H, T라 하면

 ⇒ H, 　 ⇒ T

개는 H가 2개, T가 2개 나오는 경우이다.

따라서 4개의 윷짝 중 순서를 생각하지 않고 2개를 선택하는 경우의 수는 4개의 윷짝 중 자격이 같은 2개를 뽑는 경우의 수와 같으므로 $\dfrac{4 \times 3}{2 \times 1} = 6$

53 A팀과 B팀이 시합하는 경우와 B팀과 A팀이 시합하는 경우가 같으므로 5개의 축구팀 중 자격이 같은 2팀을 뽑는 경우와 같다.

∴ $\dfrac{5 \times 4}{2 \times 1} = 10$(번)

54 A와 B가 악수하는 경우와 B와 A가 악수하는 경우가 같으므로 7명 중 자격이 같은 2명을 뽑는 경우와 같다.

∴ $\dfrac{7 \times 6}{2 \times 1} = 21$(번)

55 동창회에 참석한 인원을 n명이라 하면 n명 중 자격이 같은 2명을 뽑는 경우의 수가 45이므로

$\dfrac{n(n-1)}{2 \times 1} = 45$, $n(n-1) = 90$　∴ $n = 10$

따라서 동창회에 참석한 인원은 모두 10명이다.

56 서로 다른 5개의 축구공 중 3개를 순서에 관계없이 뽑는 방법의 수이므로

$\dfrac{5 \times 4 \times 3}{3 \times 2 \times 1} = 10$

57 7명 중에서 자격이 다른 3명을 뽑는 경우의 수이므로

$7 \times 6 \times 5 = 210$

58 (i) 남자가 회장, 여자가 부회장이 되는 경우의 수는

$3 \times 2 = 6$

(ii) 여자가 회장, 남자가 부회장이 되는 경우의 수는

$2 \times 3 = 6$

(i), (ii)에 의하여 구하는 경우의 수는

$6 + 6 = 12$

59 현정이가 회장 또는 부회장 또는 총무가 되는 경우의 수는 3이고, 그 각각의 경우에 대하여 나머지 자격이 다른 두 학생이 뽑히는 경우의 수는

$4 \times 3 = 12$

따라서 구하는 경우의 수는

$3 \times 12 = 36$

60 (i) 김씨 4명 중에서 대표와 부대표가 모두 뽑히는 경우의 수는

$4 \times 3 = 12$

(ii) 박씨 3명 중에서 대표와 부대표가 모두 뽑히는 경우의 수는

$3 \times 2 = 6$

(iii) 이씨 3명 중에서 대표와 부대표가 모두 뽑히는 경우의 수는

$3 \times 2 = 6$

(i)~(iii)에 의하여 구하는 경우의 수는

$12 + 6 + 6 = 24$

61 4명 중에서 자격이 같은 3명을 뽑는 경우의 수이므로

$\dfrac{4 \times 3 \times 2}{3 \times 2 \times 1} = 4$

62 (i) 농구공 6개 중에서 2개를 꺼내는 경우의 수는

$\dfrac{6 \times 5}{2 \times 1} = 15$

(ii) 축구공 3개 중에서 2개를 꺼내는 경우의 수는

$\dfrac{3 \times 2}{2 \times 1} = 3$

(i), (ii)에 의하여 구하는 경우의 수는

$15 + 3 = 18$

63 (i) 남학생 5명 중 2명을 뽑는 경우의 수는

$\dfrac{5 \times 4}{2 \times 1} = 10$

(ii) 여학생 4명 중 2명을 뽑는 경우의 수는

$\dfrac{4 \times 3}{2 \times 1} = 6$

(i), (ii)에 의하여 구하는 경우의 수는

$10 \times 6 = 60$

64 여학생 2명 중 1명을 먼저 뽑는 경우는 2가지이고, 그 각각의 경우에 대하여 나머지 2명의 대표를 남학생 5명 중에서 뽑는 경우는

$\dfrac{5 \times 4}{2 \times 1} = 10$(가지)

따라서 구하는 경우의 수는

$2 \times 10 = 20$

65 (i) 5명 중에서 2명의 대표를 뽑는 모든 경우의 수는

$\dfrac{5 \times 4}{2 \times 1} = 10$

(ii) 여학생이 한 명도 뽑히지 않는 경우의 수는 남학생 3명 중에서 2명의 대표를 뽑는 경우의 수와 같으므로

$\dfrac{3 \times 2}{2 \times 1} = 3$

(i), (ii)에 의하여 구하는 경우의 수는 $10 - 3 = 7$

다른 풀이 (i) 여학생이 1명 뽑히는 경우의 수는 2이고, 그 각각의 경우에 대하여 남학생이 1명 뽑히는 경우의 수는 3이므로

$2 \times 3 = 6$

(ii) 여학생이 2명 모두 뽑히는 경우의 수는 1

(i), (ii)에 의하여 구하는 경우의 수는

$6 + 1 = 7$

66 6개의 점 중 2개를 연결하여 만들 수 있는 선분의 개수 a는

$a = \dfrac{6 \times 5}{2 \times 1} = 15$

6개의 점 중 3개를 연결하여 만들 수 있는 삼각형의 개수 b는

$b = \dfrac{6 \times 5 \times 4}{3 \times 2 \times 1} = 20$

$\therefore a + b = 15 + 20 = 35$

67 $\overrightarrow{AB} \neq \overrightarrow{BA}$이므로 5개의 점 중 2개를 연결하여 만들 수 있는 반직선의 개수는 5개의 점 중 2개를 선택하여 순서대로 나열하는 경우의 수와 같다.

따라서 구하는 반직선의 개수는 $5 \times 4 = 20$

68 (i) 직선 l 위의 한 점과 직선 m 위의 두 점을 연결하여 만드는 경우

$$4 \times \frac{5 \times 4}{2 \times 1} = 40(개)$$

(ii) 직선 l 위의 두 점과 직선 m 위의 한 점을 연결하여 만드는 경우

$$\frac{4 \times 3}{2 \times 1} \times 5 = 30(개)$$

(i), (ii)에 의하여 만들 수 있는 삼각형의 개수는

$$40 + 30 = 70(개)$$

다른 풀이 전체 A~I까지의 9개의 점 중 3개를 선택하는 경우는

$$\frac{9 \times 8 \times 7}{3 \times 2 \times 1} = 84(가지)$$

이고, 이 중 직선 l 위의 점 4개 중 3개를 선택하면 삼각형이 되지 않고, 직선 m 위의 점 5개 중 3개를 선택해도 삼각형이 되지 않는다.

따라서 만들 수 있는 삼각형의 개수는

$$84 - \left(\frac{4 \times 3 \times 2}{3 \times 2 \times 1} + \frac{5 \times 4 \times 3}{3 \times 2 \times 1} \right)$$
$$= 84 - (4 + 10) = 70$$

69 세 점을 연결하여 삼각형을 만들 수 있는 경우는 다음과 같다.

(i) $\overline{AB}$, $\overline{BC}$, $\overline{CA}$에서 각각 한 점씩을 선택하여 삼각형을 만드는 경우

$\overline{AB}$, $\overline{BC}$, $\overline{CA}$에서 한 점을 선택하는 경우는 각각 2가지, 3가지, 1가지이므로 만들 수 있는 삼각형의 개수는

$$2 \times 3 \times 1 = 6$$

(ii) $\overline{AB}$에서 두 점을 선택하고 $\overline{BC}$ 또는 $\overline{AC}$에서 한 점을 선택하여 삼각형을 만드는 경우

$\overline{AB}$에서 두 점을 선택하는 경우는 1가지이고, 나머지 두 변에서 한 점을 선택하는 경우는

$3 + 1 = 4(가지)$이므로 만들 수 있는 삼각형의 개수는

$$1 \times 4 = 4$$

(iii) $\overline{BC}$에서 두 점을 선택하고 $\overline{AB}$ 또는 $\overline{AC}$에서 한 점을 선택하여 만드는 경우

$\overline{BC}$에서 두 점을 선택하는 경우는

$$\frac{3 \times 2}{2 \times 1} = 3(가지)$$이고, 나머지 두 변에서 한 점을 선택하는 경우는 $2 + 1 = 3(가지)$이므로 만들 수 있는 삼각형의 개수는

$$3 \times 3 = 9$$

(i)~(iii)에 의하여 구하는 삼각형의 개수는

$$6 + 4 + 9 = 19$$

다른 풀이 6개의 점 중 3개를 순서에 상관없이 선택하는 경우는

$$\frac{6 \times 5 \times 4}{3 \times 2 \times 1} = 20(가지)$$

세 점을 선택했을 때 삼각형이 만들어지지 않는 경우는 $\overline{BC}$ 위의 세 점을 선택하는 경우이므로 1가지

따라서 구하는 삼각형의 개수는

$$20 - 1 = 19$$

70 4개의 가로선 중 2개를 선택하고, 4개의 세로선 중 2개를 선택하여 직사각형을 만들 수 있으므로

$$\frac{4 \times 3}{2 \times 1} \times \frac{4 \times 3}{2 \times 1} = 36(개)$$

71 직선 a, b, c, d 4개 중 2개를 선택하는 경우는

$$\frac{4 \times 3}{2 \times 1} = 6(가지)$$

직선 l, m, n 3개 중 2개를 선택하는 경우는

$$\frac{3 \times 2}{2 \times 1} = 3(가지)$$

따라서 만들 수 있는 평행사변형은

$$6 \times 3 = 18(개)$$

72 가로선의 개수가 4, 세로선의 개수가 5이므로 만들 수 있는 직사각형의 개수는

$$\frac{4 \times 3}{2 \times 1} \times \frac{5 \times 4}{2 \times 1} = 60 \qquad \therefore a = 60$$

(i) 작은 정사각형 1개로 만들 수 있는 정사각형은 12개

(ii) 작은 정사각형 4개로 만들 수 있는 정사각형은 6개

(iii) 작은 정사각형 9개로 만들 수 있는 정사각형은 2개

(i)~(iii)에 의하여 구하는 정사각형의 개수는

$$12 + 6 + 2 = 20 \qquad \therefore b = 20$$
$$\therefore a + b = 60 + 20 = 80$$

73 4개의 공을 A, B, C, D라 하면 먼저 2개를 선영이에게 주고, 나머지 2개는 은정이에게 주면 된다. 즉 A, B, C, D 4개 중 2개를 뽑는 경우이므로 구하는 방법의 수는

$$\frac{4 \times 3}{2 \times 1} = 6$$

74 먼저 7개의 귤 중 각각 1개씩 두 바구니에 담은 후 남은 5개를 두 바구니에 나누어 담는 경우의 수를 구한다. 5개의 귤을 두 바구니에 나누어 담은 개수를 순서쌍 (흰색, 노란색)으로 나타내면
(0, 5), (1, 4), (2, 3), (3, 2), (4, 1), (5, 0)
이므로 구하는 방법은 모두 6가지이다.

75 각 바구니에 구슬이 반드시 담겨 있어야 하므로 구슬 1개씩을 넣어 둔다. 이제 남은 3개의 구슬을 세 바구니에 나누어 담는 방법의 수를 구한다.
(i) 0개, 0개, 3개로 나누는 경우
  순서쌍 (A, B, C)로 나타내면
  (0, 0, 3), (0, 3, 0), (3, 0, 0)의 3가지

(ii) 0개, 1개, 2개로 나누는 경우
  A, B, C를 한 줄로 세우는 경우와 같으므로
  $3 \times 2 \times 1 = 6$(가지)
(iii) 1개, 1개, 1개의 구슬을 담는 경우 1가지
(i)~(iii)에 의하여 구하는 방법의 수는
$3+6+1=10$
다른 풀이 A, B, C 세 바구니에 나누어 담는 구슬의 개수를 순서쌍 (A, B, C)로 나타내면 구하는 방법은
(1, 1, 4), (1, 2, 3), (1, 3, 2), (1, 4, 1),
(2, 1, 3), (2, 2, 2), (2, 3, 1), (3, 1, 2),
(3, 2, 1), (4, 1, 1)의 10가지이다.

---

2 확률
주제별 실력다지기

01 ④, ⑤	**02** ①	**03** ②	**04** ①	**05** ③	**06** $\frac{3}{4}$	**07** $\frac{1}{3}$	**08** ③
09 빨간 구슬 : 6개, 파란 구슬 : 35개			**10** ⑤	**11** ②	**12** ⑤	**13** $\frac{2}{9}$	**14** $\frac{1}{4}$
15 ③	**16** ①	**17** ③	**18** $\frac{5}{18}$	**19** ⑤	**20** ⑤	**21** $\frac{3}{20}$	**22** ⑤
23 $\frac{11}{30}$	**24** ③	**25** $\frac{4}{15}$	**26** ③	**27** ⑤	**28** $\frac{1}{21}$	**29** $\frac{1}{4}$	**30** ④
31 ⑤	**32** $\frac{19}{20}$	**33** ⑤	**34** $\frac{3}{4}$	**35** ④	**36** $\frac{8}{9}$	**37** $\frac{17}{25}$	**38** $\frac{1}{2}$
39 $\frac{27}{28}$	**40** ④	**41** $\frac{2}{3}$	**42** ④	**43** $\frac{11}{12}$	**44** $\frac{4}{9}$	**45** ③	**46** $\frac{109}{216}$
47 ③	**48** $\frac{43}{108}$	**49** ②	**50** ①	**51** ⑤	**52** $\frac{7}{8}$	**53** ⑤	**54** ②
55 $\frac{5}{12}$	**56** ④	**57** $\frac{2}{9}$	**58** ⑤	**59** $\frac{5}{36}$	**60** ③	**61** $\frac{7}{36}$	**62** $\frac{32}{81}$
63 ②	**64** $\frac{3}{8}$	**65** $\frac{8}{81}$					

01 ④, ⑤ $0 \le p \le 1$이므로 어떤 경우에도 확률은 1보다 클 수 없다.

02 주머니 속에 들어 있는 공의 개수는
$3+2+5=10$
파란 공의 개수는 2이므로 구하는 확률은
$\frac{2}{10} = \frac{1}{5}$

03 5장의 카드에서 2장을 뽑아 두 자리의 정수를 만드는 경우의 수는
$5 \times 4 = 20$
이 중에서 짝수인 경우는 □2, □4의 2가지이고, 각각의 경우가 4가지씩이므로 모두
$2 \times 4 = 8$(가지)
따라서 구하는 확률은
$\frac{8}{20} = \frac{2}{5}$

04 모든 경우의 수는 $5 \times 4 \times 3 \times 2 \times 1 = 120$

부모님이 양 끝에 서는 경우는 '부○○○모' 또는 '모○○○부'의 2가지이고, 그 각각의 경우에 대하여 가운데 세 사람이 서는 경우는 $3 \times 2 \times 1 = 6$(가지)씩 이므로 모두

$2 \times 6 = 12$(가지)

따라서 구하는 확률은 $\dfrac{12}{120} = \dfrac{1}{10}$

05 세 사람이 가위바위보를 할 때 모든 경우의 수는

$3 \times 3 \times 3 = 27$

이때 비기는 경우의 수는 다음과 같이 9이다.

```
 A      B      C
      ┌ 가위 ── 가위
 가위 ┼ 보  ── 바위
      └ 바위 ── 보
      ┌ 바위 ── 바위
 바위 ┼ 가위 ── 보
      └ 보  ── 가위
      ┌ 보  ── 보
 보   ┼ 바위 ── 가위
      └ 가위 ── 바위
```

따라서 구하는 확률은 $\dfrac{9}{27} = \dfrac{1}{3}$

참고 A가 가위를 낼 때 비기는 경우는 3가지이므로 바위, 보를 낼 때도 각각 3가지라고 생각하면 된다.

06 4명 중 3명을 뽑는 경우의 수는

$\dfrac{4 \times 3 \times 2}{3 \times 2 \times 1} = 4$

A가 반드시 뽑히는 경우의 수는 B, C, D 3명 중 2명만 뽑으면 되므로

$\dfrac{3 \times 2}{2 \times 1} = 3$

따라서 구하는 확률은 $\dfrac{3}{4}$이다.

07 호의 길이와 부채꼴의 넓이는 중심각의 크기에 정비례하므로 부채꼴의 넓이는 호의 길이에 정비례한다. 즉

$\overset{\frown}{AB} : \overset{\frown}{BC} : \overset{\frown}{CA} = 1 : 2 : 3$이므로 각각의 부채꼴의 넓이를 S_1, S_2, S_3라 하면 $S_1 : S_2 : S_3 = 1 : 2 : 3$이다.

$S_1 = a$라 하면 $S_2 = 2a$, $S_3 = 3a$이므로 구하는 확률은

$\dfrac{2a}{a + 2a + 3a} = \dfrac{2a}{6a} = \dfrac{1}{3}$

08 전체 넓이는 $\pi \times 6^2 = 36\pi \, (\text{cm}^2)$

5점인 부분의 넓이는 $\pi \times 4^2 - \pi \times 2^2 = 12\pi \, (\text{cm}^2)$

따라서 구하는 확률은

$\dfrac{(\text{5점인 부분의 넓이})}{(\text{전체 넓이})} = \dfrac{12\pi}{36\pi} = \dfrac{1}{3}$

09 주머니 속에 들어 있는 빨간 구슬의 개수를 x, 파란 구슬의 개수를 y라 하면

(가)에서

$(x+y-1) \times \dfrac{1}{8} = x-1, \; 7x - y = 7$ ...... ㉠

(나)에서

$(x+y-5) \times \dfrac{1}{6} = x, \; 5x - y = -5$ ...... ㉡

㉠, ㉡을 연립하여 풀면

$x = 6, \; y = 35$

따라서 주머니 속에 들어 있는 빨간 구슬은 6개이고, 파란 구슬은 35개이다.

10 (흰 공 또는 붉은 공이 나올 확률)

$=$ (흰 공이 나올 확률) $+$ (붉은 공이 나올 확률)

$= \dfrac{1}{3} + \dfrac{2}{5} = \dfrac{11}{15}$

11 모든 경우의 수는 $6 \times 6 = 36$

두 눈의 수의 합이 4인 경우는 (1, 3), (2, 2), (3, 1)의 3가지이므로 확률은 $\dfrac{3}{36}$

두 눈의 수의 곱이 6인 경우는 (1, 6), (2, 3), (3, 2), (6, 1)의 4가지이므로 확률은 $\dfrac{4}{36}$

따라서 구하는 확률은 $\dfrac{3}{36} + \dfrac{4}{36} = \dfrac{7}{36}$

12 모든 경우의 수는 첫 번째 자리에 0이 올 수 없으므로 $4 \times 4 = 16$

(i) 25 미만일 확률

1□인 경우가 4가지이고, 2□인 경우가 4가지이므로

$\dfrac{4}{16} + \dfrac{4}{16} = \dfrac{1}{2}$

(ii) 35 이상일 확률

4□인 경우가 4가지이므로 $\dfrac{4}{16} = \dfrac{1}{4}$

(i), (ii)에 의하여 구하는 확률은

$\dfrac{1}{2}+\dfrac{1}{4}=\dfrac{3}{4}$

13 한 개의 주사위를 두 번 던져서 나오는 모든 경우의
수는 $6\times6=36$

6 이하의 자연수 a, b에 대하여 $\dfrac{a}{b}$가 무한소수가 되
려면 기약분수로 나타내었을 때 분모 b가 2나 5 이외
의 소인수를 반드시 가져야 한다.

(i) $b=3$일 때,

$\dfrac{1}{3}$, $\dfrac{2}{3}$, $\dfrac{4}{3}$, $\dfrac{5}{3}$의 4가지

(ii) $b=6$일 때,

$\dfrac{1}{6}$, $\dfrac{2}{6}\left(=\dfrac{1}{3}\right)$, $\dfrac{4}{6}\left(=\dfrac{2}{3}\right)$, $\dfrac{5}{6}$의 4가지

(i), (ii)에 의하여 구하는 확률은

$\dfrac{4}{36}+\dfrac{4}{36}=\dfrac{2}{9}$

14 동전의 앞면이 나올 확률은 $\dfrac{1}{2}$

주사위의 짝수의 눈이 나올 확률은 $\dfrac{3}{6}=\dfrac{1}{2}$

따라서 구하는 확률은 $\dfrac{1}{2}\times\dfrac{1}{2}=\dfrac{1}{4}$

15 문제를 맞힐 확률과 틀릴 확률은 모두 $\dfrac{1}{2}$이므로 4문
제를 모두 틀릴 확률은

$\dfrac{1}{2}\times\dfrac{1}{2}\times\dfrac{1}{2}\times\dfrac{1}{2}=\dfrac{1}{16}$

16 윷짝 4개를 던질 때의 모든 경우의 수는

$2\times2\times2\times2=16$

도가 나오는 경우는 4개 중 1개를 뽑는 경우와 같으
므로 4가지이고, 개가 나오는 경우는 4개 중 순서에
상관없이 2개를 뽑는 경우와 같으므로

$\dfrac{4\times3}{2\times1}=6$(가지)

따라서 도가 나올 확률은 $\dfrac{4}{16}=\dfrac{1}{4}$, 개가 나올 확률은

$\dfrac{6}{16}=\dfrac{3}{8}$이므로 구하는 확률은 $\dfrac{1}{4}\times\dfrac{3}{8}=\dfrac{3}{32}$

다른 풀이 윷의 등(　)을 H, 윷의 배(　)를
T라 하면 도가 나오는 경우는 HHHT, HHTH,
HTHH, THHH의 4가지이므로 확률은 $\dfrac{4}{16}=\dfrac{1}{4}$

개가 나오는 경우는

$H\begin{cases}H - T - T\\T\begin{cases}H - T\\T - H,\end{cases}\end{cases}$ $T\begin{cases}H\begin{cases}H - T\\T - H\\T - H - H\end{cases}\end{cases}$

의 6가지이므로 확률은 $\dfrac{6}{16}=\dfrac{3}{8}$

따라서 구하는 확률은 $\dfrac{1}{4}\times\dfrac{3}{8}=\dfrac{3}{32}$

17 4등분 된 원판의 3이 적힌 부분을 가리킬 확률은 $\dfrac{1}{4}$

6등분 된 원판의 3이 적힌 부분을 가리킬 확률은

$\dfrac{2}{6}=\dfrac{1}{3}$

따라서 구하는 확률은 $\dfrac{1}{4}\times\dfrac{1}{3}=\dfrac{1}{12}$

18 (i) 처음에 -1, 두 번째에 1을 맞힐 확률은

$\dfrac{1}{6}\times\dfrac{3}{6}=\dfrac{1}{12}$

(ii) 처음에 1, 두 번째에 -1을 맞힐 확률은

$\dfrac{3}{6}\times\dfrac{1}{6}=\dfrac{1}{12}$

(iii) 두 번 모두 0을 맞힐 확률은

$\dfrac{2}{6}\times\dfrac{2}{6}=\dfrac{1}{9}$

(i)~(iii)에 의하여 구하는 확률은

$\dfrac{1}{12}+\dfrac{1}{12}+\dfrac{1}{9}=\dfrac{5}{18}$

19 안타를 칠 확률은 $\dfrac{4}{10}=\dfrac{2}{5}$

안타를 치지 못할 확률은 $1-\dfrac{2}{5}=\dfrac{3}{5}$

따라서 두 번의 타석에서 안타를 한 개만 칠 확률은

$\left(\dfrac{2}{5}\times\dfrac{3}{5}\right)+\left(\dfrac{3}{5}\times\dfrac{2}{5}\right)=\dfrac{12}{25}$

20 첫 번째 뽑은 제비를 다시 넣으므로 첫 번째와 두 번
째에 당첨되지 않을 확률은 모두 $\dfrac{7}{10}$이다.

따라서 구하는 확률은

$\dfrac{7}{10}\times\dfrac{7}{10}=\dfrac{49}{100}$

21 20 이하의 홀수는 1, 3, 5, 7, 9, 11, 13, 15, 17, 19
의 10가지이므로 처음에 홀수가 나올 확률은

$\dfrac{10}{20}=\dfrac{1}{2}$

20의 약수는 1, 2, 4, 5, 10, 20의 6가지이고 처음에
꺼낸 구슬을 다시 넣으므로 두 번째에 20의 약수가

나올 확률은 $\dfrac{6}{20}=\dfrac{3}{10}$

따라서 구하는 확률은 $\dfrac{1}{2}\times\dfrac{3}{10}=\dfrac{3}{20}$

22 민서는 당첨되고 호승이는 당첨되지 않을 확률은

$\dfrac{3}{10}\times\dfrac{7}{10}=\dfrac{21}{100}$

민서는 당첨되지 않고 호승이는 당첨될 확률은

$\dfrac{7}{10}\times\dfrac{3}{10}=\dfrac{21}{100}$

따라서 한 사람만 당첨될 확률은

$\dfrac{21}{100}+\dfrac{21}{100}=\dfrac{21}{50}$

23 (i) A 주머니에서 흰 공을 꺼내어 B 주머니에 넣게 되면 B 주머니에는 흰 공 7개와 빨간 공 3개가 들어 있게 되므로

(A 주머니에서 흰 공을 꺼내고 B 주머니에서 빨간 공을 꺼낼 확률)$=\dfrac{2}{6}\times\dfrac{3}{10}=\dfrac{1}{10}$

(ii) A 주머니에서 빨간 공을 꺼내어 B 주머니에 넣게 되면 B 주머니에는 흰 공 6개와 빨간 공 4개가 들어 있게 되므로

(A 주머니에서 빨간 공을 꺼내고 B 주머니에서 빨간 공을 꺼낼 확률)$=\dfrac{4}{6}\times\dfrac{4}{10}=\dfrac{4}{15}$

(i), (ii)에 의하여 구하는 확률은

$\dfrac{1}{10}+\dfrac{4}{15}=\dfrac{11}{30}$

24 처음에 파란 구슬이 나올 확률은 $\dfrac{5}{12}$

꺼낸 구슬을 다시 넣지 않으므로 두 번째에 파란 구슬이 나올 확률은 $\dfrac{4}{11}$이다.

따라서 구하는 확률은

$\dfrac{5}{12}\times\dfrac{4}{11}=\dfrac{5}{33}$

25 지영이가 간장을 선택하여 마실 확률은 $\dfrac{2}{6}=\dfrac{1}{3}$이고, 선영이가 콜라 4개와 간장 1개 중에 콜라를 선택하여 마실 확률은 $\dfrac{4}{5}$이다.

따라서 구하는 확률은

$\dfrac{1}{3}\times\dfrac{4}{5}=\dfrac{4}{15}$

26 여학생이 반장에 뽑힐 확률은 $\dfrac{5}{8}$이고, 이때 여학생이 부반장에 뽑힐 확률은 반장이 된 1명의 여학생을 제외한 여학생 4명 중 1명이 뽑힐 확률인 $\dfrac{4}{7}$이므로 구하는 확률은

$\dfrac{5}{8}\times\dfrac{4}{7}=\dfrac{5}{14}$

27 두 개 모두 흰 바둑돌일 확률은

$\dfrac{2}{5}\times\dfrac{1}{4}=\dfrac{1}{10}$

두 개 모두 검은 바둑돌일 확률은

$\dfrac{3}{5}\times\dfrac{2}{4}=\dfrac{3}{10}$

따라서 구하는 확률은

$\dfrac{1}{10}+\dfrac{3}{10}=\dfrac{4}{10}=\dfrac{2}{5}$

28 9 이하의 짝수는 2, 4, 6, 8의 4가지이므로 백의 자리에 짝수가 뽑힐 확률은 $\dfrac{4}{9}$이고, 십의 자리에 짝수가 뽑힐 확률은 $\dfrac{3}{8}$, 일의 자리에 짝수가 뽑힐 확률은 $\dfrac{2}{7}$이다.

따라서 구하는 확률은

$\dfrac{4}{9}\times\dfrac{3}{8}\times\dfrac{2}{7}=\dfrac{1}{21}$

29 고른 두 장의 카드의 그림이 모두 ◈일 확률은

$\dfrac{3}{9}\times\dfrac{2}{8}=\dfrac{1}{12}$

◉와 □인 경우의 확률도 마찬가지로 $\dfrac{1}{12}$이므로 구하는 확률은

$\dfrac{1}{12}+\dfrac{1}{12}+\dfrac{1}{12}=\dfrac{1}{4}$

다른 풀이 9장의 카드 중 두 장의 카드를 고르는 경우의 수는

$\dfrac{9\times8}{2\times1}=36$

같은 그림의 세 장의 카드 중 두 장을 고르는 경우의 수는

$\dfrac{3\times2}{2\times1}=3$

세 가지 종류의 그림 각각에 대하여 가능한 경우가 3가지씩이므로 같은 그림이 나오는 경우의 수는

$3\times3=9$

따라서 구하는 확률은

$\dfrac{9}{36}=\dfrac{1}{4}$

30 오지선다형 문제의 정답은 1개이므로 정답률은 $\dfrac{1}{5}$, 오답률은 $\dfrac{4}{5}$이다.

∴ (적어도 한 문제는 맞힐 확률)
= 1 − (세 문제 모두 틀릴 확률)
= $1 - \left(\dfrac{4}{5} \times \dfrac{4}{5} \times \dfrac{4}{5}\right)$
= $1 - \dfrac{64}{125} = \dfrac{61}{125}$

31 (적어도 한 면은 뒷면이 나올 확률)
= 1 − (모두 앞면이 나올 확률)
= $1 - \left(\dfrac{1}{2} \times \dfrac{1}{2} \times \dfrac{1}{2}\right)$
= $1 - \dfrac{1}{8} = \dfrac{7}{8}$

32 (적어도 한 사람은 통과할 확률)
= 1 − (세 사람 모두 통과하지 못할 확률)
= $1 - \left(\dfrac{1}{3} \times \dfrac{1}{4} \times \dfrac{3}{5}\right)$
= $1 - \dfrac{1}{20} = \dfrac{19}{20}$

33 어두운 부분을 맞힐 확률은 $\dfrac{4}{9}$이므로

(적어도 한 발은 어둡지 않은 부분을 맞힐 확률)
= 1 − (두 발 모두 어두운 부분을 맞힐 확률)
= $1 - \left(\dfrac{4}{9} \times \dfrac{4}{9}\right)$
= $1 - \dfrac{16}{81} = \dfrac{65}{81}$

34 6의 약수는 1, 2, 3, 6이므로 6의 약수가 적힌 부분을 맞힐 확률은 $\dfrac{4}{8} = \dfrac{1}{2}$이다.

∴ (적어도 한 발은 6의 약수가 적힌 부분을 맞힐 확률)
= 1 − (두 발 모두 6의 약수가 쓰이지 않은 부분을 맞힐 확률)
= $1 - \left(\dfrac{1}{2} \times \dfrac{1}{2}\right)$
= $1 - \dfrac{1}{4} = \dfrac{3}{4}$

35 전체 6명 중 회장, 부회장을 각각 1명씩 뽑는 경우의 수는
$6 \times 5 = 30$
회장, 부회장이 모두 여학생 중에서 뽑히는 경우의 수는

$2 \times 1 = 2$
따라서 회장, 부회장 모두 여학생이 뽑힐 확률은
$\dfrac{2}{30} = \dfrac{1}{15}$
∴ (남학생이 적어도 1명 뽑힐 확률)
= 1 − (모두 여학생이 뽑힐 확률)
= $1 - \dfrac{1}{15} = \dfrac{14}{15}$

36 10점인 과녁에 맞힐 확률이 $\dfrac{2}{3}$이므로 못 맞힐 확률은 $\dfrac{1}{3}$이다.

(ⅰ) 4발 모두 10점인 과녁에 못 맞힐 확률은
$\dfrac{1}{3} \times \dfrac{1}{3} \times \dfrac{1}{3} \times \dfrac{1}{3} = \dfrac{1}{81}$

(ⅱ) 4발 중 1발만 10점인 과녁에 맞히는 경우는
(○, ×, ×, ×), (×, ○, ×, ×),
(×, ×, ○, ×), (×, ×, ×, ○)
의 4가지이므로 확률은
$\left(\dfrac{2}{3} \times \dfrac{1}{3} \times \dfrac{1}{3} \times \dfrac{1}{3}\right) \times 4 = \dfrac{8}{81}$

(ⅰ), (ⅱ)에 의하여
(적어도 2발 이상을 10점인 과녁에 맞힐 확률)
= 1 − (10점인 과녁에 못 맞히거나 1발만 맞힐 확률)
= $1 - \left(\dfrac{1}{81} + \dfrac{8}{81}\right) = \dfrac{8}{9}$

37 3의 배수가 나오는 경우는 3, 6, 9, …, 48의 16가지이므로 3의 배수가 나올 확률은 $\dfrac{16}{50} = \dfrac{8}{25}$

따라서 구하는 확률은
1 − (3의 배수가 나올 확률) = $1 - \dfrac{8}{25} = \dfrac{17}{25}$

38 나연이가 약속 장소에 나갈 확률은 $1 - \dfrac{1}{4} = \dfrac{3}{4}$

현정이가 약속 장소에 나갈 확률은 $\dfrac{2}{3}$이므로
(두 사람이 공원에서 만나지 못할 확률)
= (적어도 한 사람은 약속 장소에 나가지 않을 확률)
= 1 − (두 사람 모두 약속 장소에 나갈 확률)
= $1 - \left(\dfrac{3}{4} \times \dfrac{2}{3}\right) = 1 - \dfrac{1}{2} = \dfrac{1}{2}$

39 화살이 사과에 꽂히려면 두 사람 중 적어도 한 사람의 화살이 꽂혀야 한다.

∴ (화살이 사과에 꽂힐 확률)

$\quad = 1 - ($두 사람의 화살이 모두 빗나갈 확률$)$

$\quad = 1 - \left(\dfrac{1}{7} \times \dfrac{1}{4} \right)$

$\quad = 1 - \dfrac{1}{28} = \dfrac{27}{28}$

40 세 사람이 명중시키지 못할 확률은 각각 $\dfrac{2}{3}, \dfrac{2}{5}, \dfrac{1}{2}$

이므로 새가 총에 맞을 확률은

$1 - ($세 사람 모두 명중시키지 못할 확률$)$

$= 1 - \left(\dfrac{2}{3} \times \dfrac{2}{5} \times \dfrac{1}{2} \right)$

$= 1 - \dfrac{2}{15} = \dfrac{13}{15}$

41 두 사람이 비기는 경우를 제외하면 승패가 결정된다.

두 사람이 가위바위보를 할 때 일어나는 모든 경우는

$3 \times 3 = 9$(가지)

이고, 비기는 경우는 (가위, 가위), (바위, 바위),

(보, 보)의 3가지이므로 비길 확률은

$\dfrac{3}{9} = \dfrac{1}{3}$

따라서 승패가 결정될 확률은

$1 - \dfrac{1}{3} = \dfrac{2}{3}$

42 (짝수)×(짝수)=(짝수), (짝수)×(홀수)=(짝수),

(홀수)×(짝수)=(짝수), (홀수)×(홀수)=(홀수)

이고

각 주사위에서 홀수의 눈이 나올 확률은 $\dfrac{1}{2}$이므로

(두 눈의 수의 곱이 짝수일 확률)

$= 1 - ($두 주사위 모두 홀수의 눈이 나올 확률$)$

$= 1 - \left(\dfrac{1}{2} \times \dfrac{1}{2} \right) = 1 - \dfrac{1}{4} = \dfrac{3}{4}$

43 두 눈의 수의 합이 11 또는 12가 되는 경우는

$(5, 6), (6, 5), (6, 6)$의 3가지이므로 확률은

$\dfrac{3}{36} = \dfrac{1}{12}$

∴ (두 눈의 수의 합이 10 이하일 확률)

$\quad = 1 - ($두 눈의 수의 합이 11 이상일 확률$)$

$\quad = 1 - \dfrac{1}{12} = \dfrac{11}{12}$

44 $x-y, y-z, z-x$의 값 중 적어도 하나가 0이면

$(x-y)(y-z)(z-x)=0$이 되므로

(구하는 확률)

$= 1 - \{(x-y)(y-z)(z-x) \neq 0$일 확률$\}$

$(x-y)(y-z)(z-x) \neq 0$일 확률, 즉 $x \neq y$이고

$y \neq z$이고 $z \neq x$일 확률은 x, y, z가 모두 다른 수일

확률이므로

$\dfrac{6}{6} \times \dfrac{5}{6} \times \dfrac{4}{6} = \dfrac{5}{9}$

따라서 구하는 확률은

$1 - (x \neq y$이고 $y \neq z$이고 $z \neq x$일 확률$)$

$= 1 - \dfrac{5}{9} = \dfrac{4}{9}$

다른 풀이 세 개의 서로 다른 주사위를 동시에 던져

서 나오는 모든 경우의 수는 $6 \times 6 \times 6 = 216$

$x \neq y, y \neq z, z \neq x$일 경우의 수는 x, y, z 모두 다른

수가 나오는 경우의 수이므로 $6 \times 5 \times 4 = 120$

따라서 구하는 확률은

$1 - \dfrac{120}{216} = \dfrac{96}{216} = \dfrac{4}{9}$

45 눈이 온 다음 날 눈이 올 확률이 $\dfrac{1}{3}$이므로 눈이 온 다

음 날 눈이 오지 않을 확률은

$1 - \dfrac{1}{3} = \dfrac{2}{3}$

눈이 온 날을 ○, 눈이 오지 않은 날을 ×로 나타내

고, 목요일에 눈이 왔을 때 토요일에 눈이 오는 경우

를 순서쌍 (목, 금, 토)로 나타내면 (○, ○, ○),

(○, ×, ○)이므로 구하는 확률은

$\left(\dfrac{1}{3} \times \dfrac{1}{3} \right) + \left(\dfrac{2}{3} \times \dfrac{1}{5} \right) = \dfrac{11}{45}$

46 밥을 먹은 다음 날 토스트를 먹을 확률이 $\dfrac{2}{3}$이므로

밥을 먹은 다음 날 밥을 먹을 확률은

$1 - \dfrac{2}{3} = \dfrac{1}{3}$

토스트를 먹은 다음 날 밥을 먹을 확률이 $\dfrac{3}{4}$이므로

토스트를 먹은 다음 날 토스트를 먹을 확률은

$1 - \dfrac{3}{4} = \dfrac{1}{4}$

화요일에 밥을 먹었을 때 금요일에 토스트를 먹는 경

우를 순서쌍 (화, 수, 목, 금)으로 나타내면

(밥, 밥, 밥, 토스트), (밥, 밥, 토스트, 토스트),

(밥, 토스트, 밥, 토스트), (밥, 토스트, 토스트, 토

스트)이므로 구하는 확률은

$$\left(\frac{1}{3} \times \frac{1}{3} \times \frac{2}{3}\right) + \left(\frac{1}{3} \times \frac{2}{3} \times \frac{1}{4}\right) + \left(\frac{2}{3} \times \frac{3}{4} \times \frac{2}{3}\right)$$
$$+ \left(\frac{2}{3} \times \frac{1}{4} \times \frac{1}{4}\right)$$
$$= \frac{2}{27} + \frac{1}{18} + \frac{1}{3} + \frac{1}{24}$$
$$= \frac{109}{216}$$

47 경기에서 이긴 후 다음 경기에서 질 확률은

$$1 - \frac{1}{3} = \frac{2}{3}$$

경기에서 진 후 다음 경기에서 질 확률은

$$1 - \frac{1}{4} = \frac{3}{4}$$

이긴 경기를 ○, 진 경기를 ×로 나타내고, 첫 번째 경기에서 진 후 세 번째 경기에서 이기는 경우를 순서쌍 (1회, 2회, 3회)로 나타내면 (×, ○, ○), (×, ×, ○)이므로 구하는 확률은

$$\left(\frac{1}{4} \times \frac{1}{3}\right) + \left(\frac{3}{4} \times \frac{1}{4}\right) = \frac{13}{48}$$

48 버스를 탄 다음 날 버스를 탈 확률은

$$1 - \frac{1}{3} = \frac{2}{3}$$

지하철을 탄 다음 날 지하철을 탈 확률은

$$1 - \frac{1}{2} = \frac{1}{2}$$

버스를 탄 날을 B, 지하철을 탄 날을 S라 하고, 월요일에 버스를 타고 출근하였을 때 그 주 목요일에 지하철을 타고 출근하는 경우를 순서쌍 (월, 화, 수, 목)으로 나타내면 (B, B, B, S), (B, B, S, S), (B, S, B, S), (B, S, S, S)이므로 구하는 확률은

$$\left(\frac{2}{3} \times \frac{2}{3} \times \frac{1}{3}\right) + \left(\frac{2}{3} \times \frac{1}{3} \times \frac{1}{2}\right) + \left(\frac{1}{3} \times \frac{1}{2} \times \frac{1}{3}\right)$$
$$+ \left(\frac{1}{3} \times \frac{1}{2} \times \frac{1}{2}\right)$$
$$= \frac{4}{27} + \frac{1}{9} + \frac{1}{18} + \frac{1}{12} = \frac{43}{108}$$

49 합격품을 ○, 불량품을 ×라 하면 꺼낸 제품을 다시 넣지 않으므로 세 번째에 검사가 끝나는 경우는 (○, ×, ×), (×, ○, ×)의 2가지이다.

(i) (○, ×, ×)인 경우의 확률은

$$\frac{18}{20} \times \frac{2}{19} \times \frac{1}{18} = \frac{1}{190}$$

(ii) (×, ○, ×)인 경우의 확률은

$$\frac{2}{20} \times \frac{18}{19} \times \frac{1}{18} = \frac{1}{190}$$

(i), (ii)에 의하여 구하는 확률은

$$\frac{1}{190} + \frac{1}{190} = \frac{2}{190} = \frac{1}{95}$$

50 주머니 속에 검은 바둑돌 4개, 흰 바둑돌 2개가 들어 있으므로 모두 6개의 바둑돌이 들어 있고, 꺼낸 바둑돌은 다시 넣지 않는다.

B가 이기는 경우는 다음과 같이 2가지이다.

A	B	C	A	B	C
검	흰	·	·	·	·
검	검	검	검	흰	·

따라서 B가 이길 확률은

$$\left(\frac{4}{6} \times \frac{2}{5}\right) + \left(\frac{4}{6} \times \frac{3}{5} \times \frac{2}{4} \times \frac{1}{3} \times \frac{2}{2}\right) = \frac{4}{15} + \frac{1}{15}$$
$$= \frac{1}{3}$$

51 두 번째 게임에서 A가 이길 확률은 $\frac{3}{4}$

두 번째 게임에서 B가 이기고, 세 번째 게임에서 A가 이길 확률은

$$\left(1 - \frac{3}{4}\right) \times \frac{3}{4} = \frac{3}{16}$$

따라서 A가 승리할 확률은

$$\frac{3}{4} + \frac{3}{16} = \frac{15}{16}$$

52 이기거나 질 확률이 모두 $\frac{1}{2}$씩이고, 현재까지 두 번을 준형이가 이겼으므로 남은 세 번의 시합 중 한 번만 준형이가 이겨도 이 대회의 우승자는 준형이가 된다.

준형이가 이기는 경우는 다음의 3가지이다.

세 번째	네 번째	다섯 번째
준형	·	·
현수	준형	·
현수	현수	준형

따라서 준형이가 우승할 확률은

$$\frac{1}{2} + \left(\frac{1}{2} \times \frac{1}{2}\right) + \left(\frac{1}{2} \times \frac{1}{2} \times \frac{1}{2}\right) = \frac{7}{8}$$

다른 풀이 현수가 우승하는 경우는 남은 3번의 시합을 다 이기는 경우이므로 현수가 우승할 확률은

$$\frac{1}{2} \times \frac{1}{2} \times \frac{1}{2} = \frac{1}{8}$$

따라서 준형이가 우승할 확률은

$$1 - (현수가 우승할 확률) = 1 - \frac{1}{8} = \frac{7}{8}$$

53 모든 경우의 수는 $4 \times 4 = 16$

a와 b는 모두 4 이하의 자연수이고, 방정식 $ax = b$의

해가 $x = \dfrac{b}{a}$이므로 $\dfrac{b}{a}$가 정수이려면

$a = 1$일 때, $b = 1, 2, 3, 4$의 4가지

$a = 2$일 때, $b = 2, 4$의 2가지

$a = 3$일 때, $b = 3$의 1가지

$a = 4$일 때, $b = 4$의 1가지

이므로 $4 + 2 + 1 + 1 = 8$(가지)

따라서 구하는 확률은 $\dfrac{8}{16} = \dfrac{1}{2}$

54 모든 경우의 수는 $6 \times 6 = 36$

x와 y는 모두 6 이하의 자연수이므로 $y = 7 - 2x$를

만족하는 순서쌍 (x, y)는 $(1, 5), (2, 3), (3, 1)$의

3가지이다.

따라서 구하는 확률은 $\dfrac{3}{36} = \dfrac{1}{12}$

55 모든 경우의 수는 $6 \times 6 = 36$

$a > b$인 경우는

$a = 2$일 때, $b = 1$의 1가지

$a = 3$일 때, $b = 1, 2$의 2가지

$a = 4$일 때, $b = 1, 2, 3$의 3가지

$a = 5$일 때, $b = 1, 2, 3, 4$의 4가지

$a = 6$일 때, $b = 1, 2, 3, 4, 5$의 5가지

이므로 $1 + 2 + 3 + 4 + 5 = 15$(가지)

따라서 구하는 확률은 $\dfrac{15}{36} = \dfrac{5}{12}$

56 부등식 $4x - 2 > 7$의 해가 $x > \dfrac{9}{4}$이므로 이를 만족하

는 정수 x는 $3, 4, 5, 6, 7, 8, 9, 10$의 8가지이다.

따라서 구하는 확률은 $\dfrac{8}{10} = \dfrac{4}{5}$

57 (i) 교점의 x좌표가 1일 때

$y = 2 - a$와 $y = -a + b$에서

$2 - a = -a + b$ $\therefore b = 2$

이때 $a = 1, 2, 3, 4, 5, 6$의 6가지이므로

확률은 $\dfrac{6}{36} = \dfrac{1}{6}$

(ii) 교점의 x좌표가 2일 때

$y = 4 - a$와 $y = -2a + b$에서

$4 - a = -2a + b$ $\therefore b = a + 4$

이를 만족하는 순서쌍 (a, b)는 $(1, 5), (2, 6)$

의 2가지이므로 확률은 $\dfrac{2}{36} = \dfrac{1}{18}$

(i), (ii)에 의하여 구하는 확률은

$\dfrac{1}{6} + \dfrac{1}{18} = \dfrac{4}{18} = \dfrac{2}{9}$

58 모든 경우의 수는 $6 \times 6 = 36$

두 직선이 한 점에서 만나려면 기울기가 달라야 하므

로 $a \neq 4$이어야 한다.

즉 a는 $1, 2, 3, 5, 6$의 5가지이고, b는 어떤 값이어

도 상관없으므로 6가지이다.

따라서 두 직선이 한 점에서 만나는 경우는

$5 \times 6 = 30$(가지)이므로 구하는 확률은

$\dfrac{30}{36} = \dfrac{5}{6}$

59 모든 경우의 수는 $6 \times 6 = 36$

두 직선 $y = 3x + 1$과 $y = ax + b$가 평행하려면 기울

기가 같고 y절편이 달라야 하므로 $a = 3$, $b \neq 1$이어

야 한다.

$a = 3$일 때, $b = 2, 3, 4, 5, 6$의 5가지이므로 구하는

확률은 $\dfrac{5}{36}$이다.

60 주사위를 두 번 던진 후 점 P가 꼭짓점 D에 있으려

면 두 눈의 수의 합이 3, 7, 11이어야 한다.

두 눈의 수의 합이 3인 경우는 $(1, 2), (2, 1)$이므로

확률은 $\dfrac{2}{36} = \dfrac{1}{18}$

두 눈의 수의 합이 7인 경우는 $(1, 6), (2, 5),$

$(3, 4), (4, 3), (5, 2), (6, 1)$이므로 확률은

$\dfrac{6}{36} = \dfrac{1}{6}$

두 눈의 수의 합이 11인 경우는 $(5, 6), (6, 5)$이므로

확률은 $\dfrac{2}{36} = \dfrac{1}{18}$

따라서 구하는 확률은 $\dfrac{1}{18} + \dfrac{1}{6} + \dfrac{1}{18} = \dfrac{5}{18}$

61 점 P가 꼭짓점 D에 있으려면 주사위의 두 눈의 수의

합이 3 또는 8이어야 한다.

두 눈의 수의 합이 3인 경우는 $(1, 2), (2, 1)$이므로

확률은 $\dfrac{2}{36} = \dfrac{1}{18}$

두 눈의 수의 합이 8인 경우는 $(2, 6), (3, 5), (4, 4),$

$(5, 3), (6, 2)$이므로 확률은 $\dfrac{5}{36}$

따라서 구하는 확률은 $\dfrac{1}{18} + \dfrac{5}{36} = \dfrac{7}{36}$

62 6의 약수는 1, 2, 3, 6의 4가지이므로 6의 약수의 눈이 나올 확률은 $\dfrac{4}{6}=\dfrac{2}{3}$이고, 그 이외의 눈이 나올 확률은

$$1-\dfrac{2}{3}=\dfrac{1}{3}$$

또 점 P가 2에 위치하려면 주사위를 4번 던졌을 때 6의 약수가 3번, 그 이외의 수가 1번 나와야 한다. 6의 약수가 나오는 사건을 A, 그 이외의 수가 나오는 사건을 B라 하면 (A, A, A, B), (A, A, B, A), (A, B, A, A), (B, A, A, A)의 4가지 경우이고 그 각각의 경우의 확률은 모두 같으므로 구하는 확률은

$$\left(\dfrac{2}{3}\times\dfrac{2}{3}\times\dfrac{2}{3}\times\dfrac{1}{3}\right)\times4=\dfrac{32}{81}$$

63 앞면과 뒷면이 나올 확률은 각각 $\dfrac{1}{2}$이고, 점 P가 처음의 위치에 있으려면 앞면이 2번, 뒷면이 2번 나와야 한다. 동전의 앞면을 H, 뒷면을 T라 하면

H ⟨ H — T — T / T ⟨ H — T / T — H , T ⟨ H — T / T — H — H

의 6가지 경우이고, 그 각각의 경우의 확률은 모두 같으므로 구하는 확률은

$$\left(\dfrac{1}{2}\times\dfrac{1}{2}\times\dfrac{1}{2}\times\dfrac{1}{2}\right)\times6=\dfrac{3}{8}$$

64 앞면과 뒷면이 나올 확률은 각각 $\dfrac{1}{2}$이고, 처음보다 세 계단 위로 올라가려면 앞면이 2번, 뒷면이 1번 나와야 한다.

동전의 앞면을 H, 뒷면을 T라 하면
(H, H, T), (H, T, H), (T, H, H)
의 3가지이고, 그 각각의 경우의 확률은 모두 같으므로 구하는 확률은

$$\left(\dfrac{1}{2}\times\dfrac{1}{2}\times\dfrac{1}{2}\right)\times3=\dfrac{3}{8}$$

65 6의 약수가 나올 확률은

$$\dfrac{4}{6}=\dfrac{2}{3}$$

6의 약수가 나오지 않을 확률은

$$1-\dfrac{2}{3}=\dfrac{1}{3}$$

주사위를 네 번 던진 후 말이 (마)의 위치에 있으려면 6의 약수가 1번, 그 이외의 수가 3번 나와야 한다.

6의 약수가 나올 경우를 ○, 나오지 않을 경우를 ×라 할 때, 가능한 경우의 순서쌍 (1회, 2회, 3회, 4회)는 $(○, ×, ×, ×)$, $(×, ○, ×, ×)$, $(×, ×, ○, ×)$, $(×, ×, ×, ○)$이므로 구하는 확률은

$$\left(\dfrac{2}{3}\times\dfrac{1}{3}\times\dfrac{1}{3}\times\dfrac{1}{3}\right)\times4=\dfrac{8}{81}$$

단원 종합 문제

01 ⑤	02 ②	03 24가지	04 ①	05 ⑤	06 ②	07 ③	08 2
09 ③	10 ③	11 ③	12 14	13 ③	14 ④	15 ④	16 $\dfrac{2}{3}$
17 ①	18 ⑤	19 $\dfrac{5}{16}$	20 ③				

01 ① 개가 나오는 경우의 수는
$$\dfrac{4\times3}{2\times1}=6$$
걸이 나오는 경우의 수는
$$\dfrac{4\times3\times2}{3\times2\times1}=4$$
따라서 구하는 경우의 수는
$$6+4=10$$

② 순서쌍 (A, B)가 (주먹, 보), (가위, 주먹), (보, 가위)의 3가지 경우일 때 A가 지게 된다.

③ 눈의 수의 합이 4인 경우는 $(1, 3)$, $(2, 2)$, $(3, 1)$의 3가지이고, 눈의 수의 합이 6인 경우는 $(1, 5)$, $(2, 4)$, $(3, 3)$, $(4, 2)$, $(5, 1)$의 5가지이므로 구하는 경우의 수는 $3+5=8$

⑤ A가 이기는 경우는 다음과 같다.

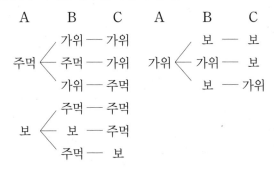

따라서 A가 이기는 경우의 수는 9이다.

주의 'A만 이기는 경우'는 3가지이다.

02 20 이하의 소수가 나오는 경우는 2, 3, 5, 7, 11, 13, 17, 19의 8가지이다.

03 4명을 일렬로 세우는 경우의 수와 같으므로
$4 \times 3 \times 2 \times 1 = 24$(가지)

04 $\overline{AB} = \overline{BA}$이므로 만들 수 있는 선분의 개수는 5개의 점 중에서 2개의 점을 순서에 상관없이 뽑는 경우의 수와 같다.
$\therefore \dfrac{5 \times 4}{2 \times 1} = 10$(개)

05 A에 칠할 수 있는 색은 5가지, B에는 A에 칠하지 않은 4가지의 색을 칠할 수 있고, C에는 A, B에 칠하지 않은 3가지의 색을 칠할 수 있으므로 구하는 방법의 수는
$5 \times 4 \times 3 = 60$

06 240보다 작은 세 자리의 정수는 다음과 같다.
(i) 1□□인 경우는 $4 \times 3 = 12$(개)
(ii) 2 1□인 경우는 3개
(iii) 2 3□인 경우는 3개
(i)~(iii)에 의하여 구하는 정수는
$12 + 3 + 3 = 18$(개)

07 십의 자리에는 0을 제외한 4가지의 숫자가 올 수 있고, 일의 자리에는 십의 자리에 사용한 숫자를 제외하고 0을 포함하여 4가지의 숫자가 올 수 있으므로 만들 수 있는 두 자리의 정수는
$4 \times 4 = 16$(개)

08 아버지와 어머니를 맨 앞과 맨 뒤에 서도록 고정한 후 그 사이에 나머지 2명을 한 줄로 세우는 경우의 수와 같으므로
$2 \times 1 = 2$

09 A팀의 팀원을 A_1, A_2, B팀의 팀원을 B_1, B_2, C팀의 팀원을 C_1, C_2라 하고 같은 팀원을 각각 한 묶음으로 생각하면 $\boxed{A_1, A_2}$, $\boxed{B_1, B_2}$, $\boxed{C_1, C_2}$의 3명을 한 줄로 세우는 경우의 수는
$3 \times 2 \times 1 = 6$
각 묶음 안의 두 사람이 자리를 바꾸어 서는 경우의 수는 각각 $2 \times 1 = 2$
따라서 구하는 경우의 수는
$6 \times 2 \times 2 \times 2 = 48$

10 A, C, E가 이웃하므로 한 묶음으로 생각하면 $\boxed{A, C, E}$, B, D의 3명을 한 줄로 세우는 경우의 수와 같으므로
$3 \times 2 \times 1 = 6$
이때 A, C, E가 묶음 안에서 한 줄로 서는 경우의 수는
$3 \times 2 \times 1 = 6$
따라서 구하는 경우의 수는
$6 \times 6 = 36$

11 $\dfrac{a}{b} < 1$이 성립하려면 $b > a$이어야 한다.
a가 1일 때, b는 2, 3, 4, 5, 6의 5가지
a가 2일 때, b는 3, 4, 5, 6의 4가지
a가 3일 때, b는 4, 5, 6의 3가지
a가 4일 때, b는 5, 6의 2가지
a가 5일 때, b는 6의 1가지
따라서 구하는 경우의 수는
$5 + 4 + 3 + 2 + 1 = 15$

12 두 사람이 시킬 수 있는 메뉴의 가격은 3500원짜리 2개 또는 3000원짜리와 4000원짜리 각각 1개씩이다.
(i) 3500원짜리 2개를 선택하는 경우
딸기, 키위, 파인애플 중 2개를 선택하는 경우이므로
$3 \times 2 = 6$(가지)
(ii) 3000원짜리와 4000원짜리를 각각 1개씩 선택하는 경우
각각의 메뉴가 2가지씩이므로 $2 \times 2 = 4$(가지)

각각에 대하여 수현이와 호주가 바꾸어 마시는 2가지의 경우가 있으므로

$4 \times 2 = 8$(가지)

(i), (ii)에 의하여 구하는 경우의 수는

$6 + 8 = 14$

13 ① A 주머니에서 검은 구슬이 나오는 확률은

$\dfrac{2}{6} = \dfrac{1}{3}$

③ 적어도 한 주머니에서 흰 구슬이 나올 확률은

1-(모두 검은 구슬이 나올 확률)

$= 1 - \left(\dfrac{1}{3} \times \dfrac{3}{5} \right) = \dfrac{4}{5}$

④ (서로 같은 색 구슬이 나올 확률)

=(모두 흰 구슬 또는 모두 검은 구슬이 나올 확률)

$= \left(\dfrac{2}{3} \times \dfrac{2}{5} \right) + \left(\dfrac{1}{3} \times \dfrac{3}{5} \right)$

$= \dfrac{4}{15} + \dfrac{3}{15} = \dfrac{7}{15}$

⑤ (서로 다른 색 구슬이 나올 확률)

=1-(서로 같은 색 구슬이 나올 확률)

$= 1 - \dfrac{7}{15} = \dfrac{8}{15}$

14 ④ $p+q$는 항상 1이다.

15 꺼낸 공을 다시 넣지 않으므로

(i) 두 번 모두 검은 공이 나올 확률

첫 번째에 검은 공이 나올 확률은 $\dfrac{3}{5}$이고, 두 번째에 검은 공 2개, 흰 공 2개 중에 검은 공이 나올 확률은

$\dfrac{2}{4} = \dfrac{1}{2}$이므로 두 번 모두 검은 공이 나올 확률은

$\dfrac{3}{5} \times \dfrac{1}{2} = \dfrac{3}{10}$

(ii) 두 번 모두 흰 공이 나올 확률

처음에 흰 공이 나올 확률은 $\dfrac{2}{5}$이고, 두 번째에 검은 공 3개, 흰 공 1개 중에 흰 공이 나올 확률은 $\dfrac{1}{4}$이므로 두 번 모두 흰 공이 나올 확률은

$\dfrac{2}{5} \times \dfrac{1}{4} = \dfrac{1}{10}$

(i), (ii)에 의하여 구하는 확률은

$\dfrac{3}{10} + \dfrac{1}{10} = \dfrac{2}{5}$

16 뽑은 제비는 다시 넣지 않으므로 첫 번째에 당첨되지 않을 확률은 $\dfrac{6}{10} = \dfrac{3}{5}$이고, 두 번째에 당첨되지 않을 확률은 $\dfrac{5}{9}$이다.

두 번 모두 당첨되지 않을 확률은

$\dfrac{3}{5} \times \dfrac{5}{9} = \dfrac{1}{3}$

따라서 구하는 확률은

1-(두 번 모두 당첨되지 않을 확률)$= 1 - \dfrac{1}{3} = \dfrac{2}{3}$

17 모든 경우의 수는 $6 \times 6 = 36$

직선 $2ax - 3by - 1 = 0$이 점 $(1, 1)$을 지나므로

$x = 1$, $y = 1$을 대입하면

$2a - 3b - 1 = 0$ $\therefore a = \dfrac{3b+1}{2}$

a와 b는 모두 6 이하의 자연수이므로 $a = \dfrac{3b+1}{2}$을 만족하는 순서쌍 (a, b)는 $(2, 1)$, $(5, 3)$의 2가지

따라서 구하는 확률은

$\dfrac{2}{36} = \dfrac{1}{18}$

18 (C의 넓이)

=(전체 넓이)-{(A의 넓이)+(B의 넓이)}

$= \pi \times 3^2 - \pi \times 2^2 = 5\pi$

따라서 구하는 확률은

$\dfrac{(\text{C의 넓이})}{(\text{전체 넓이})} = \dfrac{5\pi}{9\pi} = \dfrac{5}{9}$

19 모든 경우의 수는 $4 \times 4 = 16$

A, B가 각각 맞힌 숫자를 순서쌍 (A, B)로 나타내면 A가 이기는 경우는 $(3, 2)$, $(4, 2)$, $(7, 2)$, $(7, 5)$, $(7, 6)$의 5가지이므로 구하는 확률은 $\dfrac{5}{16}$이다.

20 점 P는 두 눈의 수의 합이 4 또는 10일 때 꼭짓점 E에 놓이게 된다. 즉 $(1, 3)$, $(2, 2)$, $(3, 1)$, $(4, 6)$, $(5, 5)$, $(6, 4)$의 6가지이므로 구하는 확률은

$\dfrac{6}{36} = \dfrac{1}{6}$

개념 확장

최상위수학

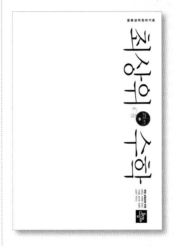

수학적 사고력 확장을 위한
심화 학습 교재

심화 완성

개념부터
심화까지

수학은 개념이다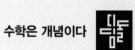

이 책을 만드신 선생님

최문섭 최희영 한송이 고길동 송낙천 최영욱 김종군 박선영

이 책을 검토하신 선생님

'수학나눔연구회' 선생님들

최상위수학 라이트 중 3-2

펴낸날 [개정판 1쇄] 2019년 11월 1일 [개정판 7쇄] 2024년 6월 15일
펴낸이 이기열
펴낸곳 (주)디딤돌 교육
주소 (03972) 서울특별시 마포구 월드컵북로 122 청원선와이즈타워
대표전화 02-3142-9000
구입문의 02-322-8451
내용문의 02-336-7918
팩시밀리 02-335-6038
홈페이지 www.didimdol.co.kr
등록번호 제10-718호